дина рубина

на солнечной стороне улицы

роман

Москва 2007

УДК 82-3
ББК 84 (2Рос-Рус)6-4
 Р 82

Оформление переплета *Антона Ходаковского*

 Рубина Д.
Р 82   На солнечной стороне улицы: Роман / Дина Рубина. —
    М.: Эксмо, 2007. — 432 с.

 ISBN 978-5-699-16157-7

Новый роман Дины Рубиной — новость во всех смыслах этого слова: неожиданный виртуозный кульбит «под куполом литературы», абсолютное преображение стиля писателя, его привычной интонации и круга тем.

Причудливы судьбы героев романа, в «высоковольтном» сюжете переплелись любовь и преступления, талант и страсть, способная уничтожить личность или вознести к вершинам творчества.

Откройте этот роман — и вас не отпустит поистине вавилонское столпотворение типов: городские безумцы и алкаши, русские дворяне, ссыльные и отбывшие срок зэки, «белые колонизаторы» и «охотники за гашишем»...

                        УДК 82-3
                        ББК 84(2Рос-Рус)6-4

ISBN 978-5-699-16157-7

моим родителям

Автор сердечно благодарит за помощь в работе над этой книгой ДМИТРИЯ БОРИСОВИЧА ЗИМИНА и его фонд «ДИНАСТИЯ», своих земляков — МАРИНУ ПОДОЛЬСКУЮ, ДМИТРИЯ ШВЕЦОВА, ЕЛЕНУ и БЕЛЛУ КОСОНОВСКИХ, ИГОРЯ ПОРТОНА, ЭЛЛУ и СТАНИСЛАВА МИТИНЫХ, ВАДИМА ЛЕВИНА и РЕНАТУ МУХУ, ЛЮДМИЛУ ЦЫБИНУ, АЛЕКСАНДРА ХАСИНА, МАЙЮ МИКУЛИЦКУЮ, а также РИТУ и ИЛЬЮ РУБИНЫХ за бесценные блестки памяти, без которых трудно было бы воскресить образ города моего детства и юности.

| Часть первая |

...для любого сколько-нибудь тревожного человека родной город... — нечто очень неродное, место воспоминаний, печали, мелочности, стыда, соблазна, напрасной растраты сил.

Франц Кафка.
Письма к фройляйн Минце Э.

Я позабыла тот город, он заштрихован моей угрюмой памятью, как пейзаж — дождевыми каплями на стекле.

Не помню названия улиц. Впрочем, их все равно переименовали. И не люблю, никогда не любила глинобитных этих заборов, саманных переулков Старого города, ханского великолепия новых мраморных дворцов, имперского размаха проспектов. Моя юность проплутала этими переулками, просвистела этими проспектами и — сгинула.

Иногда во сне, оказавшись на смутно знакомом перекрестке и тоскливо догадываясь о местонахождении, я тщетно пытаюсь припомнить дорогу к рынку, где ждет меня спасение от позора.

Я не помню лиц соучеников, и когда на моем выступлении в Сан-Франциско или Ганновере ко мне подходит некто незнакомый и, улыбаясь слишком ровной, слишком белозубой улыбкой, говорит: «Вспомни-ка школу Успенского», — я не помню, не помню, не помню!

...Тогда почему все чаще, возвращаясь из Хайфы или Ашкелона домой, поднимаясь в свой иерусалимский автобус и рассеянно вручая водителю мятую двадцатку, я глухо говорю:

— ...В Ташкент?..

1

Из долгой, с ветерком, гастроли мать нагрянула неожиданно и, вызнав у соседей про измену отчима, пошла резать его кухонным ножом. Нанесла три глубокие раны — убивать так убивать! — и села в тюрьму на пять лет...

Вера в тот день как раз читала «Царя Эдипа». Распластанная книжка так и осталась валяться на кухонном столе дерматиновым хребтом вверх, словно силясь подняться с карачек... Так что все оказалось по теме. Хотя убийства настоящего и не вышло. Дядя Миша, отчим, долго валялся по больницам, но окончательно не выправился, — подволакивал ногу, клонился влево, подпирая себя палкой. Кашлял в кулак...

«Догнива-а-ает», — говорила мать, убийца окаянная.

Сама же отсчитала весь срок до копейки, и когда вернулась, Вере уже исполнилось двадцать.

Вот вам конспект событий...

Если же рассказывать толково и подробно... то эту жизнь надо со всех сторон копать: и с начала, и с конца, и посередке. А если копать с усердием, такое выкопаешь, что не обрадуешься. Ведь любая судьба к посторонним людям — чем повернута? Конспектом. Оглавлением... В иную заглянешь и

14

отшатнешься испуганно: кому охота лезть голыми руками в электрическую проводку этой высоковольтной жизни?

* * *

Вернулась она тихо: позвонила в дверь двумя неуверенными звонками и, когда Вера открыла, прослезилась и обмахнула щеки дочери такими же неуверенными поцелуями. И то и другое было ей несвойственно.

«Присмирела, что ли, на казенной баланде?» — подумала Вера.

Мать прошла отчего-то не в комнату, а в кухню; Сократус — холеный барин, эстет, платиновые бакенбарды — следовал за ней тревожной трусцой, морщась от ужасного запаха тюремной юдоли.

Мать опустилась на табурет, медленно стянула с головы косынку (поседела, фурия, — отметила Вера) и мягко, со слезою в голосе, вздохнула:

— Ну вот, вернулась к тебе твоя мамочка...

Привалившись острым плечом к дверному косяку, Вера молча наблюдала за нею. Только после ее слов, вернее после этого красивого обнажения поседевшей головы, она поняла, что играется сцена «Возвращение мамочки», и мысленно усмехнулась.

Мать, между тем, оглядела кухню уже другим, своим прихватывающим взглядом, поддала носком стоптанной босоножки обломок угольного карандаша на полу:

— Все малюешь... Я в твои годы горбила вовсю.

— А, здравствуй, мама! — словно узнав ее наконец, воскликнула дочь. И согнала с губ улыбку. — В мои годы ты вовсю спекулировала.

Та подняла на нее светлые рысьи глаза: видали верзилу? — стоит, жердь тощая, старая майка краской заляпана, взгляд угрюмый, насмешливый... Выросла. Самостоятельная!

Они глядели друг на друга и понимали, что жить им теперь, обеим, бешеным, в этой вот квартире. Нос к носу...

* * *

Я, пожалуй, встряну здесь ненадолго. Собою их не заслоню, хотя я и автор, вернее — одно из второстепенных лиц на задах массовки. Я и в хоре пела всегда в альтах, во втором ряду. Вы помните, конечно, эти немолчные хоры на районных конкурсах школьных коллективов? Если нет, я напомню:

Выстроились на сцене двумя длинными рядами. Одежда парадная: белый верх — черный низ, зажеванные уголки красных галстуков с утра тщательно отпарены плюющимся утюгом...

Второй ряд стоит на длинных скамьях из спортзала, не шевелясь и не дыша, потому что однажды, из-за подломившейся ножки скамьи, все дружно и косо, как домино из коробки, повалились на деревянный пол сцены.

Подравняться!!! Носки туфель чуть расставлены... Смотреть на палочку!!! Набрали в грудь побольше потной духоты зала, и!..

Вот хоровичка поднимает руки, словно готовясь долбануть локтями кого-то невидимого по обеим сторонам. Дирижерская палочка подрагивает и ждет. За роялем Клара Нухимовна: белое жабо крахмальной блузки, слезящийся нос, жировой горбик на шее... В черном зеркале поднятой крышки рояля подбитой голубкой трепещет отражение ее комканного кружевного платка.

И вот — бурный апрельский разлив вступления!

Взмах из затакта: повели медленно и раздумчиво...

> Ветви оделись листвою весенней...
> И птицы запели и травы взошли,
> Весною весь мир отмечает рожденье...

звук нарастает, жилы на шее хоровички натягиваются...

> Великого сы-ы-на... Вели-кой земли-и-и-и...

И поехали с орехами:

Лееееееенин...

Это мы, альты и вторые сопрано, еще затаенно; и вдруг — восторженный вскрик первых сопрано:

— Ленин!!!
Это весны...

Первые сопрано, заполошно перебивая:

— Это весны цветенье!!!
Ле-ееееенин...
Ленин!!!

Дружное ликование в терцию:

— Это побееееды клиииич!
— Славь-ся в века-а-ах...

Совместное бурлацкое вытягивание баржи:

— Лееееееенин!
Наш...

Вторые сопрано и альты, борясь за подлинную истовость:

— Наш дорогой Ильич!!!

И пошел, пошел, ребятки, финал — наш великий исход, исступление, искупление, камлание, сладострастие тотального мажора безумных весталок:

— Ле-ни-ну — слааааааааааааааа-ва!!!
Пар-ти-и слааааааааааааааа-ва!!!
Сла-ва в векаааааааааааааааааа-ах!!!

...и вот теперь... подкрадываясь с пианиссимо, раскручивая птицу-тройку до самозабвенного восторга, по пути прихватив мощное сопрано нашей хоровички, налившейся свекольным соком, стремительно хлынувшим на лоб ее, щеки и монументальную грудь!!!

Слааааааааааааааааааа-а-ва!!!

Обвал дыхания в беспамятство тишины.

Яростный гром аплодисментов под управлением жюри.

* * *

С неделю было тихо. Мать не трогала Веру, присматривалась. Правда, в первый же вечер в отсутствие дочери сгребла все холсты, подрамники, кисти и коробки с сангиной и мелом и свалила на пол в маленькой восьмиметровой комнате, где Вера обычно спала.

Большую же, пропахшую скипидаром, лаком и краской, — дочь считала ее мастерской и на этом основании превратила в свинарник, даже доски для подрамников в ней строгала, — мать отмыла, проветрила, постирала и повесила на окна старые занавески, пять лет валявшиеся в углу на стуле (света ей, дылде, видите ли, не хватало!), и для порядку прибила на дверь небольшую такую задвижечку, не засов какой-нибудь амбарный, — все-таки с дочерью жить, не с чужим человеком.

Вера, увидев это, ничего не сказала: в самом деле, нужно же и матери где-то жить. Жаль было только постановку для натюрморта, мать разобрала ее. Окаменелые от давности гранаты выбросила, а медный, благородно темный кумган обтерла от пыли тряпкой, служившей в постановке вишневым фоном, и переставила на подоконник.

«Ах ты, корова старая, — подумала дочь беззлобно, — я неделю ждала, пока он пылью покроется, чтоб не слишком блестел...»

Вообще Вера была настроена миролюбиво, мрачно-миролюбиво. Вечерами сидела в своей комнате и часами рисовала автопортреты, поминутно вскидывая глаза на свое отражение в остром осколке когда-то большого и прекрасного зеркала. Иногда раздевалась до пояса (натурщицы были не по ее студенческому карману) и таким же сосредоточенно-цепким взглядом, словно чужую, вымеряла себя в зеркале: прямые плечи, робкую, как у подростка, грудь, втянутый живот...

18

В первые дни мать, все еще играя роль «вернувшейся мамочки», пробовала беседовать по душам, то есть совала нос не в свои дела, давала идиотские советы или принималась вдруг рассказывать душещипательные тюремные истории. Но нарвалась несколько раз на едкие замечания дочери и отступилась.

Дочь не пускала в свою странную, но, видимо, устоявшуюся жизнь. Ну, и маячил между ними еще живым укором этот недобиток, который и получил свое, на что напрашивался...

У Веры как раз тогда заканчивался период длительного увлечения хатха-йогой; по утрам она уже не стояла на голове и не тратила полтора часа на позы с тех пор, как умножила эти полтора часа на семь (неделя), а потом на тридцать (месяц), и прикинула — сколько времени поглотило у нее бессмертное учение. Рассудив, что полтора месяца — довольно жирный кусок от ее, безусловно, смертной жизни, утренние занятия самосовершенствованием она прекратила, но все еще была убеждена, что, закрыв глаза и вызвав в воображении круг зеленого цвета, можно сосредоточиться и усилием воли погасить любые нежелательные эмоции — например, ярость при виде задвижки на двери, которую приколотила эта старая тюремная комедиантка.

С тех пор, как мать вернулась, зеленый круг приходилось вызывать в воображении довольно часто, и у Веры появилось опасение, что вся ее жизнь теперь может пойти сплошными зелеными кругами: мать устроилась уборщицей в очередной стройтрест и понемногу набирала обороты: купила себе венгерские кроссовки, завилась и стала красить губы.

Вера насторожилась, как насторожился бы житель горной деревушки, заметив, что над давно погасшим вулканом вновь курится дымок.

И вправду, дней через пять, вечером мать ввалилась разгоряченная, деятельная. Распахнула пошире входную дверь: за нею, тяжело топая, поднимались по лестнице двое мужчин с ящиками на плечах.

— Рахимчик, сюда... Рахимчик, легче давай... — командовала мать. — Колюнь, ложь эту хреновину вот здесь... Осторожней, не побей!.. Та-а-ак...

Вера вышла из своей комнаты и молча смотрела на озабоченную беготню. Колюня и Рахимчик сбегали еще по два раза вниз, внесли шесть банок импортной краски...

— Рахимчик, ну что, — все там? Дай вам бог здоровья, ребятки, подмогли. Получайть! — мать, как разгулявшийся купец в кабаке, с размаху вмяла в Колину ладонь трешку.

— Ка-ать... — с жалостливым укором протянул Коля, — натаскались же...

— Ка-а-люня! — мать изумленно-ласково подняла брови. — А бог где? — и похлопала ладонью по молодой его, напористой груди. — Вот где бог-то! В нас-то он и есть...

Вера хмыкнула и даже вперед подалась, чтобы не прозевать Колюнину реакцию на божественный довод. С богом — это новенькая была хохма, может, в тюряге у кого переняла. Но Коля, несмотря на молодой возраст и, вероятно, вполне атеистический взгляд на мир, смутился и как-то потускнел. Бедняга просто не знал, что из матери невозможно вышибить лишней копейки, а то бы и вопроса такого нелепого не стал поднимать.

Когда парни ушли, Вера осмотрела ящики. В них была чешская кафельная плитка. Предположить, что мать решила ремонтировать квартиру, Вера никак не могла. Выходит, взялась за старое, коммерсантка чертова.

— По нарам соскучилась? — спросила ее Вера.

Мать оскорбилась не на слова дочери, а на тон — спокойный. Бесило ее это спокойствие.

— Заткнись, акварель чокнутая!

— Ну, сядешь...

Мать прищурилась азартно:

— Эт кто меня посадит, ты что ль?

— Я!

Вера ответила так неожиданно для себя и вдруг поняла, что может посадить. Стоило бы, во всяком случае. Чтобы не одуреть от зеленых кругов перед мысленным взором.

Мать задохнулась от ярости:

— Ты?! Ты?! Ты меня посадишь, помазилка драная?! — И присовокупила длинно. И еще присовокупила.

— Ну, эту поэзию мы слыхали, — невозмутимо ответила Вера, повернулась и пошла к себе в комнату. Но не успела закрыть за собою дверь — мать подскочила и кулаком сильно ударила дочь по спине, между лопаток.

Вера в драку не кинулась, сдержала себя, хотя волна горячей крови долго еще гулким прибоем омывала сердце. И никаких кругов в воображении она вызывать не стала.

Отчеканила только с тихим, леденящим душу бешенством:

— Еще разок лапу на меня поднимешь — горько раскаешься...

* * *

И началось... Не жизнь, а война двух миров.

Сначала явился участковый — строгий белобрысый молодой человек немногим старше Веры. Проверил документы и предложил ознакомиться с заявлением. Вера без особого интереса пробежала глазами безграмотные строчки, написанные знакомой деятельной рукой, и расстроилась: мать вышла на военную тропу. В заявлении сообщалось, что гражданка Щеглова В. из 15-й квартиры, особа без определенных занятий, тунеядка склочного характера и аморального поведения, третирует весь дом постоянными дебошами, пьянством и сквернословием. Поэтому от всех жильцов большая просьба до работников милиции: будьте добреньки выселить гражданку Щеглову В. из квартиры, где она регулярно измывается над матерью с подорванным здоровьем. Подписана бумажка была: «группа соседей не откажуца потвердить». Далее стоял энергичный и невнятный росчерк материной подписи и приписка: «и зогадила всю квартиру».

Вера аккуратно сложила листок вдвое, вернула его белобрысому участковому и сказала:

— Заходи, компотом угощу, абрикосовым.

Участковый нахмурился и вошел. Вера налила ему в большую кружку компоту и отрезала кусок пирога с яйцом и луком. Ей слишком часто приходилось сидеть на диете, особенно в те месяцы, когда почти на всю зарплату закупала в художественном салоне материал — холст, бумагу, подрамники, лак... Так что, если вдруг заводилась свободная десятка и накатывало столь редкое у нее кулинарное вдохновение, Вера уж не жалела часа полтора потоптаться у плиты, чтобы затем в дивном одиночестве провести вечер наслаждений — за книгой, смакуя по кусочкам отбивную, зажаренную с луком и картофелем, отпивая медленными глотками кофе, сваренный ею по-настоящему, как Стасик научил — с пенкой, подошедшей дважды...

— Что ж вы с соседями не ладите? — строго спросил участковый.

Вероятно, строгостью хотел уравновесить либерально-попустительское питье компота у проверяемой гражданки.

— Соседи у меня хорошие, — ответила Вера. — А бумажку моя мать писала.

Парень сильно удивился — видать, недавно приступил к обязанностям участкового, а может, просто рос в приличной семье. Даже перестал жевать. Снял фуражку, вытер платком потную красную полосу на лбу:

— Ну, дела-а-а... Чего это она?

— Такой характер лютый, — объяснила Вера... — Да ты не расстраивайся! Давай я твой портрет нарисую? Вон у тебя какое лицо... надбровные дуги какие, мощно вылепленные...

Участковый смущенно потрогал свои надбровные дуги, которые расхвалила гражданка Щеглова В., отодвинул пустую кружку и сказал:

— Да нет, в другой раз. Спасибо.

Он осмотрел квартиру, зашел в Верину комнату, внимательно оглядел расставленные вдоль стен холсты на подрамниках, большие картонные папки, коробки с пастелью и сангиной... пятачок свободного места с мольбертом у окна и топчан, занимающий чуть не треть комнаты...

— Да-а-а... Тесно тебе здесь...

Помолчал и добавил:

— Говорят — искусство, искусство! Работники искусства... А я гляжу — не очень-то у тебя чистая работа...

— Ну, у тебя — тоже... — усмехнулась Вера.

Уже на пороге он сказал озабоченно:

— Хорошо, что я по соседям сперва не двинулся. Может, вызвать ее в оперпункт, прижучить маленько?

— Не надо, сама справлюсь.

И объяснила насмешливо:

— Это из нее талант прет, понимаешь? Она талантливая, только образования нет, и жизнь была тяжелая — война, блокада... родные поумирали все... Если б ее вовремя образовать, вышла бы птица большого полета. Может, министр финансов, может, гениальная актриса...

Вечером она сказала матери:

— Значит, вот так: судиться и сволочиться с тобой я не буду. На это нужны время и вдохновение, а мне все это пригодится для другого дела... Не хочешь жить нормально — давай размениваться.

— Еще чего! — мать возбужденно улыбалась. — Я не для того квартиру зарабатывала, чтоб по ветру ее размотать!

*О том, как она **зарабатывала** эту квартиру, до сих пор ходили легенды в жилищном отделе горсовета. И долго еще после происшествия кто-нибудь из чиновников посреди совещания оборачивался к другому, прицокивал языком, подмигивал, говорил шепотом:*

*— Адыл Нигматович, я как вспомню: ка-акая же-ен-
щина, а? Груди-то видали, прям антоновка, золотой на-
лив!.. Как думаете, она вправду с четвертого этажа си-
ганула бы?*

*— Э-э-э! — морщился Адыл Нигматович, — глуп-сти!
Тот дженчина просто бандитка некультурный, больше
ничего. Какой воспитаний у него, а? Вишел голий на балкон, дочкя на перил садил... Кричал — сам прыгну, дочкя
ронять буду!.. Гриша, подумай сам — зачем горсовет такой скандал! Пусть уже сидит в тот квартир, самашед-
чий дженчина!*

— Ты у меня отсюда бесплатно вылетишь, вместе с картинками, ветер в ушах запоет!

«Портрет бы с тебя, стервы, писать, — подумала Вера. —
Уж больно живописна в яркой косыночке на рыжей завивке, в
оранжевой этой кофте... Посадить у окна, чтобы свет — слева, а фон приглушенный, пожалуй, серовато-синий... Тогда лицо приобретет сияющий зеленоватый оттенок, дополнительный к красному, яркому... Та-ак... Свет от окна освещенную
часть лица сделает холоднее, чем затемненную... а на той будет
рефлекс от теплых оттенков обоев... Хм... так-так... аккорды
зеленого и красного повторить в одежде... да... и более глухи-
ми отголосками на спинке стула... и тогда среда наполнится
энергией двух этих цветов, из которых возникнет живописная
ткань портрета...»

Ну, чего не жить как люди?

Вслух она сказала:

— Ну, смотри, не обижайся...

Мать театрально захохотала.

2

Из большой и горластой семьи Щегловых — одних детей было трое, да мать с отцом, да тетя Наташа с сыном Володей, и все жили дружно и суматошно в двух комнатах в коммуналке на Васильевском острове, Четвертая линия; — так вот, из всех Щегловых в живых после блокады остались восьмилетняя Катя и брат Саша.

В армию Сашу не взяли из-за эпилепсии.

Их эвакуировали в Ташкент... И здесь Сашу и умирающую Катю взяла к себе на балхану узбечка Хадича.

* * *

«— Да нет, милая вы моя, все не так скоро делалось! И вообще, делалось-то как бы и не людьми, а безумной воронкой эпохи, которая всасывала всех нас в какую-то гигантскую утробу оцепенелого ужаса, голода и хаоса войны...

Вы извините, что я так сразу, и сразу — с критикой. Вы сказали, что собираете воспоминания бывших ташкентцев, как вы выразились — «голоса унесенных ветром» — ну, и я обрадовался. И хотя в Ташкенте я был только в детстве, в эвакуации, а потом вернулся в Саратов, я все же считаю себя вправе тоже «подать голос». Так что вот, посылаю запись...

...Я-то помню кое-что из того времени, хотя был совсем пацаном... — так, картинки отдельные. Представьте, что на некий азиатский город сваливается миллион вшивого, беглого оборванного люда... На вокзал прибывают эшелоны за эшелонами, город уже не принимает. И это разносится по вагонам, люди передают друг другу: «Город не принимает... не принимает... не дают прописку».

И все-таки горемычные толпы вываливались из поездов и оставались на привокзальной площади, расстилали одеяла на земле и садились, рассаживались целыми семьями в пыли под солнцем. Ступить уже было негде, приходилось высматривать — куда ногу поставить... А прибывали все новые, новые оборванцы... бродили по площади, встречали знакомых, спрашивали друг друга: «Вы сколько сидите?» Узнавали новости о близких, приходили в отчаяние... И все-таки сидели...

И мы с мамой сидели, изо дня в день... потому что ехать дальше — означало гибель, а в Ташкенте выживали, цеплялись за какую-то работу, жизнь вытягивала соломинкой надежды.

Помню, на этой, залитой солнцем и застланной одеялами, площади лежала женщина в беспамятстве. У нее было сухое, обтянутое кожей лицо и губы, иссеченные глубокими кровавыми трещинами. Кто-то сжалился и смазал эти кровоточащие трещины постным маслом, и вдруг она, не открывая глаз, судорожно принялась слизывать масло с губ...

...А вот еще картинка: мы с мамой идем по улице, над головой — сплошная зеленая крона с узорными прорехами ослепительного солнца, у мамы в руке наш единственный фанерный чемодан... а вокруг на гремящих самокатах разъезжают мальчишки и кричат: «Жидовка, скажи "кукуруза!"»... Я держу маму крепко за руку и, конечно, верю в ее силу... но все-таки немного страшно... На вокзале можно было взять носильщика — дюжего мужика, — он обвязывался ремнями-веревками и пешком тащил чемоданы по адресу, какой скажут... просто шел впереди тебя, сгибаясь под тяжестью баулов и тюков... С носильщиком было бы не так страшно идти по чужому городу... Но у нас ни тюков, ни денег не было, поэтому мама несла чемодан сама, только руки меняла. Останавливалась, говорила мне, тяжело дыша: «Подожди... зайди с другой руки»... и мы шли дальше... А самокаты сужают круги, все теснее кружат на своих гремящих подвизгивающих подшипниках: «Жидовка, скажи "кукуруза!"».

Мама вдруг остановилась и в сердцах крикнула: «Холера тебе в пузо!!!»... И это так понравилось мучителям, что они отстали...

...Рынки, конечно, помню... Алайский рынок, знаменитый... это был какой-то... Вавилон! Вот уж действительно где смешались языки-наречья, пот, слезы, тряпье, тазы, ослы, арбы, люди... А ворья сколько! Вся страна беспризорная, голытьба окаянная сползалась в город хлебный, теплый... Люди говорили: «Самара понаехала!», почему-то считалось, что самарцы — сплошь ворюги... Когда в кинотеатрах стали крутить кино «Багдадский вор», появилась присказка: «Пока смотрел "Багдадский вор", ташкентский вор бумажник спер»...

Помню, на рынке однажды поймали вора. И кто-то уже стал звать милицию, а один дядька — краснорожий, однорукий, сказал: «Не надо, сами справимся!»

Несколько мужиков сгрудились над пойманным, и только слышно: уханье и — хрясть, хрясть! Так дружно, так остервенело били!.. И только потом я догадался, что били-то его свои и что однорукий краснорожий был, наверное, главарем шайки, а того, пойманного, била вся его шобла, била до полусмерти — таким образом спасая...

Шестьдесят пять лет прошло, а эти картины у меня перед глазами, как вчерашний день... И вообще, сколько за плечами осталось — Саратов, Москва, десятки городов... Вот сейчас и до конца уже — Марбург, а я до сих пор, стоит только закрыть глаза, так ясно представляю себе эту улочку, по которой мы с мамой идем, — высоченные кроны чинар сплетаются над головою в зеленый солнечный тоннель...»

* * *

...Хадича, маленькая проворная женщина, подвязав с утра косынкой седые жидкие косицы, целый день бесшумной юлой крутилась по утоптанному, чисто выметенному дворику.

А Катя умирала...

Истонченный блокадным голодом желудок отторгал пищу. Девочка лежала на цветастых курпачах, расстеленных на балхане, и молча глядела в теплое узорное небо, сквозившее радужными снопиками сквозь листья чинар. Виноградные лозы оплетали деревянные столбы балханы. Настырный ветерок трепал на плоских крышах алые лепестки маков... Где-то во дворе с курлыкающим ровным звуком день и ночь вдоль дувала катился арык...

Саша сидел рядом, обхватив колени, — сутулый, мослас-тый, сам донельзя худой, — и тихо плакал: он понимал, что Катя умирает и он остается один из Щегловых, совсем один, в этом бойком южном городе, среди чужих людей. Он никого к Кате не подпускал и все разговаривал с ней, отворачиваясь и отирая слезы рукавом рубашки.

— А потом, Катенька, мы поедем на острова, на лодке ка-таться. Помнишь, как первого мая, до войны? Нам тогда еще двух лодок оказалось мало, тетя Наташа на берегу осталась... А Володька так перегнулся через борт — за твоим уплывшим шариком, — что мы чуть не перевернулись... помнишь? Я буду грести, а ты вот так сядешь на корме и руку опустишь в воду, а вода ласковая, теплая... Это обязательно будет, Ка-тенька...

Хадича несколько раз поднималась на балхану, смотрела на девочку, качала головою и бормотала что-то по-узбекски. Под вечер, завернув в головной платок сапоги старшего сына, Хик-мата, ушла и вернулась через час без сапог, осторожно держа обеими руками поллитровую банку кислого молока.

— Кизимка, бир пиалушка катык кушяй, — озабоченно при-говаривала она, натряхивая в пиалу белую комковатую жижу.

— Оставьте ее... — угрюмо простонал Саша, — все рав-но вырвет...

И тут лицо тихой Хадичи изменилось: она тонко и гневно за-кричала что-то по-узбекски, даже замахнулась на Сашу худым коричневым кулачком, сморщенным и похожим на сливу-сухо-фрукт.

Осторожно подложив ладонь под легкую Катину голову, приподняла ее и поднесла к губам девочки пиалу. Катя потро-гала губами прохладную кисловатую массу, похожую на жидкий студень из клея, а еще на довоенный кефир... послушно отхлебнула и потянулась — еще.

Хадича отняла пиалу, покачав головой: нельзя сразу. Весь вечер она просидела возле девочки, разрешая время от времени делать два-три глотка...

На другой день размочила в оставшемся молоке несколько кусочков лепешки и позволила Кате съесть тюрю.

Саша уже не плакал. Он бегал к колонке за водой, раздувал самовар, помогал у тандыра, подметал двор, и бог знает что еще готов был сделать для этой женщины, для ее четверых, тоже хронически голодных, смуглых, точно сушеных, ребятишек. Двое старших сыновей Хадичи постигали правила русского языка в окопах Второго Украинского фронта, муж давно умер.

Дня через три Катя уже сидела во дворе на большой квадратной супе, свесив слабые тонкие ноги, опираясь спиною о подоткнутые Хадичой подушки, и глядела с тихим удивлением на крикливые игры ее черноглазых детей. Говор ей был непонятен, а игры — понятны все...

С того военного лета этот город, эти узбекские дворики с теплой утоптанной землею, эти сквозистые кроны чинар, погруженные в глубину неба, означали для нее больше, чем просто — жизнь; все это было жизнью подаренной.

* * *

«— ...Это вы замечательно решили — писать роман о Ташкенте! Такой город не должен быть забыт... И, знаете, здорово придумано — собирать «голоса». Каждый такой голос — а нас, бывших ташкентцев, по всему свету разбросано немало, — может вам отдельный роман наговорить, роман своей жизни. И я с удовольствием наговорю, что помню...

Я тут недавно набрел в Интернете на сайт под названием «Алайский»... и там перекличка наших земляков: «Кто учился в мужской средней школе им. Сталина, Хорезмская, 8, — откликнитесь!»... «Кто с Тезиковки, ребята, — отзовитесь!»...

Какой-то местный парень берет заказы на фотографии. Ты называешь объект: главпочтамт, например... — помните каменных львов на его угловом, вечно заколоченном парадном? Говорили, что это единственные каменные львы в городе. У меня они ассоциируются с детством, потому что няня разрешала посидеть верхом то на одном, то на другом — они в разные стороны смотрели, словно торчали на шухере... Или, например, консерватория... или памятник в парке Тельмана... Так, значит, этот парень фотографирует за сущие копейки и присылает — все-таки память... Очень удобно! Вот живешь ты у себя в Солт-Лейк-Сити лет эдак тридцать, а снится тебе ночами Шейхантаур, сине-лазурный орнамент на мавзолее шейха Хавенди Тохура... кладбище, мечеть... Площадь, где проходили гуляния на узбекских праздниках, особенно после *уразы* — религиозного поста. Да, Шейхантаур... это был город в городе, знаете... Такой Багдад: путаный бесконечный лабиринт переулков, тупиков, бесчисленного множества узбекских дворов... А что такое узбекский двор? Это комплекс полного жизнеобеспечения. Сам дом, наверху — балхана... Не знаете? Ну как бы объяснить вам... это балкон — не балкон... не антресоль... а нечто вроде пристройки наверху... так что дом тогда казался двухэтажным... А крыши... они земляными были, поэтому весной на них прорастала трава, трепетали нежным пламенем первые маки под еще свежим ветерком...

По двору протекал арык, над ним строили такой квадратный деревянный помост — *айван*, или *супу*... бросали на него множество курпачей — небольших, простеганных вручную, ватных одеял. От них всегда попахивало прелым человеческим душком, стирать их не стирали, а вывешивали на солнце — сушили, проветривали... На айване спали, принимали гостей, чаи распивали... От арыка шла прохлада в жаркий день, и звук бегущей воды успокаивал, расслаблял...

Во дворе всегда была пристройка, кухня, и низкая кирпичная, обмазанная глиной, печь — *тандыр*, в ней пекли лепешки, самсу... Дух горячей узбекской лепешки забыть невозможно, он снится мне здесь, в штате Юта, по ночам... Снится, как молодой узбек палкой поддевает ее, вынимает, — круглую, в подпалинах на бугорках, с обожженными зернышками тмина, а посередке у нее вдавленный такой, жесткий, хрусткий пятачок, за который можно душу дьяволу продать! И от нее волна горячего запаха... как бы это объяснить... материнского запаха, знаете... вот, слов не хватает!.. Да мир на этом запахе стоит!

А в самих домах были низкие такие, как кофейные столики, печки — не помню принцип, по которому они работали, врать не стану... а только сидел ты на полу, на курпачах, ноги засовывал под этот столик и чувствовал тепло... Было замечательно! А стряпали многие во время войны на чем? На мангалке! Я, знаете, за свою жизнь бывал во многих местах, поездил по командировкам, но нигде больше такой народный агрегат не встречал. Сейчас опишу... Берется старое ведро и из него делается печка. Дырявятся по бокам два отверстия — одно для дров, другое — золу выгребать. Поверху — решетка из толстой проволоки. Чтоб железо не прогорело, изнутри ведро выложено обломками кирпича и обмазано глиной. На мангалках половина Ташкента всю войну варила и кипятила...

Вот что озадачивало у них с непривычки — туалет. Обычная пристройка в углу двора, с дыркой, чтоб сидеть на корточках, а у стенки — ведро, полное круглых глиняных камней. Если у русских в туалетах на гвоздике висели обрывки газет или листки из школьных тетрадей, то у узбеков, вот, камни использовались для этой нужды... Интересно, правда?.. Мы, конечно, притаскивали свой материал для такого ответственного дела. Помню, в туалете мне попался лист из какого-то старого журнала, там была напечатана вредная белогвардейская поэма, называлась «Драма рускаго офицерства», и внизу страницы: «Типография Г.А. Ицкина, въ Ташкентъ». Взрослые не обращали внимания — чем подтирались, хозяева-узбеки тем более... А я просек что-то необычное, запретное... пацана запретным только помани! Приволок лист домой... И так мне отец за него по ушам навесил!.. Лично сжег на свечке! Да только поздно, поздно... память детская, само все в нее влетает... я уже наизусть много строчек знал, хотя не все. Представляете — даже сейчас начало помню. Там так:

Христосъ Всеблагій, Всесвятый, Безконечный,
Услыши молитву мою,
Услыши меня, о Заступникъ Предвѣчный,
Пошли мнѣ погибель въ бою.
На родину нашу намъ нѣту дороги:
Народъ нашъ на насъ же возсталъ,
Для насъ онъ воздвигъ погребальныя дроги
И грязью насъ всѣхъ закидалъ.
Въ могилахъ глубокихъ безъ счета и мѣры
Въ своемъ и враждебныхъ краяхъ
Сномъ вѣчным уснули бойцы офицеры,
Погибшіе въ славныхъ бояхъ.
Но мало того показалось народу:
И вотъ, чтобъ прибавить могилъ,
Онъ, нашей же кровью купившій свободу,
Своихъ офицеровъ убилъ.

Ну и так далее, дальше уже не помню... Что за народ? Каких таких своих офицеров он убил? Когда все это стряслось? Взрослых я спрашивать опасался: шла наша собственная война, где героями были и солдаты, и офицеры... И долго мне смысл этой поэмы казался темным...

Да, так, Шейхантаур... там все было свое — парикмахерские, школы, Юридический институт, зубоврачебный кабинет, рынок... Даже кинофабрика — в ней еще немые фильмы снимались! И все жили скопом, как в кучу наваленные... По соседним дворам у нас много лепилось раскулаченных русских, старообрядцев, были татары, армяне, евреи... Во время войны эвакуированные жили даже в мечети, позже она была складом, а с возрождением национальной независимости... но этого я уже не знаю, это уже не при мне...

Ну и чайханы на каждом шагу... Узбекский мужчина без чайханы не может никак — это как для англичанина его клуб. Узбеки сидят в чайхане в чапанах — полосатых и синих ватных халатах, в чалмах, в тюбетейках... и весь день пьют чай, потеют... — им пот служит вентилятором, а чапан удерживает температуру тела в течение всего дня... Вековые народные традиции — так спасаются от жары... Но еще — и это тоже, никуда не деться, вековые традиции! — из темной глубины помещения всегда потягивает характерным запахом гашиша, поихнему — *анаши*... Восток без дурмана, говорил мой отец, что скупой без кармана.

Лет пять назад приезжал я уже отсюда, из Солт-Лейк-Сити, в Ташкент — взглянуть на свою первую школу... Ничего не узнал! Все перестроили; вместо милых ташкентских особнячков — какие-то циклопические сооружения псевдо-мавританского шика: купола, арки, мраморные гигантские площади под нещадным солнцем... Идешь к такому издали, думаешь — ну, это, наверное... парламент? Величественный, инопланетный, нечеловеческих пропорций... Театр на двадцать тысяч мест? Подходишь ближе, выясняется: какой-нибудь Дом моделей.

А от Шейхантаура, моего Шейхантаура, который я избегал босыми ногами вдоль и поперек, и кругом, и петлями, так что моей «стезей» уличной можно бы, наверное, обернуть экватор... — от Шейхантаура осталась только изразцовая мечеть. Стоит, как ворота в никуда — в город, которого нет больше ни на одной карте...».

3

Нищие старики и старухи стоят у крыльца булочной, что на Каблукова, ждут — иногда какие-то сумасшедшие, отоварив карточки, дают им довески. Но Катя никогда не дает — как можно?! Хлеб?! Разве хлеб можно отдать, хотя бы крошку?! Нет, она торопясь проходит мимо, и, только отойдя шагов на двадцать, достает из пакета довесок и медленно съедает: сначала пережевывает мякоть, не глотая, — тогда слюна проникает во все крошки, наполняет их, пружинистая пористая плоть хлеба набухает, превращаясь там, во рту, во вкуснейшую кашу... Теперь можно постепенно глотать, распределяя кашу языком на части...

Иногда, если день начинается удачно, довесок попадается с мягкой, еще теплой коричневой корочкой. Ее можно с самого начала отгрызть, подержать в кулаке, пока лелеешь во рту мякоть, а потом всю дорогу до дому сосать корочку, пока и она не растворится совсем. Но и тогда еще долго вылавливаешь из-за щеки и подталкиваешь языком к зубам разбухшие крошки...

Еще Саша на своем авиационном заводе добывает талоны на обед. Обеды выдают в консерваторской столовой, через окошко, во дворе. Надо только приходить со своей кастрюлькой. И Катя приходит, ни разу не пропустила! Она лучше школу пропустит! Чего она в той школе не видела? Все равно мысли только о еде... К окошку выстраивается очередь, но это ничего, постоять можно, только Катя всегда волнуется, что ей не хватит. Первые блюда разливает алюминиевым мятым половником здоровенный мордатый парень с кудрявым чубом через все лицо. Заставить бы его подхватить заколкой, чтоб в половник не попал. Однажды в очереди перед Катей стоял пожилой дядечка с седой бородкой, в шляпе. Он принял у мордатого свою кастрюльку, отошел в сторону и стал выливать мутную жижу на землю. Вернулся к окошку и спрашивает: «Какой у вас выход?» Мордатый что-то буркнул. А тот: «Нет, здесь не будет столько!» — «Да чего ты привязался!» — «А того, что я и сам был поваром и знаю, что к чему!» Повернулся и пошел с пустой кастрюлькой. А чубатый вслед ему нагло и насмешливо пропел: «Сам был поваром и знает, что все повара воруют!»... И вся очередь промолчала, словно люди боялись, что следующему затируха не достанется...

К обеду полагался еще кусочек черного хлеба, его выдавали в буфете, это с главного входа консерватории и направо. Буфетчица обмотана крест-накрест оренбургским платком и точно таким же платком обмотана ее толстая дочь-даун, Катиного возраста. Она все время смотрит на Катю сонными добрыми глазками... Наверное, жрет с утра до вечера, вот и добрая, вот и спать хочется... Этих всех, добрых, Катя ненавидела особенно: если добрая да улыбается, значит, уж точно что-то у меня украла...

Однажды вместо хлеба буфетчица резала пирог с повидлом — такое выпало счастье! Главное, Катя с утра чувствовала, что сегодня случится что-то особенное! Толстая буфетчица резала пирог, взвешивала порции, и короткие ее пальцы лоснились от повидла... Катя продвигалась в очереди, неотрывно смотрела на сладкие эти пальцы с отставленным в сторону мизинцем и лихорадочно думала: «Чего ж она пальцы-то не оближет?! Или дала бы дочери полизать...»

Эх, а вот бывает же счастье: однажды перед школой, как раз когда все высыпали во двор на перемену, опрокинулась двуколка, а вместе с ней и бочка патоки. Бочка лежала на боку, патока вытекала черной густой сладчайшей кровью, в луже ее топталась лошадь, которую дурак-возница никак не мог выпрячь... В секунду, как рой мух, на лужу налетела малышня, совала пальцы в патоку, облизывала. Кате тогда много досталось — она билась как безумная, раскидала многих... В классе ее даже мальчишки боятся...

У входа в консерваторию тоже слоняются нищие. Они очень надоедливые, хотя не все, — вот на Пушкинской, между домами 39 и 41, всегда сидит инвалид, играет на камышовой дудке одну и ту же бесконечную мелодию — однообразную, очень грустную. Никогда ничего не просит, костыли рядом лежат, на земле. Люди проходят и что-то дают. Но Катя?! — Нет, нет! Тем более никогда ничего она не даст Примусу — чокнутому бородатому деду с палкой. Примус, тот, наоборот, никогда не сидит на месте. Его можно увидеть где угодно — на Шейхантауре Катя тоже встречала его не раз, а однажды видела, как он с проклятьями гонялся за пацанами, которые дразнили его: «Примус, Примус, горелая жопа!», и бросался на них как дикий, чуть Кате не досталось палкой...

Вот кого надо опасаться — это беспризорников. Они воруют карточки, и нет ничего страшнее на свете, чем карточки потерять. Недавно Катя видела женщину, у которой беспризорники вытащили карточки на месяц. А месяц ведь только начался! Та сидела на крыльце булочной и выла, как бешеная собака, и кусала свои руки с такой силой, что по ним уже и кровь лилась. Люди толпились вокруг, жалели, конечно, но чем тут поможешь?.. Не будь растяпой...

Нет, все-таки хорошо в Ташкенте, вот уже скоро весна, значит, тепло придет, и — солнце будет все лето! Все лето будет солнце...

* * *

...И долго еще Катя жила с ощущением подаренной жизни, долго; пока на авиационном заводе, где работал Саша, не взорвался паровой котел. Люди всякое говорили, кто-то утверждал, что не сработал изношенный предохранительный клапан. Но больше было таких, кто горел ненавистью к расплодившимся врагам народа; всплыло ходкое в те годы слово «диверсия», делу был дан соответствующий ход, всех, кто в ту ночь дежурил на заводе, и Сашу в том числе, судили, и припаяли большой срок. Но Саша до тех мест, где выпало срок отбывать, не доехал, он умер по дороге от сердечного приступа. Так Кате сказали в окошке, а идти добиваться правды она боялась. Да и куда идти?

В тот год она заканчивала ФЗУ по специальности «швея-мотористка», жила в общежитии и уже не верила в подаренную жизнь, а понимала, что нужно отчаянно драться и много вытерпеть за этот подарок.

— Ну что, Саша, — строго прошептала она колючими сухими губами, — не поедем уже на острова на лодке кататься...

Сделала на руке наколку «Саша» — синей тушью и, чтобы перебить в себе щенячий скулеж тоски, больно укусила свой кулак.

В этот же вечер Катя побила соседку по комнате, шуструю компанейскую хохлушку, — за то, что та потешалась над ее шепелявостью.

* * *

«... — Тебе когда-нибудь снится военный Ташкент, мам?

— Так, иногда... если голодная на ночь лягу... А ты к чему спрашиваешь, я для тебя тоже — «голос в романе»?

— Почему бы и нет. Ты ведь не чужая этому городу...

— Знаешь, что снится? Наша студенческая столовка возле Воскресенского базара... как я мухлюю там с талонами!

— Как это — мухлюешь?

— А так, на них на каждом стояла дата, проставленная карандашом. Надо было стереть ее резинкой и встать в другое окошко.

— Тогда можно было взять вторую порцию? А чем кормили?

— Да там только одно блюдо и было в меню: затируха. Не суп и не каша... а жидкая бурда на муке... Ты должен был являться со своей миской и своей ложкой, тебе наливали порцию... Причем к этой столовке прикреплены были и студенты, и профессорский состав. У меня однажды случай смешной произошел... Я случайно поменялась портфелями (они одинаковые были, клеенчатые) со знаменитым московским профессором по фамилии Хайтун, он читал у нас курс истории древних веков по собственному учебнику. Сам Хайтун был страшно уродлив, но необыкновенно остроумен. Помню, впервые войдя в аудиторию, сказал: заниматься будем по моему учебнику с моим портретом — и поднял его над головой: на обложке был нарисован неандерталец. Так вот, я, понимаешь, сидела за первым столом, чтобы не заснуть после заводского дежурства. Наши портфели лежали рядом. Прозвенел звонок, он схватил мой и пошел. Я вспомнила — что там у меня в портфеле... чуть со стыда не умерла... Догоняю его в коридоре, говорю: «Профессор, вы по ошибке взяли мой портфель!» Он ахнул, мы обменялись своими клеенчатыми кошелками... и я, осмелев, говорю: «Мне ужасно стыдно: если б вы его открыли, то обнаружили бы только миску и ложку для «затирухи»! Он расхохотался, и в ответ мне: «Дитя мое, если бы вы открыли мой, то увидели бы то же самое»...

Они, бедные, голодали пуще нашего. Особенно зимами. А я тебе рассказывала, какие страшные зимы на войну выпали? Университет не отапливался... Боже, в каких обмотках и тряпье они ходили, наши профессора! Была преподавательница одноногая, она курила, ее мальчики наши угощали «Беломором»... — так одна из дур на курсе, с обмороженными ногами, как-то сказала ей: «Вам хорошо, у вас только одна нога!»... И еще преподавательница Московского университета — Кирова, Кира Эммануиловна — вот надо же, помню! — жутко была одета... Она эвакуировалась в одночасье, — понимаешь, времени не было собраться. Так и ходила — в митенках разного цвета, чулки и носки разные... Но! Входила в аудиторию и начинала лекцию с того слова, которым закончила предыдущую!.. Бедняги, они совсем доходили... Не могли же они, как мы, подрабатывать... Вот я — отлично жила!

— Отлично?! Ты говорила, что подвязывала веревками картонные подошвы туфель.

— Ну и что? Ну и подвязывала! Но я ж на заводе еще 800 граммов хлеба получала, шутка ли? Я его продавала и ходила на спектакли. Знаешь, какая театральная жизнь была в военном Ташкенте!

— Что за спектакли?

— Ну, разные... В ГОСЕТе, например, шли «Тевье-молочник», «Фрейлахс» с Михоэлсом и Зускиным... Помню, рядом сидели какие-то офицеры, вовсе не евреи, — в Ташкент же было эвакуировано несколько военных академий, — ничего на идиш не понимали. Услышали, что я гогочу, сели вокруг и потребовали, чтобы я переводила... ну, я и переводила весь спектакль... Не знаю — то ли время было такое, военное, то ли нравы почище, но только мы что-то не слышали о каких-то бытовых преступлениях... Я после спектаклей всегда шла пешком до общежития...

— А где было общежитие?

— На Лобзаке, по десятому трамваю... Общежитие, кстати, тоже всю войну не отапливалось. Мы как согревались? Сдвигали по две кровати, укладывались вместе по трое девчонок и накрывались тремя одеялами... Эх, а какой мы однажды устроили картофельный бал! Картошка была недостижимой мечтой, 50 рублей кило. И мы сбросились со стипендии, — целый месяц мечтали, копили! — накупили картошки, наварили ее, и... обожрались, как целый полк Гаргантюа — до отвала! И все, как одна, блевали потом всю ночь... Организм, понимаешь, отвык от такой еды... Хотя вот, знаешь, что у нас варили в заводской столовой? Черепаший суп! Столовую можно было опознать по горе панцирей на заднем дворе... Целые грузовики черепах гнали из Голодной степи... Мы сначала поеживались, не знали, что это французский деликатес... Потом — ничего, особенно когда постоишь на морозе на посту, на вышке... А морозы по ночам до 30-ти градусов доходили... За счет чего еще держались, хотя и не подозревали о полезности: на улице Навои сидели в ряд узбечки, продавали орехи. Мисочка — рубль. В нее штук десять орехов входило. А еще покупали в «дорихоне», в аптеке, бутылку сладкой жижи, тягучей, как смола, называлась «Холосас». Вытяжка из шиповника. И пили так чай: положишь три ложки в стакан — вкусно! Понятия не имели: витамины, калорийность, то, се... но именно это помогало выжить... Мы и на хлопок первое время ездили с большой охотой. Еще бы — в день полагались на рыло три лепешки и похлебка! Еду узбеки готовили, казалось бы — что там в этой похлебке, а — пальчики оближешь! С нами и профессора выезжали. Помню, профессор Сарымсаков — ректор наш, математик, крупный ученый, входил в студенческий барак утром — огромный фартук на брюхе, лицо и руки сажей перемазаны — и кричал: — «Самовара подана!»... Понимаешь, мы были молоды, такая вот банальность... Сейчас я себе представить не могу, как зимой, бывало, в телогрейке стояла с винтовкой на вышке...

— Погоди, а ты же говорила, что работала в цеху, обтачивала корпуса для мин...

— ...это уже потом, по блату меня устроили. Понимаешь, однажды мерзавец-нарядчик забыл меня сменить, и я на морозе четыре часа проторчала на вышке. Но ведь не уйдешь, нельзя... и я доковыляла до цеха утром, на рассвете, — стою, плачу, пальцы обморожены, не разгибаются... Меня увидел замначальника 2-го цеха, подозвал, разговорился со мной (оказывается, я ему напомнила его девушку, которую он потерял, не спрашивала уж — как)... ну и поставил меня на станок... Там многие работали, второй цех был большой. Дети несовершеннолетние тоже... Некоторым приставляли ящики, чтоб до станка доставали... У меня были ночные смены.

— Постой, днем — университет, ночами — завод... Когда же ты спала?

— Ну, это уж как где прихватишь... У меня в жизни самый сладкий сон знаешь когда был? С четырех до пяти утра. Это самое страшное время, когда можно задремать и угодить ненароком в станок. Мы по очереди ходили спать в туалет, он отапливался... Сядешь вот так, прямо на цементный пол, коленки обхватишь, к стенке спиной привалишься и минут двадцать дремлешь... Это и есть самый сладкий сон на свете... Подобного уже никогда в жизни не было... Так и напиши в своем романе...»

4

...Мать, если уж ставила перед собой какую-нибудь цель, то не отступалась; как дальнобойная торпеда насквозь прошивала любое препятствие на своем пути. Идея выжить из квартиры дочь так крепко засела в ее голове, так засияли райскими чертогами в ее воображении две совершенно свободные комнаты, что заявления в милицию и в ЖЭК она писала аккуратно, через день, дело это знала, понимала, что в нашем государстве свет клином на желторотом пацане-участковом не сошелся, есть и посолиднее люди, заступятся за обездоленную мать.

Заступились.

Утром раненько прибыл «воронок» с двумя ментами, и забрали их обеих в отделение — разбираться в пухлой папке заявлений. Вера поехала как была — в заляпанных краской джинсах и ковбойке, — видик тот еще.

Всю ночь она просидела над срочным и выгодным заказом: несколько плакатов для соседней сберкассы (деньги в руки и на месте), и хотя утром заставила себя засесть за мольберт, — все же выпускной курс, надо и диплом писать, — рука была вялой, глаз «мылился».

Вера словно ожидала всего этого: не удивилась, выяснять и объяснять ничего не стала, молча полезла в «воронок». Только взгляд потемнел и отяжелел. Она не глядела на мать.

Та — напротив, как увидела милиционеров, встрепенулась (решила, что за Веркой приехали) и на лице изобразила горестное смирение: мол, только крайность, только горькая моя доля заставляет просить защиты от зверств родной дочери; но когда и ее под локоток повели к машине, вскинулась, возмущенно запричитала и, к большому удовольствию всего двора, долго отбивалась, как дикий вепрь, упираясь толстыми, широко расставленными ногами в кроссовках, — пока ее не утрамбовали в «воронок».

Весь день их продержали в КПЗ. В камере мать приутихла и даже пробовала вступить с дочерью в переговоры, чтобы вызнать — не намерена ли Верка рассказать о ящиках с чешской плиткой. Но Вера молча сидела на полу, обхватив приподнятые колени и уперев в стенку нехороший свинцовый взгляд.

Только не здесь, уговаривала она себя, только не здесь... Главное усилие ее было направлено на то, чтобы не смотреть на мать. Куда-нибудь в сторону, в грязно-зеленую стенку, всю исчирканную непристойными рисунками, ругательствами и именами, в пол, в решетчатое окошко под потолком, за которым временами взмахивал тополь худой рукой... только не на это, в красных пятнах, возбужденное лицо, не на эти рыжие кудряшки, не на эти невыносимые кроссовки. Иначе можно сойти с ума от взрывающей все изнутри ненависти. Только не здесь, только не здесь...

Под вечер дверь камеры открылась, пожилой милиционер-кореец повел их коридорами на второй этаж, в кабинет, где с полчаса с ними беседовала грузная женщина в форме.

Вера отвечала на ее вопросы — имя, фамилия, да, нет, — что-то односложное, чтобы не сбить себя с этой спасительной мысли: только не здесь.

Мать вела себя смирно — видать, приуныла за целый голодный день в КПЗ, а может, вспомнила свой недавний барак, и воевать с дочерью расхотелось...

Сидела и подобострастно кивала с сокрушенным видом. Вера была убеждена, что она «представляет» — траченную жизнью, больную мамашу... Сцена под названием «Я понесу и этот крест...»

Когда женщина-следователь поднялась из-за стола и прошла к шкафу за каким-то бланком, Вера увидела ее ноги — отечные, перевитые темными венами, как виноградной лозой. Она произносила казенные бессмысленные слова размягченным от жары голосом, вытирала пот с полного лица, и видно было, как она устала за день, как хочет принять душ, накинуть халат и лечь в свою постель. Такая жаркая стояла, исступленная осень. Тяжелое небо и ни капли дождя.

— И это уж в последний раз, — вяло говорила женщина в форме. — Как же так, родные люди! Как же так можно? Надо прощать друг другу недостатки, слабости...

«Слабости, недостатки, — думала Вера. — Только не здесь».

Душно было, тягостно, голова ломилась от долбящей затылок боли, — видно, менялось атмосферное давление или сказывался голодный день.

— Я правильно говорю, Вера Семеновна? Вера Семеновна?

— Только не здесь, — глухо проговорила Вера.

Наконец их отпустили.

Домой шли молча. Вера впереди, мать — чуть отставая. Уже стемнело, но Вере казалось, что в глазах у нее темно от душной, тягучей ненависти, такой же давящей, как атмосферное давление.

Мать что-то почувствовала — до самого дома плелась притихшая и понурая, как овца.

Они поднялись на четвертый этаж. Вера открыла дверь, пропустила мать в темную прихожую и вошла следом, гулко хлопнув замком.

Схватила мать за горло и, сильно сжав пальцы, привалила к стене.

Мать захрапела, выкатила глаза так, что в темноте прихожей они сверкнули стеклышками оцепенелых зрачков, и впилась ногтями в руки дочери. Та сдавила ее мягкое полное горло еще сильнее... Мать закатила глаза и обмякла. Вера почувствовала дурноту.

— М-м-м... м-месяц! — проговорила она срывающимся шепотом. — Месяц даю тебе, чтоб разменяла квартиру... Через месяц не разменяешь — убью!

...Мать разменяла квартиру за две недели.

* * *

Шарахнулись друг от друга в противоположные концы города. Два часа добираться двумя автобусами. А зачем и к кому? Ни та к этой, ни эта к той...

Вера привезла в свою однокомнатную малогабаритку на последнем, четвертом, этаже этюдник, книги, картины и Сократуса в рюкзаке... Кот выпрыгнул в пустой комнате, ошалело огляделся, и до вечера обхаживал новое жилье, оскорбленно уворачиваясь от нежностей, бесшумно возникая то в кухне, то в ванной... Потом оба поужинали купленными по пути сырыми сосисками, и Сократус хмуро улегся на Вериных тапочках. Ему, хлебнувшему тяжелого детства, бытовые потрясения были не по нутру.

Она же долго стояла посреди пустой комнаты, не зная — с чего начать здесь жизнь. Хотелось чаю, но мать забрала чайник себе, как, впрочем, и все остальное.

Окно комнаты выходило на дорогу, круто обегавшую островок старинного мусульманского кладбища.

Говорили, что здесь похоронен какой-то святой невысокого ранга. При строительстве жилого квартала дорога должна была накрыть собой и выгладить три-четыре древние могилы, но старцы ближайшей *махалли* отвоевали у горсовета покой для святых костей. Щетина выгоревшей травы мирно пробивалась между лазурными плитками щербатого куполка мавзолея. А за дувалом древнего кладбища ехал новый синий троллейбус.

Вера достала свой любимый блокнот в черном кожаном переплете, карандаш, примостилась боком на подоконнике и стала все это зарисовывать. Когда стемнело, бросила на пол, под батарею, осеннее пальто, растянулась на нем и через минуту уже уснула молодым неприхотливым сном — не мята, не клята, — в своей собственной квартире, в своем углу...

5

Не было своего угла у Кати. Она работала на кенафной фабрике и снимала угол в одной семье.

Семья — неутомимая старуха баба Лена, ее дочь Лидия Кондратьевна, учительница математики, и внуки Колян и Толян — были домовладельцами: им принадлежала половина дома — комната, кухня и прихожая с террасой.

Дом держался на бесценной бабке. Дикой энергии была старуха. С утра затевались одновременно стирка, готовка, шитье новых наперников на подушки. Тут же разводилась в ведре побелка, и баба Лена сама, подоткнув юбку, раскорячившись, взбиралась на табурет и скоренько белила потолок в прихожке. Бывало, именно в такой горячий момент в переулке раздавался тягучий, как зов муэдзина, рев керосинщика в жестяной рупор, а через минуту въезжала машина с углем, которым топили голландку, обогревающую и эту, и другую половины дома. Баба Лена успевала все: и за керосином сбегать, и скомандовать — куда уголь сгрузить, и поругаться с шофером, и перекинуться новостями с керосинщиком... Жизнь ее кипела и бурлила, как вываренное белье в баке.

Кроме того, бабка снабжала семью овощами, половину двора занимали ее грядки с картошкой, морковью и луком, — двенадцатилетние оболтусы Колян и Толян жрали без перерыва, хватали все, что на глаза попадется, а однажды стащили из-за занавески и слопали целую пачку печенья, которую Катя купила с получки, побаловать себя.

На это бабка Лена восхищенно вы́материлась и развела перед Катей руками.

Бабка потакала внукам, мать избивала. За все: за бычки, найденные в уборной в углу двора, за вранье, за опустошенную кастрюлю с борщом, за воровство яблок с соседской яблони.

Приходила бледная после целого дня работы, ела наспех, садилась за проверку тетрадей и сидела над ними за полночь, — с серым лицом, слезящимися глазами. Сыновьями не управляла, а потому просто лупила. Те уже отбиваться стали, вопили, валили друг на друга.

— У тебя почему, сволочь, изо рта дымом несет?!

— Да я это, ма... я во рту бумагу жег... ай, не бей, мам, пусти!!! Это все Толян!

— Я?! Это ты, гад, сам первый... Ай, мама!!! Это не я... это... беспризорники меня поймали... и курили... и дым мне в рот вдыхали! Не бе-е-ей!!!

Бабка потакала, мать избивала. Колян и Толян колотились между двумя этими женщинами, и сатанели день ото дня.

Катя старалась возвращаться попозже. Трамваем доезжала до конечной, в район Шейхантаура, и еще минут пятнадцать шла пешком, мимо освещенной чайханы, где до утра в любую погоду в ватных халатах сидели узбеки на курпачах, пили чай с колотым желтым сахаром, заедали лепешками; шла мимо мечети, мимо угасающего, но шевелящегося базара: кто-то еще продавал оставшиеся виноград и арбузы, два-три алкаша валялись чуть ли не под колесами арбы, полной дынь, отдающих ночи свое теплое желтоватое мерцание... Вдоль дувала, на котором углем было написано: «Шурик отбил у Левы толстожопую бабу», разгуливал сторож-узбек с ружьем, неизвестно что охраняющий — базар, мечеть или здание киностудии... В летней тишине, насыщенной запахами травы и деревьев, остывающего асфальта и трамвайных рельсов, запахами огромной пряной, дрожжевой-пахучей, навозной туши базара, слышалось кваканье лягушек, пение сверчков и далекий зов привязанного на задах базара осла...

...В то время завелись у Кати кое-какие дела. Не бог весть каким наваристым местом была кенафная фабрика, но нет-нет да удавалось вынести под кофтой метр-другой парашютного шелка, прочной белой материи с синими кляксами, — ее женщины брали на платья.

Материю скупала у работниц веселая спекулянтка Фирузка, оторва, лихо мешающая узбекский язык с русским матом.

— Катькя, ти, сука, буд скромни кизимкя, ти не торгуся, джаляб!

Катя торговалась отчаянно, копеечно, не только потому, что становилась скупее с каждым днем, а потому еще, что дрожащим холодком ютилась в душе ее сиротская тоска, и никого ей не было жаль, и никого она не любила. В цеху ни с кем не сходилась, никогда не выслушивала ничью историю, не сочувствовала — считала, что ей собственной истории хватает, кто бы ей посочувствовал. Одна и одна. Даже в гости пойти не к кому, даже прогуляться «по Карла-Марла» не с кем...

* * *

...Улицы послевоенного Ташкента... — глинобитные извилины безумного лабиринта, порождение неизбывного беженства, смиренная деятельность по изготовлению библейских кирпичей...

Совсем недавно, уже в Иерусалиме, валяясь, как обычно в Судный день, на диване и читая Пятикнижие, я обнаружила, что мой дядька возводил свой кривобокий саманный домишко на Кашгарке из таких же кирпичей, какие лепили в египетском рабстве мои гораздо более далекие предки. Вот он, вечный рецепт кирпичей изгнания: смешиваем глину с соломой и формуем смесь руками. Руками, господа, руками, — и блажен тот раб, кто может сказать о себе: «Это мне не пригодится!»

Она всплескивает во мне и, очевидно, не смолкнет уже до самого конца — музыка улиц послевоенного Ташкента. С утра под звяканье бидонов выпевал густой голос молочницы: «Моль-лё-коу! Кислий-пресний мол-лё-ко-у!»... Ей вторил голос другой, помоложе: «Кисляймляка! Кисляймляка!»... Вслед за этим дети ее стучали в дверь и спрашивали без выражения: «Сухойхлэбесть?» — сухой хлеб они размачивали и кормили им своих животных. Молча распахивали чистую полотняную торбочку, в которую мы ссыпали корки и горбушки, если же хлеба не было, так же бесстрастно переходили к другой калитке.

Чуть позже раздавалось шарканье галош, и зычный голос старьевщика раскатывал-разворачивал: «Шар-ра-бар-ра пакпайм! Ста-а-арий вэшшшш!» Дважды в неделю, запряженная полудохлой клячей, в переулок въезжала колымага, и престарелый герольд в телогрейке, провонявшей керосином, поднимал свой жестяной рупор: «Кар-ра-сы-ыин!», — вздымая интонацию в середине слова соответственно наклону самого рупора...

Из солнечной сердцевины дня могли вынырнуть странствующие стекольщик или точильщик — каждый со своей поклажей: всплеск солнца, стекающего с плеча на землю по квадрату стекла; огненный пересверк и брызги фиолетовых искр с лезвия точимого ножа...

Эмалевый блеск высокого неба в кронах платанов и тополей.

Ближе к вечеру, мягко озаренный уходящим светом, приезжал старый узбек на тележке, запряженной осликом: — «Джя-аренный кок-руз!» — и дети разбегались выклянчивать у родителей гривенник на белый рассыпчатый шар жареной кукурузы...

А спустя несколько лет над этими разрозненными звуками, голосами, припевками, певучими зазывами, высоко распахнется, блаженно их накрывая, беспредельный ангельский шатер «Джа-ама-а-а-ай-ки!»...

* * *

Жизнь в углу, за занавеской, под вопли Коляна и Толяна, тяготила Катю, но деваться было некуда, да и брали с нее недорого. Вечерами баба Лена звала пить чай за круглым столом, за которым обедали, делали уроки, проверяли тетрадки, кроили и шили, на который взбирались белить потолок, — крепкий дубовый стол, неизвестно когда и каким прибоем переселенцев привезенный в Ташкент и купленный бабой Леной по случаю.

Катя выходила чай пить не с пустыми руками, всегда что-нибудь выносила из-за занавески: то стакан орехов, то горсть карамели на тарелочке. Это крепко в ней сидело: не одалживать и не одалживаться.

Вот так, в один из вечеров, за чаем завязалась свара, а потом и драка между верзилами Коляном и Толяном. Один погнался за другим, на бегу опрокинул стул с сидящей на нем Катей, и, падая, она вскрикнула тонким пронзительным голосом: страшная боль резанула желудок...

...Потом, когда уже ей сделали операцию, баба Лена объясняла соседям:

— Желудок, вишь, порвался. Она в блокаду наголодалась, желудок сильно тонкий стал, ну и порвался. А Толян тут ни при чем, так и врач сказал. Этот желудок, говорит, прям на честном слове у нее держался! Это, скажи еще, повезло, что ее привезли в его дежурство. Он как глянул на ее губы синие, голубые, так и скомандовал — на стол!

...После операции несколько дней Катю кололи морфием, — никак не унять было вопящее от боли нутро. Затихнув на короткое время, свернувшаяся кольцами боль вновь поднимала скользкую змеиную головку и, сквозь ватный заслон забытья, жалила, жалила изнутри...

Катя плакала, выла, требовала морфия... В конце концов сердобольная медсестра Галя не выдержала и сбегала за врачом. Как раз той ночью дежурил Сергей Михайлович, тот, что оперировал Катю. Когда он вошел в палату и строго наклонился над ней, она схватила его за полу халата, крутанула, наматывая на кулак, жалобно, стонуще приговаривая:

— Велите ей, Сергей Михалыч, Сергей Михалы-ич!!! Велите, чтоб укол сделала. Не могу! Не могу — не могу — не мо-гу-у-у!!!

Он приблизил к ее дикому, залитому слезами лицу свое — худое, с длинными морщинами на вдавленных щеках, вроде даже отчужденное — и проговорил строго:

— Катя! Не безобразь! Терпеть надо!

И вышел. Но минут через десять вернулся, сел на ее койку, положил на тумбочку пачку «Беломора», достал спички и сказал:

— Ну, Катя, будем курить...

Так начала она курить, и с того дня полжизни, пока были в продаже, курила только папиросы «Беломорканал»... В тот раз они спасли ее от морфия, спасали и потом — от боли, от страха, от тоски. И покупая бело-голубую, с веной канала, пачку, Катя неизменно вспоминала Сергея Михайловича, чувствуя благодарное тепло в груди, которым даже немного гордилась: вот, значит, и она умеет любить кого-то.

Выписавшись из больницы, несколько раз приходила к Сергею Михайловичу, сидела в ординаторской и стеснялась. Он угощал ее чаем с сушками, расспрашивал про жизнь, а что Катя могла ему рассказать? Про кенафную фабрику? Про отчаянную спекулянтку Фирузку? Про чувство тошноты и уныния, которое накатывает на нее при виде прыщавых физиономий Коляна и Толяна? К тому же однажды за Сергеем Михайловичем зашла жена, жизнерадостная блондинка с морковными губами, с модной завивкой «москвичка», в широком плаще с надставными плечами.

И Катя сжалась, цыкнула на свою теплую глупость и дурацкую надежду и ходить к Сергею Михайловичу перестала...

6

В воскресенье на новую Верину квартиру пришел взглянуть Лёня. Деловито обшагал пустую комнату, потоптался у окна, восхищаясь трогательным куполком мавзолея, приговаривая:

— Ну и отлично... Ну и замечательно...

Как обычно, сунулся листать Верин блокнот, который сам же и привез ей в прошлом году из командировки, из Таллина. Квадратный, удобный, в обложке из черной кожи, с тисненными золотом латинскими инициалами ее имени, — этот блокнот был вечным: изрисованный блок бумаги вынимался, а вместо него вставлялся другой. А еще на кожаном исподе были пришиты две петельки — для ручки и карандаша. Дивный блокнот, вот что значит — традиции кожевенных ремесел у прибалтийских народов!

Под мышкой Лёня держал огромный квадратный сверток, тяготился им и не знал — как от него отделаться поделикатнее.

В комнате стоял только старый, заляпанный краской табурет, который Вере подарили на работе, в детском садике, и у стены, прямо на полу, лежал на брюхе безногий топчан. Он прослужил соседке лет двадцать, и года два уже как откинул копыта, так что, собравшись вынести старую рухлядь на помойку, соседка на полпути была остановлена Верой, и с удовольствием помогла той сопроводить топчан на четвертый этаж.

Ну, и картины стояли вдоль стен штабелями, и открытый этюдник у окна.

— Вот... — сказала Вера, — потихоньку меблируюсь с помойки. Лёня, если б вы знали, как я уже люблю эту комнату, и какая я счастливая!

— В пустой квартире тоже есть своя эстетика, — заметил он, — ожидание новой жизни. А что это за синяя лента, вот здесь, на мольберте завязана? Какой интенсивный цвет на желтом дереве! Это концептуально? Это такой цветовой камертон?

— Да нет, это... — отмахнулась она, — некий талисман, на удачу... У этой ленты есть своя история... Потом, потом как-нибудь...

Он сделал три больших шага от окна к табурету, сел на него, сказал, ворочая на острых коленях сверток:

— Господи, куда ж эту штуковину девать? Подержите-ка, Вера, я очки протру!

Вера взяла у него сверток, неожиданно оказавшийся легким и пружинистым. Лёня протирал очки платком, вечно сохраняющим у него белизну и острие складки, и обводил стены рассеянным своим, близоруким взглядом.

— Да бросьте это куда-нибудь, — посоветовал он.

— Куда? — спросила Вера. — А что там?

— ...так, по хозяйству. Вообще, это вам.

— Мне? — настороженно переспросила она, заранее пугаясь размеров свертка.

И развернула его.

В бумаге лежал сложенный плед из шотландской шерсти, золотисто-шоколадный, в крупную темно-вишневую клетку, немыслимо роскошный для этой комнаты и, конечно, немыслимо дорогой. У Веры даже дыхание перехватило от возмущения.

— Лёня, вы сумасшедший человек! — расстроенно сказала она, заворачивая плед в бумагу. — Вы спятили совсем! Что за дикие подарки? Забирайте немедленно!

— Вера, прекратите скандалить, — привычно возразил он. — Это полезная хозяйственная вещь, и вы... будете укрываться этой тряпкой... и больше ничего!

— Я прекрасно укрываюсь своим пальто, еще не хватало, чтоб вы на меня сотни выбрасывали! — воскликнула она, как всегда, заводясь и заранее зная, что перешибить его невозможно. — Заберете как миленький!

— Чепуха! Не устраивайте сцен.

— Заберете! — бессильно выкрикнула она, чуть не плача.

— Чепуха, я сказал.

— Да идите к черту!

Он пошел... на кухню, зажег газ, поставил на плиту чайник, стал доставать из портфеля свертки с едой. То есть вторая часть скандала ожидала его на кухне. Но он привык. Он, как и Вера, до известной степени был человеком ритуала. Поэтому они никогда не ссорились. Только ругались.

Лёня — если не считать угасающего, выхаркивающего душу отчима — был, в сущности, единственно близким другом. Единственно близким — после смерти Стасика. Служил он в вычислительном центре Института ядерной физики, где-то в поселке Улугбек, и занимался какими-то *модульными базами данных*, что-то в них *закладывал* или, наоборот, *выкладывал*, неважно! Она ничего в этом не смыслила, да и не торопилась разобраться.

Знакомы они были тысячу лет — года четыре, наверное...

* * *

В то время мать уже с полгода отдыхала от коммерции и страстей в казенном доме, работала там по специальности — швеей-мотористкой, изредка присылала с отбывшими срок какое-нибудь изделие: дивно вышитую наволочку или узорную сумку, плетенную из лески, — мать все-таки была рукодельницей удивительной.

Дядю Мишу, искалеченного и теперь постоянно трезвого, после больницы забрала к себе Клара Нухимовна; видать, не превозмог он себя — вернуться в тот проклятый Катин дом, да и на четвертый этаж не было сил подниматься. А Клара Нухимовна поселила его в новом флигельке, во дворе, — хорошая беленая комнатка, три на четыре, с отоплением, с окошком, смотрящим на грядки с черносмородинными кустами, — что еще нужно больному человеку? Он почти не выходил на улицу, в хорошую погоду часами лежал в гамаке, натянутом между корявыми старыми яблонями, и смотрел в небо, словно упорно пытался с такой невероятной дистанции дознаться: за что?..

Стал он очень слабым; когда Вера приходила его навещать, в который раз принимался рассказывать об операции, показывал плохо затягивающиеся раны и душераздирающе кашлял. Говорил он теперь слабым сиплым голосом, таким непохожим на прежний его, мягкий и гибкий, бас, которым он кого угодно мог в чем угодно убедить... Шею оборачивал теплым шарфом даже летом, да и то сказать, невелика краса — этот ужасный сине-багровый шрам, неохота даже и близким людям демонстрировать... Каждый раз заводил разговор о матери, якобы собираясь поведать Вере о ней что-то «по-настоящему страшное», но та решительно пресекала все эти ненужные воспоминания — зачем? Он только растравлял душу себе и ей.

— Поверь, Веруня, — говорил он. — Это воплощение зла в женской оболочке... Ревность ее тут ни при чем!

— Дядь Миш, — перебивала она, как обычно одержимая установлением справедливости, — но ведь с Анютой ты действительно крутил?

— Никогда не употребляй этого пошлого слова, когда говоришь об отношениях мужчины и женщины, — строго сипел он и заходился в кашле.

В конце концов Вера осторожно помогала ему выпрастаться из гамака и, совсем расклеившегося, заводила во флигелек, обняв за талию и зажав его палку под мышкой, как щеголь — свою трость... А Клара Нухимовна уже спешила через двор с дымящейся кастрюлькой: кашка вот, пока тепленькая... Или супец овощной...

Вера перевелась в вечернюю школу и устроилась работать на обувную фабрику.

Это и была одна ее жизнь, несложная — восемь часов у конвейера. Стой и орудуй круглой чистильной щеткой, очищай сапоги от клея. В первый день мастер Кириллваныч — говорливый человечек с бегущим от многолетнего конвейера перед глазами взглядом, учил Веру:

— Механика простая, цыпа. Вот он плывет, да? Ты его щеткой — р-раз! — с одной стороны, — и вся любовь. С другой стороны — р-раз! — и титька набок!

Молочная пленка клея на сапоге скатывалась в крохотную трубочку и медленно слетала на ленту конвейера, на пол. Кириллваныч однообразно двигал щеткой движением церемониймейстера полкового оркестра, поднимающего и опускающего жезл в ритме марша, весело повторяя: — Р-раз — и вся любовь! Р-раз — и титька набок!.. Держи, цыпа!

У Веры получалось хорошо, ловко. Только прицепилась дурацкая присказка Кириллваныча. Она орудовала щеткой и мысленно повторяла: «Р-раз — и вся любовь! Р-раз — и титька набок!» Прицепилась, ну что ты станешь делать! Вера злилась, пыталась вспомнить какую-нибудь песню, чтобы напевать ее про себя, но, как ни странно, именно эта пошлая припевка налаживала нужный ритм работы.

С утра лента конвейера, казалось, шла медленно. И сапог щеткой обмахнуть успеешь, и по сторонам глянуть — что где творится. К обеду руки наливались тяжестью, уже не до разговоров было, успевай только хватать плывущий прямо на тебя сапог и проведить по нему щеткой, и уже не казалось, что конвейер движется медленно. А к концу смены ломило спину, шею, затылок, затекали ноги, и в глазах появлялось бледное мельтешение от сапог, словно досыта насмотрелась выступления ансамбля песни и пляски.

В обеденный перерыв шли в столовую, а кто с собой приносил — обедал тут же, в цеху. Кириллваныч доставал и разворачивал газетный сверток, ногтем счищал с вареной картофелины отпечатки передовицы или фельетона, посыпал крупной солью огурец, надкусывал с хрустом и говорил, кивая в сторону мутного окна, за которым по кирпичной дорожке шли в столовую рабочие:

— Ихний харч в зубу застриёт!

Ел с аппетитом свои нехитрые продукты, заготовленные с вечера, иногда даже любовался каким-нибудь атласным «юсуповским» помидором, с курьезно и неприлично торчащим из сердцевины клювиком, поднимал его повыше, говорил:

— На бесптичье и жопа — соловей!

Вера чаще всего не обедала — не хотелось. В то время ела она плохо, много думала, вглядывалась во всех странным своим, неотрывным взглядом. Со всеми чувствовала себя наблюдателем. Будто смотрит на людей издалека, в бинокль, и по-всякому может увидеть — может крупно, вблизи, так что видны будут вертикальная складка между бровями и красное родимое пятно в проплешине, на темени... А может охватить человека дальней цельной панорамой, так что виден лишь силуэт и различима только походка — внаклон, вот как курица ищет просо в пыли. Но зато человеческая фигура вписана в пространство так, что глаз не разделяет вещества, из которого создано живое и неживое, вернее, все в этом пространстве, сотканном ее взглядом, делается живым, шевелящимся, теплым...

Уже тогда ее мучили лица. Однажды увиденное лицо — не каждое, а лишь то, которое *просило воплощения в другую жизнь,* — не оставляло ее никогда, вдруг всплывало во сне или за работой, и она мысленно — как слепой легкими беглыми пальцами — ощупывала лепку этого лица, его строй, конструкцию, настроение и *цвет*... Вряд ли кому она могла бы это объяснить...

Рисовать на людях стеснялась, но дома, поздними вечерами, карандашом или тушью набрасывала накопленное за день — *выбрасывала, сбрасывала* его в шестикопеечные ученические альбомы. И тогда появлялись на бумаге вострые глазки на сухом личике Кириллваныча; вечно озабоченное, все какое-то кустистое, бульдожье — брови торчат, усы торчат, даже из бородавки на лбу куст растет — лицо начальника смены Семенова. Чаще всего, уже привычно, рука рисовала круглую, с носиком-кнопкой, плутовскую физиономию Лепёшки. «Лепёшка» — это прозвище. Может, из-за широкого затылка, приплюснутого от долгого младенческого лежания в *бешике* — колыбели. А вообще — узбекский парнишка, Арип, Арипчик. Фамилия — Хлебушкин. Он детдомовский, а их директор Антонина Ивановна Хлебушкина всем сиротам свою фамилию давала. Лепёшка хорошо говорит по-русски. Маленький — Вере до плеча, — но страшно самостоятельный, веселый и умеющий добывать из происходящей вокруг жизни самую разнообразную пользу: выпрашивал у обедавших бутылки из-под кефира и минералки, сдавал; выпросил однажды у учетчицы Зухры старые ее босоножки, со сломанным каблуком, обломал второй и явился в них — с видом именинника. В столовую прибегал последним, хватал стакан прозрачного кислого компота с плавающими в нем лохматыми ошметками лимона, а с тарелок на столах — куски недоеденного хлеба; уминал за обе щеки, плутовски подмигивая поварихам, за что получал иногда со дна огромной кастрюли серую общепитовскую котлету. Вера про себя называла его «Маленький Мук». Неунывающий Маленький Мук.

Лет через пять она поймет, как избавляться от мучающих ее лиц, и будет вставлять их в картины; помимо воли, они определят некоторую конкретность раннего ее стиля... — и эти, одухотворенные ею, двойники давно уже посторонних, чужих людей заживут причудливой жизнью; придуманной, но, может, более наполненной — мыслью, чувством, — чем обыденная их жизнь. И первая ее, отмеченная на весенней выставке молодых художников, картина — «Танцы в ОДО» — помимо неуловимо и необъяснимо звучащей музыки, являла публике все эти лица, выглядывающие из-за плеча, повернутые в профиль, с закушенной в зубах сигаретой, оскаленные в азартном усилии выделывания коленца.

...Даже приплюснутый затылок Лепёшки, Маленького Мука, прилипшего к материнскому бюсту рыжей кондукторши трамвая № 2, — все это крутилось и вихрилось под звездным небом на небольшом холсте — 65×40, — заставляя зрителей снова возвращаться к картине, неудачно висевшей в темной нише в углу зала.

После занятий в «вечерке» разболтанный визгливый трамвай с рваной, словно проеденной мышами, резиной на складнях дверей привозил ее домой, в другую жизнь — всегда неожиданную.

То дверь ей открывал незнакомый человек, смотрел вежливо и недоуменно, а из комнаты кричал Стасик своим прокуренным шершавым баритоном:

— Это Верка? Верка явилась наконец-то? Перезнакомьтесь там сами как-нибудь! Боб, ты надел Веркины тапочки. Верни... — и кому-то в комнате на подхваченной интонации, — ...а ты перечитай «Смерть Ивана Ильича», помнишь, с чего начинается действие?..

...Чаще открывал сам Стасик, хотя Вера заранее доставала из кармана ключ, но Стасик умудрялся слышать ее шаги еще на первом этаже — слух у него был поразительный, собачий, — и чуть ли не мгновенно оказывался у дверей на своих костылях.

— Наконец-то! Где ты бродишь? Не переобувайся, мы уходим. В «Публичке» лекция о западно-европейской музыке конца XIX века. Элла заходила, она сегодня играет.

И они лихорадочно собирались; разыскивалась в недрах шифоньера чистая рубашка Стасика, молниеносно отчищался щеткой пиджак, завязывался галстук («Верка, галстук к моей физиономии, что фрески Рафаэля в конюшне совхоза «Серп и молот») и быстро — как ковбойский конь копытами — перестукивали ступени костыли.

Иногда в дверях она находила записку: «Вера! Живо в Дом знаний! Сегодня выступает Юлий Ким!»

Вблизи Стасика жизнь была толкова, горяча и наполнена оздоровляющим смыслом.

Впрочем, все это она сформулировала для себя потом, много лет спустя, и тоже в неожиданном, оздоровляющем месте: в Карловых Варах, куда пригласил ее погостевать на пустой вилле владелец одной из пражских галерей, где году в восемьдесят девятом проходила ее выставка. И вот там, сидя рано утром в центральном павильоне, вблизи самого мощного источника, бьющего гигантской струей в потолок и распространяющего вокруг себя волны горячего озона, она вновь думала о Ста-

*сике, в который раз ощущая его присутствие так близ-
ко, что не хотелось уходить, словно, просидев тут еще с
полчаса, можно было дождаться его наконец, спустя
столько лет...*

...Впоследствии Вера удивилась бы, если б кто-то назвал
Стасика калекой. А в ту вялую длинную осень, когда она осталась одна, жила тихо и медленно, вровень с вечерними сумер-
ками, — она не удивилась. Раз на костылях — значит, калека. Вообще-то ей и в голову не приходило сдать комнату —
все-таки на фабрике получалось рублей шестьдесят в месяц,
деньги хорошие, особенно для первых заработков шестнадца-
тилетней девчонки. Одной хватало.

А тут как-то вечером постучалась соседка Фая, — смуглая и
верткая, как угорь, — втолкнула Веру в прихожую, сама вошла, оглянувшись, притворила дверь и заговорила быстрым
шепотом:

— Верка, жизнь-та какая пошла! Дороговизны-та какая!
Сегодня на базаре пятнадцать рублей оставила, а спроси, что
купила?

— Денег, что ли, одолжить? — спросила Вера, ничего не понимая.

— При чем одолжить! — обиделась Фая. — Одолжить не к
тебе пойду, ты сама бедная. Я с хорошим делом: на квартиру
человека не пустишь?

— А почему шепотом? — недоумевая, спросила Вера.

— Ты дура совсем, да? Зачем разглашать? Чтобы эта сука
Когтева из шестой квартиры бумаги в ЖЭК писала? Скажешь
— брат из Янгиюля приехал... Да ты не бойся, он калека, на
костылях. Приставать не будет.

— А зачем мне все это?

Месяца три уже Вера жила одна, боясь поверить, что этот
покой и простор — надолго, на целых пять лет; что мать не за-
явится, как обычно, после своих коммерческих экспедиций — с
привычными угрозами, бранью, погоняловкой и мордобоем...

Вечерами она часто пропускала занятия в школе, могла часами лежать на диване, не зажигая света, перебирая лица, увиденные за день, за неделю, за эту осень. Размышлять о матери, о дяде Мише.

Сдать кому бы то ни было комнату, значило — впустить неизвестного человека в медленные текучие вечера при свете уличного фонаря за окном; значило добровольно разрушить возведенные вокруг себя *высокие светлые стены*.

Она и потом будет так же вынашивать картины — сначала бесцельно кружа по дому, машинально касаясь рукой предметов, пробуя поверхность на ощупь, словно бы знакомясь с неведомым веществом мира, незнакомым составом глины... Наконец ложилась, заваливалась, как медведь в берлогу, закукливалась, как бабочка в коконе. Иногда, перед началом большой работы, лежала так, замерев, без еды, целые сутки... Как бы дремала... Если муж спрашивал ее: «Ты спишь?», — отвечала, не шевелясь, не открывая глаз: «Нет... работаю...»

А наутро взлетала — легкая, еще больше похудевшая, — принималась натягивать холст на подрамник.

— А двадцать рублей тебе валяются каждый месяц? — спросила Фая.

— На фиг, — кратко ответила девочка.

— Слушай, больного человека совсем не жалко, да? На костылях, калека... Из хорошей семьи человек, моей подруги племянник. Думаешь, безродный какой-нибудь? У них с отцом в Янгиюле домина в шесть комнат. А отец — ветеринар такой, что к нему со всех совхозов подарки возят на грузовиках. Грузовик дынь! — клянусь, сама видала, Цой послал, председатель колхоза «Политотдел». Герман Алексеич, он немец высланный, вдовец, культурный человек. И сын такой хороший мальчик, да вот, беда с ногами, с детства. Ему трудно в институт с Янгиюля добираться. Каждый день туда-сюда автобус, на костылях, а? Да еще эту возить — ящик этот, с красками...

— Этюдник? — встрепенулась Вера. — Он художник?

— Ну, а я что тебе говорю! — обрадовалась та. По всей видимости, она вовсе не рассчитывала на этот козырь, и за козырь его не держала, хоть и знала, что Вера рисует: карандашный набросок — вихрастая головка ее младшенького, Рашидика, — красовался у Фаи в кухне. — Он и тебя научит что-нибудь, а?

7

Художник-калека оказался здоровенным, былинно-русой красоты парнем, добрым молодцем из сказки, только роль борзого коня исполняли костыли — обжитые, обихоженные, с перемычками для ухвата, отполироваными его мощными ладонями до блеска.

Стасик переболел полиомиелитом в детстве, так что отсутствие ног, вернее бестолковое их присутствие, его нисколько не смущало.

Он сразу заполнил всю квартиру — своим голосом, прокуренным шершавым баритоном, своими ящиками с краской, углем, сангиной; костылями, которыми владел виртуозно, и поэтому мог делать все без посторонней помощи, да так ловко, что куда там Вере. Впрочем, по истоптанному домашнему маршруту он способен был проковылять и так, в подмогу себе привлекая то спинку стула, то косяк двери, то близкую стенку.

Костыли же оказались совершенно одушевленными, и время от времени Вера натыкалась в разных углах квартиры на эту легкую танцевальную парочку, словно за ночь их туда приводило любопытство.

Она во все глаза глядела на этюдник, свою мечту, — до этого видела такой, дорогущий, в художественном салоне, — на самого Стасика, диковинного человека, которому все было любопытно, все нужно, и все — в охотку.

Он, как и его отец, принадлежал к типу людей, которые дружат с людьми, вещами, живыми существами, погодой и всем, что произрастает вокруг. Любое действие у него превращалось в действо. Перестановка предметов на кухонном столе — в композицию. Стасик знал рецепты самых неожиданных блюд, вроде татарского чак-чака, варил лучший в мире кофе (действительно лучший; даже в Стамбуле, даже на Крите, где ее водили в специальные места — пробовать особенный кофе, она не пила лучшего, чем тот, что варил Стасик на газовой конфорке в их кухне); он по-особому заваривал зеленый чай, колдуя над нужной температурой воды, — при этом казалось, что старый чайник с надбитым носиком таинственным образом влюблен в его руки и тянется к ним, что пиала сама просится в его большую и удобную ладонь... Он знал, как отчистить старую замшу, высветлить темное серебро, отстирать любое пятно с материи; когда Вера заболевала, он за два дня поднимал ее на ноги, заставляя дышать над кастрюлей с кипящим отваром каких-то незапоминаемых трав, безжалостно жестко растирая ей спину (боже, какая ты худющая!) остро пахнущими и больно жалящими мазями... Сам не болел никогда: будто детская страшная болезнь, отобравшая у него ноги, исчерпала отпущенные на его жизнь недомогания.

...В первые дни она еще пыталась отгородиться от него в своей комнате, молча рисовала что-то в альбоме, прислушиваясь к голосу, напевающему, рассуждающему, — Стасик имел обыкновение спорить с невидимым собеседником, и вообще, в отличие от нее, оказался человеком *звучащим* и *жаждущим звуков*, самых разных... — хотя ей нестерпимо хотелось посмотреть, как он работает, потрогать тюбики с красками, пощупать щетину кистей.

Она боялась выдать себя, свое острое к нему любопытство.

Но надо было знать Стасика — его просветительскую жажду и его страсть: затаскивать, затягивать в свою душу и свои увлечения всякого, близко расположенного к нему человека.

Сначала он не мог разобраться в этой молчаливой сумрачной девочке. Он не понимал, чем она живет — тряпками вроде не интересовалась, телевизора в доме не было, подружки не приходили, радио не включалось. Вечерами, возвратившись с какой-то обувной фабрики, закрывалась в своей комнате и замирала там, будто засыпала. Ни шороха, ни стука. Бесшумное существо с острыми плечами и внимательными, испытующими глазами. Вот эти глаза и беспокоили Стасика: веки припухшие и мягкие, но серая радужка обведена четким кругом и черным гвоздиком вбит зрачок. Он знал такие взгляды — обращенные в себя и одновременно хищно выхватывающие из окружающего мира для своих каких-то нужд те таинственные блики, тени, чешуйки света, которые наполняют пространство и одушевляют его.

В этой девочке надо было разобраться.

И недели через две он не вытерпел: заложив закладкой страницу в альбоме «Русская живопись второй половины XIX — начала XX века», постучал в дверь Вериной комнаты.

Услышав стук, она закинула под подушку блокнот, в котором третий вечер рисовала римскую казнь: распятого бродягу на обочине Аппиевой дороги, вскочила и молча открыла дверь. Навалясь подмышкой на костыль, Стасик держал перед ее носом раскрытый альбом.

— Это что? Быстро!

— «Бурлаки на Волге», Репин, — недоуменно бормотнула она.

— Так. Это?

— Ну, «Боярыня Морозова», Суриков...

— Хорошо. Это?

— Господи, да «Грачи прилетели», Саврасова... — уже обижаясь, буркнула она. — Ты мне еще плакат «Миру — мир!» загадай.

Он захохотал — сочно, раскатисто, словно в горле жил кто-то самостоятельный и слегка поддатый, и заорал:

— Все ясно! С тобой все ясно, молчальница! Показывай рисунки.

— Какие рисунки? — покраснев, буркнула она.

— Давай-давай, показывай. Нет, но какой я психолог, ядрен корень? Я всё-о сразу просек!

Он плюхнулся на венский стул, отставил к стене костыли и серьезно уже, молча стал рассматривать ее, сваленные перед ним на полу, альбомы, блокноты и отдельные четвертушки ватмана, которые она утаскивала с уроков черчения в вечерней школе. Смотрел долго, то останавливаясь на каком-нибудь листе, то бегло проглядывая подряд несколько, тяжело сопел, словно физически работал, и раздраженно отмахивал свисающую на лоб пепельно-русую прядь.

Сидя на полу, сжав колени ледяными руками, Вера ждала приговора. Сердце напряглось и дрожало, но лицо казалось спокойным и даже скучающим. В том, что Стасик — наивысший суд, она не сомневалась ни минуты.

Наконец он отложил последний альбом, насупился и с минуту разглядывал Веру так, как рассматривают со всех сторон вырезку, размышляя — что лучше из нее приготовить.

— Шутки в сторону, — наконец сказал он. — Дело плохо... — и заметив, как разом побелели скулы девочки: — Ничего не умеешь, ничего не знаешь, а времени осталось с гулькин нос, за полгода нужно подготовиться к училищу.

Вера перевела дыхание. Она ничего не поняла, но ясно было одно — ее помиловали, и жизнь продолжается. Главное же, произнесено слово из заоблачных сфер — широкое и сводчатое, как врата храма.

Она все еще не могла прийти в себя, чувствуя, как толчками бьется освобожденное сердце, а Стасик уже кричал откуда-то из кухни: — Где?! Что-нибудь! Есть что-нибудь в этом доме для натюрморта? — и что-то падало, звякало, стучала дверца буфета.

Наконец, после оголтелых поисков и тарарама, соорудили натюрморт: на табурете расстелили синюю Верину майку, установили горшок из-под засохшего цветка, два яблока и картофелину.

Стасик долго менял местами эти незамысловатые предметы, сопя и приговаривая: «А мы вас вот эдак... нет, балда, тебя мы вот сюда... а тебя во-о-от... сю-да!» — Складывал ладонь трубочкой, смотрел в нее, отскакивая назад... Костыль поскрипывал и покряхтывал, как терпеливый и многострадальный старик.

Вера, приоткрыв рот, не отрываясь, смотрела на действия Стасика.

— Завтра воскресенье... вот с утра и начнем, — сказал он наконец.

— Сейчас! — пробовала возразить она... — Только набросаю... контуром.

— Запомни, несчастная: его величество дневной свет! — весело и строго крикнул Стасик. — Раз и на всю жизнь вбей себе это в башку — живописи противопоказано электрическое освещение! Оно искажает цвет. Только дневной божеский свет! — костыль взмыл и ткнулся резиновым наконечником в сторону темного окна, — и никакого кроме... Твое настроение будет зависеть от погоды, привыкай к этому. И еще, — он усмехнулся, — привыкай к одиночеству. Это надолго, на всю жизнь.

— Почему? — тихо удивилась Вера. Удивилась потому, что и раньше об этом догадывалась.

— Потому что, как всякий художник, ты будешь невыносима. Ты и так не сахар, а будет и хуже. Профессия эта не галантная, с годами вырабатывает тяжелый характер... думаешь и говоришь только о своей работе, а это скучно, — кому такая баба нужна, и кто тебя, такую, вытерпит? Это я обязан тебе сказать. Так что выбирай, еще не поздно.

Вера засмеялась с облегчением, и он ее понял. И сам расхохотался:

— Правильно! Поздно...

* * *

К ним приходили как в семью, — дом стал открытый, шумный. Часто вваливалось человек по восемь-десять, большей частью незнакомых, — какие-то художники, журналисты, начитанные и высокомерные девочки-филологички, студенты консерватории, в свободное время связанные с музыкой в основном пятью гитарными аккордами, редактор издательства имени Гафура Гуляма, сам кропающий короткие рассказы и уже издавший тощую, на скрепках, книжку стихов, которую ему никогда не допустили прочесть; зато престарелый неприбранный поэт Адольф Минков читал свои стихи треснутым тенором, пришепетывая и помогая себе мерным отсылающим взмахом руки с сигаретой между средним и указательным пальцем... И еще какие-то оригиналы, заочные воспитанники Брэгга, последователи йоги, кухонные певцы, не чуждые «Баян-ширея»...

Спиртное сопровождало всегда... Несколько честных драк было замято соседями. Да и Стасикин костыль, бывало, точными попаданиями разнимал оленьи бои...

За эти месяцы, как потом вспоминала Вера, было прочитано, вернее проглочено, невероятное количество книг, которые приносились за пазухой, в брюхатой глубине портфелей, являлись в качестве толстой пачки перепечатанных бледных копий. Читать их надо было за ночь, а прятать — в кухне за батареей.

И повсюду в разговорах-посиделках незримо присутствовала «ГеБуха», которую Вера представляла себе вульгарной, поддатой и размалеванной бабой, а оказалась она — правда, гораздо, гораздо позже, — хорошо воспитанным молодым человеком, неплохо, кстати, разбирающимся в живописи, который сначала представился давним знакомым «покойного Станислава», а потом попросил ее объяснить (дело происходило на ежегодной Республиканской выставке) «закодированный смысл» картин некоторых художников.

И Вера, чтоб уже развязаться с этим навсегда, в первый и последний раз в своей жизни грамотно и подробно выдала ему весь богатый материн репертуар. И ее больше не трогали, разве что перестали допускать на выставки... Но и это уже, грех жаловаться, пришлось на закат империи, — дядя Миша во всем оказался прав.

8

Длинный глубокий зал Ташкентской Республиканской библиотеки напоминал протестантский собор — высокие потолки, высокие притолоки массивных резных дверей, высоко расположенные окна.

В церковной тишине за длинными деревянными столами сидели под лампами посетители всех возрастов, бесшумно строчили в тетрадях, перелистывали страницы, разговаривали шепотом. Время от времени в конце зала открывалась высокая и узкая створка двери в служебное помещение, и тогда все головы поворачивались в том направлении: оттуда всегда появлялась Тамара. Ее называли «царица Тамара», и правда, имя очень ей шло. Это была молодая женщина изысканной утомленной красоты, с прекрасной фигурой какой-то особенной стати (помню прогулочный ход дымчатых ног с безупречными стрелками — такие ноги доставали у спекулянтов). Но и черные изящные туфельки на высоких каблуках, и узкая юбка, продуманно и точно открывающая точеные колени как раз там, где глаз хотел остановиться, и медленная раскачка походки не были главным ее козырем. Она всегда почему-то одевалась в черное, и короткие волосы, черным крылом перечеркивающие лицо, когда она медленно наклоняла голову к знакомому за столом и кивала ему на какой-нибудь вопрос, являли ошеломительный контраст с ее миндалевидными, дивного оттенка зелеными глазами. Такого изумрудного оттенка зеленый цвет я видела только у нежно стелющихся по дну неглубокого арыка темных водорослей.

Словом, не было ни одного посетителя библиотеки, ни мужского, ни женского пола, кто не обернулся бы вслед «царице

Тамаре» и не проводил ее долгим взглядом, пока она проходила между рядами столов и скрывалась за высокими дверьми служебного входа...

Полагаю, что многие мужчины приходили сюда, чтобы увидеть эту, безупречной красоты, молодую женщину.

Однажды утром мы с соученицей оказались в «Публичке», поскольку должны были готовить совместный исторический доклад, не помню уже на какую именно, — на краеведческую тему. Кажется, доклад должен был стать искуплением очередной моей вины, шлейф которых тянулся за мной вдоль всей школьной жизни до самых выпускных экзаменов... Я всегда была заметной ученицей — в том смысле, что вечно на «заметке».

Мы с подругой устроились за столом в зале каталогов на первом этаже, и в похоронной тишине утреннего пустого зала (до сих пор вижу, как струится пыль в солнечном луче, и за окном безвольно, как белье на веревке, плещется желтая листва тополя), занялись поисками нужных источников.

Скрипнула дверь. Я обернулась и увидела столь занимавшую меня «царицу Тамару»; она села в углу за рабочий стол и погрузилась в какую-то писанину... Быстро бежала по листу ее рука с зажатой в тонких пальцах самопиской.

Минут через пятнадцать в дверях возник молодой человек, по виду мало напоминающий охотника за знаниями. Он огляделся, сразу же направился к столу, за которым сидела библиотекарша, и обратился к ней с неслышным нам вопросом.

И вдруг... Нет, эти кошмарные звуки нельзя было назвать человеческим голосом. Дело было даже не в хрипе порванных от природы связок, а в каком-то дефекте носоглотки, издающей это ужасное гнусавое карканье.

Я испуганно стала озираться в попытке обнаружить источник испугавших меня звуков и, в полном оцепенении, поняла, что издает их «царица Тамара»...

Увидев мое ошеломленное лицо, подруга спокойно спросила: — Ты чего? Чего у тебя такая физия? — проследила глазами направление моего взгляда и протянула:

— А-а... ну, это же Тамарка... Соседка наша...

— Она что... больна? — спросила я.

— Почему больна? Просто, голос такой... от рождения... Ну, и там что-то надо было оперировать в самом детстве, да родители прозевали, а сейчас уже поздно...

— Бедная... — пробормотала я.

Моя подруга усмехнулась:

— Кто — бедный? Тамарка? Ты за нее не переживай. У нее знаешь, сколько мужиков? Чуть не каждую неделю новый... Так что давай, отключись от проблемы...

Она сунулась опять искать что-то по ящичкам, а я все ждала, не решаясь повернуть голову в ту сторону, где непринужденно сидела царица Тамара, боясь обнаружить болезненный интерес и сострадание и в то же время испытывая алчное желание услышать еще, еще чуть-чуть этого карканья, этого скрипа ржавых уключин, — чтоб потом наделить им кого-то в новой захватывающей повести, которую писала в толстой тетради, обреченной, — как и остальные тетради, «плоды безделья», — быть выкинутой моей решительной мамой в припадке учительского гнева, помноженного на родительское отчаяние...

*   *   *

В июле Вера поступила в училище, как провозгласил дядя Миша торжественным слабым голосом — «художества и судьбы!». Они даже опрокинули по рюмке дешевого вина «Ок мусалас» за ее будущую учебу, но с отвычки дядю Мишу немедленно и вырвало, и он, прокашлявшись и выпив чаю, опять попытался завести обличительную беседу о матери, убийце и дьяволице...

— Ну... брось, дядь Миш, не думай о ней! — взмолилась Вера, всегда с паническим суеверием пресекавшая эти разговоры, как дикарь опасается произносить вслух имя злого духа, дабы не вызвать его, не материализовать ненароком грозную сущность. Да и то сказать — сидит себе мать за решеткой, как ей и положено... и можно жить спокойно еще года четыре, если амнистии ей не выйдет... что воду-то переливать? Не вернешь ничего...

И дядя Миша унялся, послушно переменил тему, стал хвалить Стасика, который за полгода подготовил Веру к вступительным... хотя к самому Стасику относился ревниво, черт знает что подозревал и, если выпадали дни, когда чувствовал себя не так уж скверно, то цеплялся, как банный лист, настоящие допросы устраивал: что да когда — жизнь час за часом... Чудак, — словно опасался, что выпадет *из ее времени*, и тогда кто-нибудь займет его место, — Стасик, например... Она пыталась объяснить ему, что, при всех обстоятельствах будущего, этого уже никогда не произойдет...

Впрочем, в последнее время сил у него на подобные разговоры становилось все меньше...

А Стасик и вправду всего за полгода подготовил ее к экзаменам, да так, что сам Гольдрей, Айзек Аронович, гроза и ужас всех студентов, поставил ей за рисунок высший проходной балл!

Гольдрей был учеником Бродского, отличным живописцем. В начале войны работал в Эрмитаже, помогал переправлять в безопасное место бесценные полотна гениев; «Я видел эти картины без рам! Вся искусствоведческая болтовня о темной палитре Рембрандта — буйда и миф: на сгибах подрамников эти холсты сохранили свои исходные краски — гораздо более светлые, чем сейчас!». Потом эвакуировался с Академией художеств в Самарканд, жил в одной из келий Медресе Улугбека, преподавал в училище Бенькова. И вот тогда его навеки покорил желтый, бирюзовый, охристый свет Азии, ее могучая природная палитра: дробный пурпур разломленных гранатов, багряные кисти винограда, зеленоватое золото бокастых дынь... Кровь сыграла, кровь далеких восточных предков... И больше не вернулся к серому граниту белых ночей.

Был Айзек Аронович человеком ядовитым и одиноким. Никого не щадил:

— Сядьте спокойно, Галя, — это натурщице, — и примите умное выражение лица. Потом можете принять прежнее...

Смешно ходил по комнате, пришаркивая, заглядывал носом, как ворон клювом, то в один этюдник, то в другой. Говорил: «Пишите кистью, лепите форму краской! Творите медленное погружение в лаву цветовых событий, создавайте плотную энергетическую среду!..»

И на целых четыре года заветный адрес на Бешагаче: улица Байнал-Минал, № 2, напротив мясокомбината, — определил бег, темп и смысл ее жизни...

Тот еще запашок сопровождал годы учения в альма-матер. Но он же и закалил обоняние: крутая смесь запахов висела в классе — краски, скипидар, пыльные драпировки, пряная животная вонь из ворот мясокомбината и, как необходимая тонкая компонента, — проникающий в форточку запах буйной дворовой сирени по весне. И никогда больше, в какие бы трущобы ее ни завела бродячая судьба, Вера не воротила нос от испарений и дымов человеческих тел и жилищ...

— Веруня, — добавил дядя Миша назидательно, — а ты и к Владимиру Кирилловичу сходи... маслом каши не испортишь. Уж он-то педагог милостью Божьей, не смотри, что судьба в котельную загнала... Помнишь, как тебя хвалил?

Но, закрученная-заверченная новой жизнью, загруженная учебой по макушку, Вера так и не выбралась в котельную, и позже уже не выбралась к Владимиру Кирилловичу никогда, а увиделась с ним только на дяди Мишиных похоронах... Потом уже, в Москве, в Питере, даже в Риме, даже в Веллингтоне, встречала его учеников, слушала восторженные воспоминания... Вот уж точно говорится — судьба не привела. А казалось бы, куда там приводить: сядь на десятый трамвай, протрясись

минут тридцать, войди через арку в огромный двор мно-
гоквартирного, покоем выстроенного дома, спустись по
ступенькам в подвал... и ты на месте!..

Нет, всеми этими тропами ведает кто-то по небес-
ному путевому ведомству, кто и билеты выдает, и сам
же их компостирует, — на трамвай ли, до Алайского, в
поезда ли, самолеты, в разные страны, во встречи-рас-
ставания...

* * *

Однажды она открыла, что у Стасика есть знакомые, которых он в дом не приводит...

Часто, если совпадали по времени, они договаривались
встретиться после занятий на Сквере, у памятника голове лох-
матого Карлы, и шли куда-нибудь шляться. Летом катались на
лодке по Комсомольскому озеру. Стасик сбрасывал рубашку и
садился на весла, а она сидела напротив и, чертыхаясь от рас-
качиваний, все же быстро и точно набрасывала его великолепный торс, широкий разлет грудных мышц, красиво развернутые плечи и крупную голову с густой копной русых волос.

Денег в то время у них было навалом: две стипендии, да
детсадовский подработок на «мишках-мышках». Началось
все со случайной копеечной халтуры: разрисовать сказочны-
ми персонажами стенку летнего павильона в ближайшем дет-
саду. Но мишки и мышки, которых они со Стасиком от души
наваяли в четыре руки за субботу-воскресенье, настолько
пленили воображение и детей, и, главное, воспитателей, что
их дружную бригаду стали передавать из садика в садик, пла-
тили исправно, да еще и подкармливали манной кашей и ка-
зенным борщом.

Запросы у обоих были мизерные: сырки «Дружба», пирожки с требухой по пять копеек (их каждый день часам к пяти вы-
возили на тележке к воротам мясокомбината) да лепешка с
маслом, особенно если подсушить ее в духовке... Ну, если сов-

сем уж разгуляться с гонорара за «мишек-мышек», то и пива пару бутылок...

За первый год в училище Вера вытянулась и повзрослела так, что это заметил даже Герман Алексеевич, когда весной они вдвоем навещали его в Янгиюле.

— Стас, а Вера-то тебя переросла!

— Где, где? Еще чего не хватало! — возмущенно крикнул тот. — А ну, поди сюда, Верка!

Они встали рядом, лбами друг в дружку... Смешно касались носами... Так близко были его губы...

— Сантиметра на два... — сказал Герман Алексеевич...

И Стасик очень смешно обиделся, и дулся на нее весь вечер, пока пили в беседке чай с оладьями и айвовым вареньем.

Вокруг лампочки над столом шуршали глухие баталии ночных бабочек, две приняли мучительную смерть в глубокой миске, в прозрачном и нежном озерце варенья, где плавали золотые, в электрическом сиянии, дольки плодов...

*Никогда позже Вера не будет настолько чувствовать себя хозяйкой судьбы, как в те вольные, шумные и счастливые три года, когда мать держали взаперти, дядя Миша худо-бедно еще жил в земной оболочке, а они со Стасиком были — **семья**.*

И никто бы не поверил, что два юных, взрывных и своенравных существа почти все это время прожили в одной квартире на расстоянии братской близости друг от друга. Да Вера потом и сама не могла этого понять и простить себе. А у Стасика понять и оплакать это совсем уже не оставалось времени...

Так вот, однажды она обнаружила, что у него есть неизвестные ей знакомые...

Они шли вдвоем через Сквер, и он все время озирался в поисках телефонной будки. Дважды уже попадались с испорченными автоматами, — Стасик явно бесился и на вопросы огрызался. Наконец в третьей будке телефон оказался действующим; он вошел, сложил костыли парочкой, оперся сразу на оба, накрутил диск и минут пять говорил с кем-то странным *тесным* тоном, каким разговаривал, если злился на Веру или не хотел высказываться. Но особенно странным было то, что на том конце провода его... — Вера близко стояла и доверчиво наблюдала этот разговор... — вроде как передразнивали: кто-то каркал, скрипел... явно издевался... А Стасик, вместо того чтобы отбрить наглеца как полагается, повесить трубку, плюнуть... отвечал терпеливо и всерьез... Да еще нервно постукивал ребром «двушки» по железной полочке.

— А что, завтра не получится?.. — говорил он... — Тогда послезавтра, где обычно... я все устрою... Он даст ключ...

И в ответ опять его так же скрипуче-гнусаво передразнили...

— Кто это был? — удивленно спросила Вера, когда Стасик вышел из будки.

— Одна знакомая... Ты не знаешь...

— Это — девушка? Какой у нее...

— Да... — поколебавшись, сказал он... — необычный голос... больные связки и... особенность строения носоглотки.

— А почему ты ее никогда не приводил к нам?

— Зачем? Она... из другой оперы...

— Еще бы, — согласилась Вера, приотстав от него на полшага и ощущая непонятную духоту в области диафрагмы... — такое чудное сопрано...

— Зверек! — удивленно проговорил он, обернувшись и легонько съездив лапой по ее запущенной, «дикой», как говорил он, стрижке. — Тебя эти темы никак не должны касаться!

— Значит... — сказала она, задыхаясь, — значит... когда ты сказал, что едешь в пятницу к отцу в Янгиюль... ты...

— Не твое дело, — сухо оборвал он.

— Ты... ты — мне — врал?! — и растерянно остановилась, ничего не понимая... — Зачем?!

— Не твое дело! — крикнул он раздраженно.

Тогда она резко развернулась и пошла в противоположную сторону, безжалостно быстро, чтобы он не смог догнать. Он орал вслед сначала что-то насмешливое, потом сердитое, приказным тоном... Она не остановилась: нашел себе ручного зверька!..

И только когда на следующий день, взъерошенный и взбешенный, с бессонными тенями под глазами, он разыскал ее у дяди Миши во времянке и выволок, чуть ли не насильно, во двор, она с горьким удовлетворением позволила увести себя домой.

Так она потрясенно для себя открыла, что любит его. Вернее это была череда болезненных открытий: *оказывается,* он был мужчиной, а не *просто Стасиком*, у него была женщина, красавица с мерзким голосом мультипликационной вороны, он уходил к ней время от времени на ночь, и — что совершенно парализовало Веру, — она ощутила, что, *оказывается,* страшно, до спазмов в горле, ревнует его... И последнее, чудовищное открытие: она поняла, что, *оказывается,* может запросто убить ту, другую (видела ее в библиотеке и была сражена красотой и статью этого нетопыря в женском обличье), — и даже знала как: вот как мать зарезала дядю Мишу, — крепко сжав рукоятку ножа, с сильным замахом погрузить его в яремную ямку... (несколько раз перед сном она мысленно целилась и попадала, но для этого надо левой рукой сильно отогнуть назад голову *той*)...

Выходит, она могла, *оказывается*, стать такой, как мать. А этого уже никак нельзя было допустить! Нет, нельзя! Главное для Веры было — *не стать* такой. А вот *какой* ей стать — она еще не знала...

* * *

...Приблизительно в это же время появился и Лёня, привел его не то Сенька Плоткин, не то Саша Стрижевский, не то поэт Минков. Праздновали день рождения Стасика. Народу набилось в тот вечер полон дом, кто-то пек в духовке картошку и резал сыр, группка курила на балконе, пугая соседей выкриками:

— Ты полистай Бердяева хотя б для хохмы, старик!

Стасик показывал какому-то долговязому свой последний пейзаж. Долговязый рассеянно щурил близорукие глаза за стеклами очков и помалкивал.

Он вообще помалкивал весь вечер. Вера забрела на кухню, где чернявая Сенькина подруга Марина пасла в духовке целое стадо рыжих картофелин, и спросила у нее:

— Такой высокий, глаза добрые — это кто?

— Лёня-то? — отозвалась Марина, отдернув руку от горячей картофелины. — Да это же Волошин, его все знают... Мать у него профессор, ухо-горло-нос, завотделением в 16-й горбольнице... Он всех-всех знает!

— Зачем? — не поняла Вера.

— Ну, такой человек-коммутатор, всех между собой перезнакамливает...

— Странная профессия... — удивилась Вера.

Маринка рассмеялась и сказала:

— Да нет, это не профессия, он в «ящике» служит, не помню точно — где... что-то с ядерной физикой...

Долговязый мелькал еще раза два-три за тот год: подошел к ним на выставке Файзуллы Насырова, постоял рядом минут пять, внимательно слушая баритон Стасика, и непонятно было — согласен он с ним или нет...

Еще как-то столкнулись в продуктовом магазине; Вера кивнула ему, он запоздало и удивленно ответил, назвав ее «сударыней». Здравствуйте, сударыня...

Вовсе не показался Вере человеком-коммутатором. Была в нем какая-то церемонность, принадлежность к иному, не знакомому Вере, кругу... И сдержанная взрослость, погруженность в себя — чего совсем не было в Стасике.

* * *

Иногда она просила его «постоять чуток» — позировать, чего он не любил, — совсем не мог пребывать в неподвижности, словно каждую минуту старался наперед взять реванш у своей болезни, — но под ее мольбами сдавался, раздевался до пояса и, опершись на костыль, как гребец на весло, с мученическим выражением лица ждал, когда она завершит набросок. Для нее же эти сеансы таили неизъяснимые попытки проникнуть в заросли детских своих видений...

...Долгое время Вера считала это сном.

Впрочем, это и было сном, довольно часто повторяющимся: высокая, как заросли, — выше человека — трава, рядами растущая на покатом склоне холма, и голый, с одной только желтой повязкой на голове, всадник въезжает в высокие эти заросли, и волнами, зелеными волнами пробирается внутри до кромки поля... А там разворачивает коня, и вот уж желтая косынка бороздит поле в обратном направлении... И с каждым новым заездом все быстрее и быстрее скачет конь, и все громче покрикивает, все веселее хохочет всадник... А солнце, которое только что стояло высоко-высоко в небе, над белоснежным пиком главной, выгнутой парусом, горы, уже катится вниз багровым шаром, выплескивая алый марганцевый свет на небо и вершины гор.

И носится, как безумный, носится всадник, волнистой дорогой расходится высокое поле, блестит его потное, как лезвие ножа, тело, с каждым нырком в зеленое озеро приобретая зеленоватый, все более плотный цвет, и ходуном ходят бока черного, с прозеленью, коня... Все выше и тоньше звенит над горами крик, и маленькая Верка, не выдержав, выбегает навстречу всаднику... Ее распирает восторг, она кричит, размахивая руками, бежит к нему...

Мать хватает ее, пытаясь зажать рот, крепко перехватив поперек живота... Но темно-зеленый всадник... — а это же дядя Садык, и желтая косынка на его голове — это матерна косынка! — мчится прямо на них на огромном черном, с прозеленью, коне, и вот уже вплотную надвигается громада человека-коня, он наклоняется, выхватывает Верку из материных рук и крепко целует девочку. Странный резкий запах идет от него — смолистый, густой, веселый, ошеломительный запах-дурман. Верка валится к матери на руки, и сразу же вслед за этим наступает ночь...

...Однажды в альбоме у Стасика она увидела репродукцию известной фрески Делакруа «Орфей, обучающий греков мирным искусствам», того ее фрагмента, где человек-конь раскинул руки, опершись на положенный на плечи лук... Она застыла над репродукцией, и весь вечер пребывала в сильном возбуждении, пытаясь вспомнить — где видела это благородное существо в слепящих лучах закатного солнца. И наконец вспомнила, и горный вечер в багровом полыхании заката пахнул на нее слиянным запахом полыни, мяты, мелиссы и базилика... и еще одного, терпкого смолистого запаха, стоящего над полем и обнимающего всадника с конем...

— Над чем ты тут зависла? — спросил Стасик, склонившись над ее плечом.

Она помолчала, подняла на него глаза и тихо проговорила: «...а я видела тоже...»

— Что?

Она погладила мелованный лист репродукции и сказала: «Вот, его...»

— Кентавра? — с серьезным любопытством в глазах спросил Стасик. — Где?

— В горах... — пробормотала она, — ты не знаешь... неважно...

Он взъерошил ее короткие волосы, проговорил, улыбаясь:

— Верка! Правильно! Вот это и должно стать твоей манерой!

— Что? — удивилась она. Не поняла — что он хочет этим сказать... И, главное, уже тогда ей не нравилось, что он играет с ней, как с мальчиком-подростком.

— А вот этот... легкий налет безумия... — разъяснил он весело.

* * *

...И ведь это была ее первая победа! Первая победа — и над собой, и над ним, и над вызывающей красотой вороны-воровки с глазами цвета водорослей...

Главное же, это была победа над его костылями, ибо с той минуты, когда она стала *всадницей* и они обоюдослиянным кентавром неслись по зеленому полю ее детского сна... костыли его просто перестали существовать, их больше не было, как и потом, в картинах, где Стасик всегда присутствовал совершенно здоровым, даже если мелькал в какой-нибудь маске, на заднем плане, полубоком, спиной...

Почему же это воспоминание неизменно сжимало ее сердце? И по странной ассоциации, стоило увидеть ей в кадрах спортивных новостей какого-нибудь пловца, вздымающего победным жестом руки над бортиком бассейна, перед ее глазами возникал Стасик — с мокрыми волосами, с распахнутой грудью, совершенно смятенный...

* * *

...Он мылся, запершись в ванной. Как обычно, горланил с комическим надрывом:

— Сме-е-ейся пая-а-а-ац!

Вера читала и морщилась. Отучить его орать в ванной оперные арии было невозможно, докричаться сквозь шум воды —

тоже. Оставалось только ждать и терпеливо выслушивать надрывно-комические вопли.

Судя по всему, сегодня он опять не вернется домой, до утра останется у той, красивой, с мерзким голосом... В такие вечера Вера садилась в кресло с книжкой и принимала глухую оборону — едва отвечала на его вопросы, изображала острое увлечение сюжетом, редко переворачивая страницы. Молча поднимала брови, когда из коридора он кричал что-нибудь шутливо-прощальное.

Вдруг грохнуло в ванной, покатилось... — жестяная кружка, в которой стояли зубные щетки и расчески. Пение оборвалось. Вера прислушалась... вскочила и бросилась в коридор:

— Стасик! В чем дело? — тревожно крикнула она.

Он не отозвался. Ничего нельзя было услышать сквозь шум льющейся воды.

Она стучала кулаком в дверь:

— Стасик! Стасик! Ты меня слышишь?! Что случилось?

Он не отзывался. Упал, поняла она, уронил костыль! не может до него дотянуться! ударился головой... потерял сознание!.. Захлебнулся?!!

Обезумев от ужаса, навалилась на запертую дверь, заколотила в нее, заорала. Колотила и колотила, бросалась на дверь дикой овчаркой — плечом, спиной, выла, визжала...

Вдруг он открыл — бледный, совершенно мокрый, в наброшенном на тело халате. Вода струилась по лицу и волосам... Значит, все-таки дотянулся до костылей. Вера зарыдала и бросилась к нему, обхватила обеими руками. С его волос вода лилась на ее лицо.

— Ты что, дура, спятила? — спросил он. — Я ей кричу, а она дверь ломает.

— Я... я... не слышала... я испугалась, что ты упал... умер... — дрожа, задыхаясь, вцепившись в него, бормотала она.

Он сердито обнял ее, чмокнул в макушку. — Перестань трястись... Ну грохнулся, подумаешь!.. Хватит реветь, дура, — со мной никогда ничего не случится... Ну... довольно уже! Иди... я оденусь...

Но она по-прежнему, упрямо, как ребенок, обхватив обеими руками, не выпускала его из тесного закутка между ванной и раковиной, притиснувшись щекой к его груди, словно пыталась непосредственно из сердца расслышать ответ, который ждала. Дрожала странной, неостановимой дрожью... И оба молчали...

— ...Ну? — наконец выговорил он, обеими ладонями пытаясь отклонить ее голову. — Я же опоздаю, дурочка...

Тогда она выпрямилась, прямо взглянула в его смятенное мокрое лицо...

— Не пущу!.. — глухо сказала она, чувствуя, как учащенно бьется и его сердце тоже... — Не пущу... к ней... Никогда больше! — и медленно, обеими ладонями раздвинув — как занавес — халат на его груди, пробормотала в его, уже ищущие, губы:

— Кентавр...

...И всю жизнь потом для нее наиболее притягательным в мужчине были плечи и мощный разлет мышц груди (два коротких, бесцветных романа с натурщиками: красота торса попутала, кентавр поманил с вершины холма и исчез... — Стасик, Стасик!..), словно верхняя, духовная половина тела даже в плотской любви была для нее важнее остального... Словно образ кентавра только и мог возбудить, взбаламутить глубинный ветер, уносящий ее в поле дурмана.

* * *

Появился долговязый после смерти Стасика. Буквально недели через три.

— Здравствуйте, Вера. Вы меня, наверное, не помните, я приходил к вам... Я — Леонид Волошин... — и, в замешательстве, видя, что Вера молча стоит в дверях, не приглашая: — Я только сегодня вернулся из командировки, а мы договаривались со Стасом... Он дома?

Вера и прежде-то была немногословна, а после этой смерти совсем замолчала, онемела. Она вообще замолчала — внутренне умолкла. В те дни казалось — навсегда.

— Мне бы повидать его...

Он глядел своими чуть выпуклыми глазами за стеклами очков в большой роговой оправе и ждал ответа. Вера разлепила губы и шевельнула ими.

Он подался к ней, наклонился:

— Простите?

— Стасик погиб. — Сухо и тихо повторила она, как отвечала всей этой орде, которая хлынула на нее и отхлынула, наткнувшись на бесслезное молчание.

Он не отпрянул, не ахнул, не вскрикнул, не стал забрасывать вопросами, вытягивать подробности, не цокал языком, не качал головой. Так и стоял, в полнаклона, вглядываясь в ее лицо. Смотрел с минуту, потом спросил:

— Вы остались одна?

Она пожала плечами. Он прошел мимо нее в квартиру, походил по комнате, мельком оглядывая работы Стасика на стенах. Потом обернулся к Вере:

— На что вы живете, Вера, извините за бестактность? Вам деньги не нужны?

Она мотнула головой и нахмурилась, потому что вдруг ощутила, как запнулось дыхание и сдавило что-то в горле, и на глаза набежала влага.

Сглотнула и, опустив голову, хмурясь и сосредоточенно расстегивая и застегивая рукав рубашки, впервые торопливо и тихо стала рассказывать о смерти Стасика.

Он попал под машину, опаздывал на зачет по истории искусства. Знаете, тот поворот с проспекта Ленина на улицу Германа Лопатина? В акте написано: «Перебегал дорогу в неположенном месте».

— Перебегал? — повторил Лёня, недоуменно подняв брови.

— Да, «перебегал»...

Так, в милицейском отчете, Стасик восторжествовал над своими костылями после смерти.

* * *

...Длинная дорога на загородном автобусе в Янгиюль — куда она ехала «сообщить», потому что невыносимо было представить безмолвно вопящий листок телеграммы в руках его отца (казалось, если — сама, словами, голосом — будет много легче. Пустое, конечно...) — так и осталась самой длинной и самой страшной дорогой в ее жизни.

Через верхние синие стекла полуразбитого автобуса на сиденья било прямое солнце, а небо казалось открыточно, вульгарно синим.

На заднем сиденье трясся веселенький пьяный. Время от времени он доставал из кармана залитых пивом и пропахших мочой штанов пластмассовую свистульку и рассыпал трели, вытаращивая мутные глаза и раздувая колючие щеки. Пассажиры посмеивались с благодушным презрением. Только старик узбек напротив Веры — красивый, белобородый, — молча посматривал на пьяненького свистуна, и во взгляде его читалось столько брезгливой горечи, столько врожденного благородства, столько обиды за унижающего себя и униженного соплеменника, столько холодной гордости... — Вера глядела на его прекрасное лицо и в этой тряске, столь созвучной отупляющей, душевной ее боли, даже отчета себе не отдавала, что жадно запоминает — как подергивается седая косматая бровь, как взгляд он переводит плавно от окна на пассажиров.

Выцветший поясной платок был обвязан вкруг тюбетейки. А на синем ватном чапане кто-то любовно нашил две аккуратные заплатки: голубую — на рукаве и бирюзовую — под мышкой.

От станции она очень долго шла до дома Германа Алексеевича — сделала круг через базарчик, где инвалид, сидя на спиленном бревне, раздирал баян, выпевая пьяным и плачущим голосом: «Разве ты, разве ты-и-и... разве ты винова-а-ата, что к седому виску-у-у я приставил нага-а-ан»...

У калитки стояла минут пять, и любое движение собственной поднявшейся руки отзывалось внутри ледяным ожогом. Потом решилась: толкнула калитку и ступила во двор, в ласковые мятущиеся блики солнца на желтом кирпиче вымытой с вечера дорожки.

На пустом айване в центре беседки, на расстеленных курпачах, лежала газета, на газете — очки Германа Алексеевича. Из дома в глубине огромного двора доносились голоса, — значит, в гостях здесь самаркандская племянница с дочкой; где-то в комнатах тявкала Клеопатра, и своим проклятым бессознательным зрением, алчно заглатывающим детали, Вера углядела, что дверь с террасы была распахнута, и клином между нею и косяком торчал детский тапочек.

— Вера? Ты что, одна? А художник где? — спросил вдруг Герман Алексеевич сверху. Она вздрогнула и подняла глаза: старик сидел на верху деревянной лестницы, прислоненной к опорам беседки, — в сетчатой майке, в синих бриджах, с садовыми ножницами в руках.

— Не заболел, случаем?

Она стояла, с запрокинутой головой, белая от навалившегося на нее ужаса, и молча смотрела на Германа Алексеевича.

И это было страшнее, чем там, в морге, ждать, когда откинут простыню со Стасикиного лица. Господи, что там было «опознавать»! — когда она с порога опознала обломки его изувеченного костыля, валявшиеся у стены...

На крыльце морга курили и щурились от солнца два разбитных паренька в белых халатах.

Один рассказывал другому какой-то длинный несмешной анекдот, да еще не мог вспомнить последнюю реплику персонажа, в которой, должно быть, и заключалась соль анекдота, и, напряженно морща лоб, щелкал пальцами, приговаривал: ща-ща-ща... щас вспомню...

И только странный, явно сумасшедший человек, обросший буйной черной бородой, снующий вокруг с ведрами и тряпками, был здесь по-настоящему реален и, как сказал бы Стасик, *живописен*...

В воздухе этого идиллического дворика, во влажной, дышащей земле, вспоротой нежными побегами травы, в чутко вздрагивающих ветвях, вспухших почками будущей листвы, была разлита набирающая силу весна.

Мысль о том, что Стасика нет, в то время как есть и будут эти чуткие деревья, эта рвущаяся к свету из тела земли трава, просыхающие на солнце дорожки из бурого кирпича, — казалась невероятной; мертвый Стасик и сейчас был для нее в сто раз живее двух пареньков, не замечающих грозного соседства весны и смерти.

...Как могла она надеяться — «смягчить»... чем? голосом? — она онемела... Видом своим — этим запрокинутым помертвелым лицом?

— Вера... — осекшись, выговорил старик. Она молчала. Руки висели плетьми.

— Он... живой?

Она мотнула головой и выдавила шепотом:

— Поедем...

Тяжело ударились о землю садовые ножницы.

— Помоги сойти, — глухо проговорил старик, лунатически нащупывая перекладину лестницы. Она бросилась, обняла его колени, чуть ли не принимая на себя тяжесть грузного тела, и, когда затряслась и ткнулась подбородком в его грудь, он сказал строго:

— Молчи! Выдь за калитку, жди меня...

Годы спустя, когда на пути в Веллингтон ей пришлось восемь часов куковать на пересадке в Бангкоке, она вспомнила бесконечную дорогу на Янгиюль, и то, как хотелось, чтобы она не кончалась никогда — и мгновенно успокоилась, смирилась: все было легче, чем та дорога. И позже, в Германии, на развод она решилась после одной ночи, которая началась с бессмысленной и вялой ссоры с Дитером, продолжилась бессонницей, а на рассвете — тяжелым забытьем, когда, просыпаясь и засыпая вновь, в третий раз она увидела дорогу на Янгиюль и себя, везущую Герману Алексеевичу **смерть сына**, *— в бесконечной тряске на полуразбитом автобусе, под пронзительную свистульку вонючего алкаша.*

И сочла это окончательным знаком.

* * *

И все же перед разлукой они со Стасиком успели вдохнуть весны и даже сделали по этюду.

За последний год несколько раз уезжали так: мгновенно собравшись, поймав попутку, в незнакомом направлении... И, выбравшись из машины где-нибудь в предгорьях Чимгана, расставляли этюдники и писали до захода солнца, не задумываясь — где заночуют.

Однажды всю ночь просидели за разговором в сторожке егеря, который наткнулся на них, голосующих в темноте на дороге, и привез к себе: Стасика на осле, с костылями поперек колен, Вера же еле поспевала следом с двумя этюдниками, и замаялась так, что мгновенно уснула на расстеленном одеяле, на полу, в углу сторожки...

...В ту, последнюю, вылазку они выбрали удачный вид на расходящийся в глубине горный коридор с несколькими одинокими алычами на склонах. Стасик стоял рядом, тяжело наваляясь подмышкой на костыль, от чего тот уходил резиновым наконечником в мягкую травянистую землю холма, как конь под Ильей Муромцем, и, глядя в небольшой квадрат картона, говорил негромко:

— Утяжелила вот здесь кусок неба с этим кустом... Добавь берлинской синей... А здесь неплохо... Мягче надо сопоставлять желтое с оранжевым, не груби...

Внезапно, как это бывает в горах, началась гроза: дальнее громыхание, которое сначала они приняли за тарахтенье одинокого грузовика внизу на дороге, пухло взорвалось над самым ухом тяжелой звуковой волной, вмиг натянулось густое черное облако, низкое, как похоронный шатер, и так же, как налетевший вихрь срывает с кольев шатер, так и это облако стало носиться над их головами, роняя панические короткие молнии, — картинно, будто и вправду там, верхом на облаке, сидел некто яростный и азартный, натягивал свой лук и целился, и промазывал, и опять натягивал тетиву, и рычал, и бесился, зверея все больше от неудачи.

Пыхнуло в тишине рыже-фиолетовым, и сразу грохнуло и раскололось вдребезги небо, извергая холодные осколки дождя...

Вера заорала от восторга, Стасик обнял ее и набросил свою куртку ей на голову, как на клетку с попугаем, чтобы тот умолк. Но Вера куртку скинула, и жадно смотрела, как в дымном фиолетовом теле тучи преломляются желтым солнечные лучи, как, ежесекундно вспыхивая, сменяют один другого оптические эффекты. Стояла, вцепившись в локоть Стасика, чувствуя терпкий страх вперемешку с желанием вспыхнуть мгновенно и чисто и развеяться пеплом над горами...

...Потом, когда туча унеслась, подтерев за собой оранжевое от заката, глянцевое небо, они долго стояли, совершенно мокрые, в тающей, шуршащей каплями, тишине, среди густого послегрозового запаха трав, наблюдая, как валится за рощу миндальных деревьев воспаленная миндалина солнца...

Вера обернулась и вдруг увидела выгнутую ледяным парусом, ополоснутую марганцевым уходящим светом, гору, которая прежде была под облачным колпаком...

Она стояла и глядела на этот, взрезавший небо, алый парус ее сна...

— Вон там... — сказала она, указывая рукой, — внизу, на склоне холма... поле с высокими-высокими травами... Помнишь, я говорила тебе?

Стасик удивленно смотрел на лунатическое выражение ее глаз...

— Давно, в детстве... Как сон... Голый всадник на потном коне... въезжал с одного края поля и выезжал на другом, разворачивал коня и снова въезжал, как в море... Волны над головой... Желтый платок на зеленых волнах... — Она морщилась, силясь вытянуть реальность за кончик хоть какой-нибудь приметы. — Или мне снилось?

— Так вот оно что... — медленно проговорил он. — Вот он откуда взялся, твой кентавр...

Обнял, тихо, томительно ощупывая губами ее, влажные от дождя, губы... И долго они стояли так, озябшие, среди мокрой травы, осторожно грея друг друга губами, словно вызывая, продлевая удивленную нежность того вечера, случившегося всего три месяца назад...

— Знаешь, что ты видела? — спросил он, наконец оторвавшись от нее. И в глазах его было то самое, любимое ею, выражение веселого любопытства:

— Охоту за гашишем...

Тем вечером их подобрал на шоссе и пустил переночевать к себе — он жил в соседнем кишлаке, — молодой уйгур на побитом и замызганном «москвиче».

Накормил их пылающей перцем жирной шурпой, выдал целый тюк пахнущих дневным солнцем курпачей, — и всю ночь, на балхане его дома, где на расстеленных мешках вдоль стен пестрым ковром лежали сухофрукты, они неслись обоюдослиянным кентавром, совсем близко к громадным дрожащим звездам, перегоняя какое-нибудь созвездие Стрельца...

* * *

...Все остальное — мерзлое помещение морга, где не раз они оба бывали на занятиях в «анатомичке», — столы, и то, что было на столах... не имело к Стасику никакого отношения.

И позже Вера никогда об этом не вспоминала. Это отпало, отвалилось от нее, как корочка-нарост на зажившей ране. Чем больше месяцев и лет проходило после его смерти, тем радостней и живее было думать о Стасике — о сильном, очень сильном человеке на костылях.

Самое удивительное, что в снах он всегда приходил к ней на здоровых ногах. И в ответ на ее радостный вскрик уверял, что совсем уже выздоровел, а как же, тут все здоровые, не то, что вы там... Откидывал полу халата, демонстрируя сильные ноги спортсмена... — «Потрогай мускулы!..» — весело приглашал он... Сердце ее колотилось, она тянула руку туда, где... теплая, теплая атласная кожа наливалась округлым пульсирующим восторгом... — она взлетала всадницей, и они мчались, мчались, загоняя друг друга, пока спазм мучительного наслаждения не будил ее...

*И тогда до утра она сидела на кухне, выкуривая одну за другой полпачки сигарет, думая о нем и твердо зная, что он продолжает любить ее там, где **все мы** здоровые и веселые...*

* * *

Тем первым вечером без Стаса Лёня сидел недолго, больше молчал, рывком поднимался с табурета и молча мерил длинными своими ногами комнату.

— А это чьи работы? — вдруг спросил он, как очнулся, перед двумя небольшими натюрмортами: две картонки были записаны утром и днем, когда свет по-разному перебирал складки платка на спинке стула и, как опытный сладострастник, ласкал керамический чайник то справа, то слева...

— Мои... — отозвалась она...

— Ваши?! — быстро обернулся на нее, озадаченно долго смотрел на вихрастую «дикую» стрижку, на клетчатую, мешком висящую на ее тощих плечах, рубаху Стасика... С нажимом переспросил: — Ваши?

И она поняла его вопрос, и совсем не обиделась. Просто объяснила:

— Стасик никогда не лезет в чужой холст...

Уходя, он не обещал прийти снова. Но этим вечером Вере уже не было так тяжко: словно вены отворили, давая выход скорбной бурой крови...

Лёня появился на другой день. Стоял на пороге, улыбаясь, придерживая за отворотом пиджака что-то копошащееся.

— Вера, извините, ради бога, если некстати. Вот, подобрал тут одно погибающее насекомое...

Достал и протянул на ладони дрожащего слепого пискуна-котенка.

— Ой, комарик какой, — удивилась Вера. — Что с ним делать?

— Для начала — подарить жизнь...

Разыскали в доме пипетку, подогрели молока. Котенок цеплялся когтями за пальцы, разевал крошечную ребристо-розовую пасть и, похоже, не умолял о жизни, а требовал ее. Выяснилось, что у него сломана лапа. Сделали шину из обломка карандаша, расщепленного вдоль. Ковыляя, он чем-то напоминал Стасика.

Когда же, через пару недель, продрал глаза, то в полной мере обнаружил свой высокомерный нрав. Вера назвала его Сократусом.

— *Вот Сократ утверждал... ты знаешь, кто такой Сократ, Веруня?*

— Ну... он... был грек? И его свои же отравили этой... цукатой?

— Ци-ку-той, Веруня, цикутой... Там, с Сократом, бы-ло так... я тебе сначала о нем, потом — почему и за что его помнят...

— Дядь Ми-и-иш...

— Нет, ты послушай, Верунь, в жизни пригодится! Пригодилось...

Кот быстро вырос в сытого холеного барина, пепельного, с платиновыми зализами на брюхе, с холодными, как два топаза, глазами. Судя по всему, считал, что все ему обязаны своим су-ществованием. Когда в дом заходили незнакомые люди, обыс-кивал дамские сумочки, брошенные на пол в коридоре, инспек-тировал мужские ботинки, — вообще, проверял народ на вшивость...

Лёня в то время был уже в доме своим.

9

«... — Вот ты говоришь — послевоенный Ташкент... Кто что, а я первым делом вспоминаю тележки с газированной во-дой: примитивные тачки на колесах, с небольшим навесом... они спасали в летнее время от жары и жажды тысячи ташкент-цев... Там еще была забавная система мытья стаканов: легкий поворот рычага, перевернутый стакан полощется под сильной струей воды... Затем в него из стеклянного цилиндра цедят не-много сиропу, того, что ты выбираешь, и сразу вслед — просто чистая вода под газом... И это так весело шипело, вскипало к краям... Помнишь эти тачки? В детстве ты выбирала всегда «крюшон» — темно-красный сироп...

— Слушай, пап, а это правда было, или только моя фанта-зия: за этими лотками сидели еврейские старики, причем одно-го типа, причем парой, он и она?..

— Да-да, точно: она, одетая в какие-то шматы, и поверх белый фартук, обычно отпускала. Он молча сидел на табурете чуть в стороне...

— Сейчас бы их назвали еврейской мафией...

— Тогда тоже изгалялись, кто как мог... Обычно эти старички почти не разговаривали. Спросит тебя — какой сироп, даст сдачи, пей и иди своей дорогой... Иногда между собой пробрасывали несколько слов на идиш... пока кто-нибудь не подходил... тогда умолкали... Где они качали эту воду для полоскания стаканов целыми днями, откуда брали лед — ума не приложу! И стаканы, заметь, были чистыми, и заразы никакой не прилипало... Да... Потом эти будки постепенно исчезли с улиц. Их заменили автоматы, которыми редко можно было пользоваться, — из них всегда пропадали стаканы...»

* * *

На трамвайной остановке, перед тем как завернуть в свой переулок, Катя каждый вечер выпивала стакан газировки у Цили-Квашни. Циля сидела за своим лотком под грязно-полотняным тентом, глядела на мир из-за цветных цилиндров с сиропом и комментировала происходящую вокруг нее жизнь. Циля была одесситкой, эвакуированной в Ташкент во время войны. Здесь и осела, за этим вот лотком с мокрыми медяками.

— Дама, шо вы мимики делаете, у вас же весь газ выйдет! Кому не сладко? Вам? А вы за копейку сладко захотели? Шо вы уставились, гражданин, я похожа на вашу покойную мамочку? Шагайте себе по жизни дальше. Какую копейку? Кто не додал? Я?! Боже ж мой, он без тоей копейки умрет, а! Да я всю выручку дам сейчас в твою морду, вместе с тою копейкой! Я тебе материально обеспечу. Я тебе сиропом умою! На, подавись тою копейкой, положь ее в Швейцарский банк! Но я тебе ее не дам!..

Вокруг Цили, на пятачке асфальта с подтеками и лужицами слитого сиропа, всегда бурлила жизнь и толпился народ. Подходили, звякая, душные трамваи, народ вываливался из дверей и устремлялся к Циле за шипучим глотком воды.

Циля глыбой сидела за лотком — царица Савская, вдоволь хлебнувшая жизни, этой водицы с горькой и грязной пеной. Старший ее сын погиб под городом Брно, младший умер от тифа уже в Ташкенте. С отчаяния, на исходе женского возраста родила она себе от пожилого и лысого, да и женатого, святого духа — (имени никогда не называлось, упоминались только два эти обстоятельства: подкисший возраст и лысина), двойню — Вовку и Розку. Часто они прибегали к матери на остановку — разгоряченные, с потными лбами, наперебой что-то рассказывая. Бывало, стоят по обе руки от матери, мальчик наливает в стаканы газировку, девочка дает сдачу — отсчитывает и подвигает мокрые медяки тонким пальчиком.

Циля в это время, не торопясь, подробно расчесывала гребнем свои густые, с проседью, волосы. Шпильки держала во рту, сквозь зубы, подсказывая девочке сдачу. Наконец закручивала на затылке крепкий ярко-седой кулак, всаживала в него гребенку.

Был у Цили коронный номер на публику. Наливала она три стакана: два чистой, один — с сиропом. Выстраивала их рядком и, обводя всех вокруг томной бровью, строго спрашивала детей:

— Кому с сиропом?

Те отвечали нараспев, хором:

— Ма-а-амочке!

Позже дети выдували по три стакана с сиропом зараз, но в момент исполнения «номера» — как преданно глядели они на Цилю, как стояли солдатиками, вытянувшись под материнским взглядом!

Катя много раз наблюдала «номер». Вообще она любила постоять возле лотка, поболтать с Цилей-Квашней. Та сидела в крепдешиновой блузке с закатанными по локоть рукавами, одной рукой ловко крутила на мойке стаканы, другой отсчитывала медяки. Осы гудели под тентом, облепливая цилиндры с сиропом...

93

— Катя, шо слышно? — лениво спрашивала Циля. — Шо ты имеешь на этой своей кенафной фабрике? Дружный коллектив и добровольных свидетелей? Слушай, дай я устрою тебе точку на Алайском. Будешь сидеть как человек, в центре жизни, знать международную обстановку. Будешь иметь немножко честных денег...

Катя отнекивалась, скрывала от Цили, что немножко «честных денег» она из своей кенафной фабрики потягивает. А сидеть за лотком, стаканы вертеть да ос отгонять — нет уж, Циля, не для медяков я дважды выжила. Играла уже в ней, играла эта натянутая струна: вырвать свой кусок у жизни, хоть из горла чьего бы то ни было, хоть из брюха уже!

Однажды Циля заметила, небрежно оглядев Катю с ног до головы:

— Иметь под боком Семипалого и носить такие босоножки?.. Катя, мне смешно и больно это видеть.

— При чем ко мне Семипалый? — Катя пожала плечами.

Циля усмехнулась и сказала загадочно:

— При чем мужчина к женщине...

Будто знала наперед, чертовка. Да что — Циля! Это часовой механизм судьбы сработал так точно, словно Семипалый собственноручно отладил его своею клешней.

* * *

Однажды поздней осенью подмороженным, седым от снежной крошки переулком Катя торопилась к трамваю. Осторожно семенила по тротуару быстрыми мелкими шажками. Стертые подошвы туфель скользили, разъезжались, дважды она чуть не упала. Как раз сегодня собиралась купить новые теплые боты, которые уже присмотрела в магазине на Первомайской, но не успела — на фабрике проводили профсоюзное собрание, попробуй не явись.

Знобящий сырой вечер набухал теменью, в переулке шмыгали редкие прохожие.

Вдруг неподалеку невнятно и злобно крикнули, прямо на Катю выбежал из-за угла длинный и колеблющийся, словно водоросль, тип, с возбужденно вытаращенными глазами, и крикнул непонятно кому за Катину спину:

— Доп'осился-таки, сука! Доп'осился!

Катя шарахнулась к стене дома — это была типография — и оглянулась: шагах в двадцати, почти у подъезда типографии, стояла, рокоча, черная «эмка». Длинный и бежал к ней. На ходу сорвал с шеи шарф и, судорожно запихивая его в карман пальто, крикнул еще раз кому-то в машине: — «Доп'осился, сука!» — рванул дверцу и повалился боком на заднее сиденье. Машина развернулась и поехала вниз по переулку.

Ничего не понимая, Катя свернула за угол типографии и угодила в драку. То есть сначала показалось, что в драку: сипящую, хрипящую, скулящую. Потом выяснилось — просто били человека. Вернее, добивали: он лежал навзничь на асфальте с закрытыми глазами и кроваво скалился, отчего казалось, что он улыбался. Кровь заливала глаз, щеку, подбородок, стекала под голову. Его остервенело бил ногами невысокий крепыш в меховом полушубке. От каждого удара лежащий постепенно съезжал, как кусок студня, по скользкому наклону тротуара к арыку.

Крепыш в распахнутом полушубке здорово трудился — из распяленного рта валил пар. Он крякал, хрипел, скулил при каждом ударе. Очень жалобно скулил, словно ему было жаль лежачего.

Женский голос из темноты истерично выкрикнул:

— Сво-ло-очь! Что ж ты брата убиваешь! Милиция! Да кто-нибудь, — милицию, Господи!

От женского голоса стало совсем тошно. Брат — так выходило — убивал брата. Катя прижалась к дощатой стене какой-то будки. Надо было проскочить между будкой, притулившейся к стене типографии, и арыком. Но убитый — или живой еще? — съезжал под ударами прямо к арыку, туда, где стояла Катя. Теперь она ясно видела искаженное страданием, озверелое лицо стонущего при каждом ударе крепыша, и мотающуюся по асфальту, оскаленную в кровавой улыбке, маску убитого. В этом был ужас — они будто поменялись местами. Убитый — или еще живой? — был вроде удовлетворен происшедшим, — «допросился, сука!» — вспомнила Катя крик длинного... К ногам ее подкатилось что-то мягкое, круглое, словно живое существо искало у нее защиты. Шапка — не столько увидела, сколько поняла она в темноте.

Тут хлопнула дверца будки, и спокойный, хрипловатый голос произнес с растяжечкой:

— Не увлекайся, Жаба. Хорошего понемножку.

И сразу на соседней улице засвиристел милицейкий свисток, затарахтел мотоцикл.

Крепыш подобрался, вытянул шею, определяя ситуацию, потом легко метнулся вверх по переулку, перемахнул через турникет на остановке трамвая и сгинул в темноте.

В это мгновение Катю цепко схватили за руку и, приговаривая — «Ай-яй-яй, ужас какой, что делается!» — заволокли внутрь дощатой будки. Там с потолка на длинном шнуре свисала лысая лампочка слабого накала, но и в этом слабом свете Катя вдруг — по руке — узнала человека со спокойным, врастяжечку, голосом. Это был Семипалый, так его все называли, а вообще — Юрий Кондратьич, сын бабы Лены, хозяин второй половины дома. Будка, вероятно, была его часовой мастерской. Это же надо! — столько раз проходила Катя мимо будки на углу переулка, и не знала, что здесь Юрий Кондратьич работает. Впрочем, она и самого его почти не знала. Иногда кивала, если приходилось сталкиваться во дворе.

— Ай-яй-яй, звери какие, не люди! — повторял он между тем, быстро убирая что-то на столике. — Посидите, отдышитесь... А я вижу — девушка стоит, лица на ней нет. Небось всю драку видела, а? — он участливо повернулся к ней, вдруг узнал, запнулся на мгновение и — заулыбался:

— Да это же соседка моя! Ира? Люба?

— Катя... — пробормотала она с облегчением.

— Что ж ты здесь делала, Катя-Катюша? А? Стоит, бледная, — в стенку вжалась..

— Я домой шла...

Между тем доносились с улицы возбужденные голоса. Всхлипывала женщина, кто-то строгим голосом распоряжался. Взвыла сирена «скорой помощи».

— Да ты садись, Катюша, садись, — пододвигая ей шаткую скамейку, приговаривал Юрий Кондратьич — как-то здесь, вблизи, не получалось даже мысленно называть его кличкой. Была во всем его облике какая-то уважительная мужская стать. А еще — Катя остро это чувствовала — еще он излучал опасность.

Вдруг взял Катю за руку, на которой были застегнуты часики — гордость ее, недавняя покупка, — поднес к уху и вслушался.

— А часики-то барахлят! — подмигнул. Одним движением отстегнул и положил на стол. Надвинул на левый глаз перевернутый картонный стаканчик с линзой, вправленной в донце, подтянул на затылок резинку, охватывающую голову, и склонился над столом.

— Они хорошо ходят! — угрюмо возразила Катя. Тогда сидящий спиной к ней Юрий Кондратьич сказал негромкой жесткой скороговоркой:

— Вот что, Катя. Ни мне, ни вам милиция не нужна. Правда? Сейчас сюда зайдет милиционер. Так вы — клиентка, зашли часики починить. Мы с вами здесь уже полчаса сидим, шум слышали, но ничего не видали — выходить побоялись.

Он обернулся. Жутковато плавал мохнатой медузой глаз его в линзе картонного стаканчика.

— Ведь мы с вами не вояки, правда? Вы — девушка, существо робкое. Я — инвалид, — он приподнял левую, перебинтованную ладонь с двумя уцелевшими пальцами, большим и указательным. Рука была похожа на клешню.

Кате стало зябко, все перемешалось: длинный тип, бегущий на нее в яром азарте, кровавый оскал избиваемого, «допросился, сука!» — и вот это, спокойное — «Жаба, не увлекайся!»... Неуютно было под линзовым глазом морского чудовища, и она вдруг поняла со всей ясностью, что уж ей-то и в самом деле милиция вовсе не нужна.

— Часы только не попортьте, — сказала она хмуро.

Семипалый расхохотался.

* * *

Дня через два, вечером, накануне ноябрьских праздников Юрий Кондратьич вдруг появился у бабы Лены. На Катиной памяти это было впервые.

Она сидела у себя за занавеской, штопала чулок и слушала повизгивание и поскуливание, а время от времени — шлепки и яростное пыхтение, — Колян и Толян делали уроки. Когда приготовление уроков принимало слишком уж безобразные формы, бабка Лена вскрикивала грозно: «А ну! Вот счас мать зайдет!» — но стоило бабке на минуту выйти из комнаты, внуки принимались яростно материться шепотом — думая, что Катя не слышит.

В такой-то момент дверь бесшумно распахнулась, и уже знакомый, врастяжечку, голос произнес ласково:

— Ай, красота! Что умолкли, птенчики? Валяйте дальше, пока бабка во дворе.

Вслед за этим последовали два звонких сухих шлепка, вытье племянников и грохот падающих стульев. Это Толян и Колян разлетелись по углам от двух полновесных затрещин. Катя испуганно выглянула из-за занавески.

Семипалый принарядился. Костюм на нем был черный, бостоновый, сорочка белая, наглаженная... Это интересно, кто ж ему так чисто стирает? — и выглядел он гораздо моложе, чем накануне в будке. Пожалуй, больше тридцати пяти ему сейчас не дать. Да, если приглядеться к нему как следует, — Семипалый мужик видный. Глаза только странные, опасные такие глаза, обманчивые, — веки ленивые, припухшие, а серая радужка зрачка заключена в четкий черный обруч, и цепким гвоздиком вбит зрачок. Вскинет Семипалый веки и насадит тебя на острие зрачков, словно букашку.

— Как часики идут, клиентка? — спросил он Катю приветливо, подошел и, неожиданно склонившись, так что волосы рассыпались на пробор, поцеловал ей руку. В Кате все обмерло и горячим гулом обдало сердце — ей никто еще не целовал руки, и вообще такое шикарное обхождение она только в заграничных фильмах видела, в летнем кинотеатре, в ОДО.

Вдруг разом она вспомнила: о Семипалом рассказывали легенды, Циля говорила, что Семипалый «миллионщик»...

— Пройдемся? — спросил он. — Погуляем.

Катя собралась отказаться как отрезать, и одновременно кинулась за занавеску, схватила блузку, юбку, увидела, что пуговицы на поясе не хватает, разозлилась и, с колотящимся сердцем, принялась судорожно пришивать пуговку, укалываясь нервными пальцами об иголку.

Вошла бабка Лена и оторопела, увидев сына. Очень редко заходил сюда Юрий Кондратьич. Бабка засуетилась, не зная — что сказать и как быть. Не знала, по делу зашел сын, или как...

— Юра, может, выпьешь? — наконец робко предложила она.

— Нет, я сегодня не пью, — насмешливо, громко сказал он... — Завтра ведь праздник... Такой большой праздник завтра, а у меня во рту будет плохо... Куда это годится... — И ясно было, что он насмехается, а вот над кем — непонятно. То ли над матерью, то ли над Катей...

На минуту в комнате повисло тягостное молчание, только Колян и Толян сопели за столом, старательно уткнув прыщавые физиономии в учебники.

Потом бабка решилась:

— Юра, сынок... Лиде бы помочь маленько... Ведь из сил выбивается...

— Хватит! — оборвал он ее тихо и жестко. — Слышать об этой кобыле не желаю...

Катя вышла из-за занавески. Юрий Кондратьич поднялся, распахнул перед нею дверь и молча пропустил вперед. На мать не оглянулся. Баба Лена так и осталась сидеть с оторопелым лицом.

10

На «Тезиковку» ходил десятый трамвай, по воскресеньям набитый людьми до того предела, когда сдавленная чужими локтями и спинами грудная клетка выдыхает задушенный стон, когда тебя вносит и выносит из трамвая на чьих-то плечах и спинах; толпа выдавливается на остановку, как повидло из пирожка.

Так добирались до знаменитой толкучки на Тезиковой даче. Вроде был такой купец до революции — Тезиков, вроде дача у него была в тех местах. Хотя, как считала Катя, — незавидное место для дачи: кривые глинобитные улочки, обшарпанные дувалы, железнодорожные пути... Словом, «Тезиковка»...

Ехать долго, муторно. Летом — духота и тошнотворно тяжелый запах пота и кислого молока, которым узбечки моют головы. Зимой — мерзлые окна, воняет мокрыми овчинными воротниками, не пробиться через заграждения ватных спин.

Кондукторши со своими кирзовыми сумами на животах как цепные псы: проходит кампания по борьбе с паранджой, и велено не пускать в городской транспорт представительниц средневекового мракобесия.

— Куда прешь, в парандже?! — орет кондукторша скрюченной старухе. — Не пускайте ее, граждане! Пусть сымает!

Граждане улюлюкают и гонят старуху, но уже на ходу, когда вагон судорожно дергается, как прирезанная овца, кто-то подхватывает семидесятилетнюю, с отсталыми взглядами, *опу́*, и подпихивает в спину, вминает, втискивает в толпу на задней площадке. Кампания кампанией, а всем до «Тезиковки» надо.

Карманники — по два-три в каждом трамвае — работали на площадках: так легче уйти, спрыгнув на ходу.

Нюх у Кати на карманников был поразительный. Она определяла их мгновенным и острым, собачьим, чутьем. Узнавала по скользящему взгляду и праздным рукам. Самой себе удивлялась, до чего точно определяла, и опять же, самой себе не призналась бы — каким таким способом. А просто: представляла, что она-то и есть воровка, и ей-то и надо сейчас нащупать гуся пожирней... Ощущала так явственно, что, бывало, рука уже тянулась к карману притиснутого к ней соседа, про которого она почему-то знала, что деньги *там* есть...

Сама-то она держала деньги в надежном месте — в лифчике, да еще в платочке носовом, заколотом булавкой, — попробуй достань!

Вывалишься с толпой на конечной, перейдешь по деревянному мосту через Салар, тут тебе сразу и толкучка — начинается прямо на железнодорожных путях. Торговали здесь всем, кроме мамы родной...

Уже перед полотном стояли рядами бабы, держали товар на руках или на земле, на расстеленной газете... Ряды пересекали железнодорожное полотно и тянулись влево, туда, где кипел муравейник базара. Громадная асфальтированная площадь с утра была запружена людьми — все толкались, пробивались, искали в месиве толпы протоки, по которым можно протиснуться вглубь, дальше, в шевелящуюся, торгующуюся, матерящуюся кашу.

Площадь разворачивалась сразу за длинным, давно заколоченным дощатым ларьком «Овощи и фрукты».

За ларьком Катю ждали. Если не ждали, то она прогуливалась туда-сюда вдоль крашенной давней зеленой краской стенки ларька со скучающим видом.

На самом деле предстоящее волновало ее. Катю всегда волновал риск, да и кроме риска, было в том, что предстояло ей, нечто особенное, чего не могла она назвать, но ждала с нетерпением. Странно: в такие минуты ей казалось, что на нее смотрят. Кто? Почему? Неясно и необъяснимо, но — смотрят с интересом и затаенным дыханием. И она вольна держать этот интерес, ни на минуту не ослабляя усилий.

Вот выныривал из толпы Слива — маленький, злой, сутулый, с действительно налитым, как слива, фиолетовым носом — юркий и неутомимый жулик. Они молча переглядывались с Катей. Осмотревшись мгновенно — как сова, — провернув голову вокруг шеи, Слива беглым движением совал ей в руку тяжеленькое, круглое, в носовом платке, и нырял обратно в кишащий муравейник.

Теперь надо было пробиваться за ним; Слива приводил ее на место, где должен был разыгрываться спектакль, — и Катя пробивалась, огрызаясь и с остервенением отпихиваясь локтями, стараясь при этом держать в поле зрения тощую сутулую спину Сливы, ни на минуту не отпуская в себе то самое чувство: она в центре внимания, и должна во что бы то ни стало доказать, что этого внимания заслуживает..

Пробившись до часовых рядов, Слива еле заметным кивком указывал Кате место между какой-нибудь старухой, продающей по бедности часы с кукушкой, и пожилым барыгой в пестрых шерстяных носках, вдетых в остроносые узбекские ичиги.

И для Кати начиналось *то самое*.

Тут надо было за секунду другим человеком стать! Катя надвигала на лоб косыночку, и — нет, не прикидывалась, — она *становилась* растерянной неопытной девочкой, которую пригнало на проклятое торжище крайнее горе.

— Здесь... не занято... рядом? — робко спрашивала она старуху. — Можно, я тут постою?

— Чё ж... стой себе на здоровье, — охотно отвечала старуха, — всем продать надо...

Разные, впрочем, попадались люди. Бывало, что и гнали, конкуренции боялись. У всех здесь был товар один — часы. Всякие часы — от бытовых рабочих будильников до напольных, старинных, в часовенке из красного дерева, уютно домашних, с боем.

Катя специализировалась на карманных и ручных, которые друг другу тоже были — рознь. Например, репетитор от «Павла Буре, поставщика двора Его Величества» — часы карманные, машина с цилиндрической системой, крышечку нажмешь, она отскакивает, и такая небесная музыка перебирает твою душу по струночкам, что слезы наворачиваются на глаза! Эти не самые дорогие, но самые эффектные. А то бывают морские, водонепроницаемые, с черным циферблатом и фосфорными стрелками.

Дороже всех ценились трофейные, швейцарских знаменитых фирм — «Омега», «Лонжин»...

Катя разворачивала платочек, и — снопами фиолетовых искр — брызгала под солнцем тяжелая луковица золотых карманных часов. У старухи справа и барыги слева аж дыхание занималось — так сверкали часы красноватым золотом! Разглядывали искоса, восхищенно цокали языками.

Вот она наступала, вдохновенная минута: отчаяние — живое, настоящее — накатывало к горлу, глаза наполнялись слезами и слезы катились по лицу, падая на искрящуюся луковицу часов.

— Мамочка, мамочка... — глухо бормотала, пристанывала Катя. — Знала бы ты, что я дедовы часы продаю... Господи, знала бы ты...

А ведь у папы и вправду были такие часы, он говорил, от отца, — с ветвисторогим оленем на серебряном исподе, с маленькими буковками по кругу... Их мама сменяла на муку в первые же дни блокады. Проели дедовы часы все вместе, тогда еще полной, живой семьей...

— Э, милая, — вздыхала старуха, — все мы тут не с радости...

— Мама умерла... — сдавленным голосом, всхлипывая, говорила Катя. — Похоронить не на что...

Серый барыга сочувственно качал головой.

— Если не продам сегодня... не знаю... руки на себя наложу!.. — с отчаянием добавляла Катя. Она не притворялась; она верила и мысленно представляла маму, их квартиру на Васильевском; все перепутывалось — мама-то умерла, но не много лет назад, а вчера, и похоронить не на что, да и кто кого сейчас хоронит? Дай бог доволочь санки до эвакогоспиталя и оставить, а Саша, он же там работает — Саша сделает все что надо... Мама очень мучилась последние дни, она совсем не могла терпеть голода. Голод не все могут терпеть — это Катя давно поняла. Нужна такая особенная злость, чтобы вытерпеть. А то вон, дружок и сосед, Сережка Байков из сорок пятой квартиры, перед смертью отъел себе четыре пальца до второй фаланги... А второй Катин брат, Аркаша, ему двенадцать было, он из горчицы наладился оладьи жарить, так ее ж надо долго выпаривать, а он не дождался... Прямо так, соскреб всю со сковородки, и съел. И, видно, нутро у него сожгло. Он заперся в туалете, дико кричал. Саша с Володей вломились туда, подхватили его под руки — он ноги поджимал, кричал — и поволокли по коридору в комнату, уложили на кровать. А мама пришла с работы, ушла в другую комнату, легла и заснула — даже не подошла к Аркаше. От голода отупение такое наступает... Ну, Аркаша еще промучился до вечера — сначала кричал, потом тоненько так, нечеловечески скрипел... Потом освободился, умер...

Слезы лились, не переставая. Катя не знала — как это объяснить, но она вдохновенно плакала настоящими слезами о своей судьбе только здесь, *работая*. Никогда — наедине с собой.

Часы-то были не золотые, конечно, серебряные, но виртуозно позолоченные Семипалым, а проба она проба и есть — кому надо, смотрите: вдавленные крошечные цифирьки. Кто там их разберет без лупы!

Тут появлялся Слива, приценивался, крутился рядом и опять пропадал. Затем возникал Пинц — длинный, в сером пальто, на шее тот же красный шарф.

— Что вы, к'асотка, этим часикам тыща — к'асная цена!

— Бессовестные! — негодовала старуха. — Звери! Барыги проклятые! Так и норовят обобрать.

Катя с заплаканным кротким лицом твердо стояла на своем. Пролог был окончен. Начиналось действие.

Слива и Пинц кружили по толкучке, выбирая жертву. Искали фраера.

На базар по воскресеньям приезжали пригородные. Продавали мясо, фрукты, мед со своей пасеки. Заколол, скажем, хозяин кабанчика, привез продать на «Тезиковку». Часам к двум, глядишь, расторговался. А теперь, с выручкой, можно и по толкучке пройтись — мало ли чего домой купить нужно. Вот такого-то фраера с мошной выбирали Слива и Пинц. Подходили невзначай, сзади, спорили возбужденно, как бы между собой:

— Рома, беги сейчас же к Юрькондратьичу, займи еще тыщу. Этим часам цены нет! Им цена десять кусков, а она три просит. За два отдаст!

Заинтересованный фраер оглядывался. Слива и Пинц, заметив его взгляд, понижали голоса, отворачивались. Затягивали жертву в сети.

— А где она? — лениво спрашивал Пинц.

— Вон стоит, возле старухи в черном платке. В косыночке, видишь? Совсем зеленая, ничего не понимает. Вроде, от нужды продает. Беги к Юрькондратьичу, слышь?

Фраер, не подозревая, что на его бумажнике затягивается петля, оборачивался туда, где стояла тоненькая растерянная Катя. Часы сверкали на солнце, манили, обещали неслыханную выгоду. И фраер устремлялся в сторону беды своей. За ним, едва поспевая и переругиваясь, шли Пинц и Слива.

Пинц играл ленивого нерадивого барыгу:

— Да б'ось, шо мы, часиков не видали.

— Идиот! Говорю тебе — все камни бриллиантовые! На Карла Маркса в закупочной мы сразу десять кусков имеем!

Фраер накалялся до температуры, нужной обеим сторонам для сделки. Он брал часы в руки, щупал их тяжелые круглые бока. Часы ослепляли.

— Молодой человек, вы не сомневайтесь, это дедушкины, все, что от мамы осталось. Я только с горя продаю! — вдохновенно и печально говорила Катя. — Похоронить не на что... Здесь барыги рыщут, я их боюсь, они за копейку готовы горло перегрызть...

— Сколько хотите? — неуверенно спрашивал фраер, лаская пальцами золотые бока луковицы.

— Я три хотела. Но вам, может, за две с половиной отдам... Горе у меня...

— Девушка, ну что — за полторы отдадите? — совался сзади Слива.

Катя страдальчески морщилась. Слива плохо играл — вот что ее раздражало. Мысленно она не называла это словом «играет» — просто плох был Слива, многое портил. Хорошо, что фраер ничего уже не замечал в азарте торговли.

— Дороговато, а? — просил он, не выпуская часы из рук. Они уже полюбились ему, он уже знал, что купит их, только торговался для совести — чувствовал, что Катя может уступить еще чуток.

— Ты гляди, на ком наживаешься! — сурово замечала старуха фраеру. — У девчонки горе, мать померла. А ты последнюю шкуру торгуешь! (Вот это приводило Катю в особенный восторг — когда в орбиту ее игры поневоле вовлекались посторонние, становясь статистами, подвластными ее замыслу.)

Тут появлялся Пинц, и это было кульминацией всей сцены. Пинц вынимал пачку сторублевых из внутреннего кармана пиджака и, треща купюрами, протягивал их Кате поверх головы фраера.

— Ладно, к'асотка, бе'ем за две, — весело и окончательно решал он. — Больше никто не даст.

— Э! Куда прешь! — вскидывался возмущенный фраер, сжимая часы покрепче. — Я раньше купил! — и умоляюще заглядывал Кате в глаза. — Девушка, две триста, а?

— Ладно, — измученно соглашалась наконец Катя. И молча, отрешенно глядела, как, заворотя полу пиджака, фраер сопя отсчитывает деньги... Зорким боковым зрением отмечала, что Слива и Пинц, разочарованно матерясь, уже растворились в толпе. Пересчитывать деньги ей не требовалось — Катя обладала поразительной способностью мгновенно оценивать по весу количество денег в пачке. Аккуратно, не торопясь, под сочувственными взглядами старухи, она заворачивала деньги в платочек, совала поглубже за пазуху и, сердечно попрощавшись, уходила.

Впрочем, отойдя шагов на двадцать, уже отчаянно орудовала локтями, пробиваясь к ларьку «Овощи и фрукты», где ее ждала рокочущая мотором, вся помятая черная «эмка».

Фраеру, между тем, не терпелось показать часы специалисту, чтоб еще кто-то, беспристрастный, оценил их и подтвердил, что покупка чертовски выгодна.

У входа на базарную площадь лепилось несколько часовых будок, где за червонец можно было получить любую консультацию. Туда и спешил фраер и через минуту уже выслушивал от нелицеприятного специалиста все сведения о чертовски выгодной покупке. Часы, конечно, неплохие, серебряные, механизм подержанный, но идут неплохо. Цена им — рублей триста, триста пятьдесят... Как вы сказали? Бриллиантовые?! — часовщик изумленно-весело оборачивался к своему напарнику: — Ты слышишь, Фима, — брил-лианто-вые камни! Голубчик, я таких не встречал. Фима, а ты? Вот видите, и Фима не встречал...

В смертельной ярости, как раненый гладиатор, фраер бросался назад.

— Где она?! — рычал он, наводя ужас на невинную старуху. — Где-е?! — и грозил разметать товар грошового барыги, хлам на расстеленной газетке, — побитые циферблаты, треснутые корпуса. Ему испуганно указывали направление, в котором ушла девушка.

И долго еще метался незадачливый фраер по бурным волнам толкучки, в бессилии и праведной ярости, как погибающий фрегат с обломанными снастями...

* * *

— Артистка! — восхищенно бросал Слива, когда Катя садилась рядом с ним на переднее сиденье. — Чиста-сливочна-масло!

— Давай, крути! — сухо отзывалась она. Ее раздражал Слива, раздражал Пинц. Непонятно — на что они сдались Семипалому, дармоеды чертовы. Разве что подкармливать от щедрот. Катя вообще считала, что прекрасно бы справилась сама. Она да Семипалый — а больше никого и не нужно.

Проехав «Тезиковку», вокзал, район Госпитального рынка, Слива останавливал машину на Саперной, где-нибудь в укромном дворике.

— Давай, — говорил Слива, деликатно отворачиваясь и сплевывая через окно машины. На заднем сиденье нетерпеливо ерзал Пинц. Доли своей дожидался, водоросль зеленая. А за что, спрашивается?

Катя неохотно лезла за пазуху, вынимала пачку в носовом платке и отдавала Сливе. Тот пересчитывал, бормоча, слюнявя палец, ошибаясь, вновь принимаясь отсчитывать. Катя смотрела на его манипуляции с тихим презрением. Сама-то она деньги считала молниеносно — проводила большим пальцем по ребру собранной пачки и точно называла — сколько в ней купюр.

Слива отсчитывал Катину долю, — сотни полторы-две, это зависело от заработанного, — потом откладывал себе и Пинцу. Остальное отвозили Семипалому. Прямо в часовую мастерскую на углу Карла Маркса.

...Однажды зимним, необычайно прозрачным воздушным днем, после особо удачного дела, сидя в машине рядом с осточертевшим ей Сливой, Катя вдруг поняла, что пора прикрывать благотворительную контору по поддержанию жизни в бездарных душах этих шелудивых псов. Нет, конечно, они рыщут по базарам и ищут фраера. Иногда добывают хороший товар, который можно перепродать втридорога. Ну и Слива, отличный механик, со своей, из железной требухи собранной, «эмкой», всегда на подхвате, что удобно...

Но — равная с Катей доля — им, мелким барыгам?

В том же дворе, возле низкого голубого штакетника, огораживающего укрытые на зиму, припорошенные снегом и перевязанные, как вареная колбаса — веревками, толстые виноградные лозы, Слива остановил машину и, как всегда, велел доставать деньги.

Не двигаясь, Катя со скучающим видом смотрела в окно, на крыльцо жактовского домика, каких много было в этом дворе. На крыльце сидела большая рыжая псина и остервенело выкусывала блох у себя в паху.

— А'тистка, п'оснись! — окликнул Пинц с заднего сиденья.

Катя нахмурилась и сказала Сливе:

— Крути к Семипалому.

Слива изумленно воззрился на нее:

— Чего это?

— Он поделит.

Повернувшись к ней всем корпусом, Слива несколько секунд ее разглядывал.

— Не мудри, девка. Пусть все по-хорошему, дрёбанный шарик!

— Семипалый делить будет. По-настоящему.

— Это как — по-настоящему? — тихо и опасно спросил он.

— А так, что ваша доля с моей не ровнится, — спокойно ответила она.

— Это почему же не ровнится? — вкрадчиво уточнил он.

— Потому что она с Семипалым спит! — ехидно выпалил Пинц сзади.

Снег под собакой на крыльце растаял, подтек. Солнце прыгало по сосулькам, свисающим ледяной гроздью из раструба ржавой водосточной трубы.

— Верно, Пинц. И ты запомни это, — сказала Катя и повторила насмешливо: — К'епко запомни.

— Слушай, артистка... С одним таким, что сильно просил и допросился, уже договорились. Он тоже шутить любил.

— Слива, — перебила она, хмурясь. — Нет охоты слушать твои гнусные песни...

— Добра не помнишь! — с сердцем продолжал он. — Давай поговорим, дрёбанный шарик... — видно было, что Слива крепился из последних сил. — Забыла, какую тебя подобрали!..

— Ты подобрал? — жестко улыбнувшись, спросила она, глядя в отечные, припухшие глазки Сливы. — Ты бы рад подобрать, дрёбанный шарик, да нос перерос.

И словно не замечая, как наливается багровым лицо барыги, добавила спокойно:

— Ну, ладно сердить меня! Вези, Семипалый нас поделит.

Тяжело помолчав несколько мгновений, Слива молча рванул мотор, Пинц стукнулся затылком о спинку сиденья и тошно замычал.

— Ладно, Катя, — проговорил наконец Слива. Он поглаживал баранку дрожащими от ненависти ладонями: — Не расшибись только...

11

Юрий Кондратьич считал себя человеком интеллигентным: до войны он успел закончить четыре курса харьковского инженерно-строительного института, увлекался философией, в студенческие годы любил щегольнуть в компании каким-нибудь занятным изречением Шопенгауэра или Ницше, и вообще, парнем был башковитым, внушал к себе по крайней мере уважение.

Кроме того, в юности был отличным теннисистом, даже выступал в соревнованиях на первенство Украины. Особую приязнь у сокурсников он никогда не вызывал, да, впрочем, и не стремился завоевать чью бы то ни было любовь или приязнь. Своего же ни на копейку не упускал, а своим считал многое.

Войну Юрий Кондратьич прошел, как полагается уважающему себя мужику, честно и многотрудно — сапером. Ранило его в конце сорок четвертого, — подготавливая проход для разведчиков, в темноте случайно задел взрыватель... — контузило, и взрывом оторвало три пальца на левой руке — средний, безымянный и мизинец.

(Однако ничего: оставшимися двумя, бывало, поднимал ведро, полное воды, держал себя в ежовых рукавицах и впоследствии всю жизнь, до самой старости, даже зимами купался в Саларе.)

Прямиком из госпиталя он подался в Ташкент, куда еще в начале войны эвакуировались мать и сестра Лида с детьми.

В Ташкенте Юрию Кондратьичу понравилось...

Была какая-то упоительная мягкость в проникнутом тихим журчанием арыков воздухе, в дальних голубых горах, в деревьях, смыкающихся зеленым сводом над тихими улицами, в белых, желтоватых и розовых особняках центра города — каждый наособицу: где колонны, где лепнина по карнизу, но все просторные, с высокими потолками — только и спасение от жары...

И — щедрый солнечный свет разливался с утра, проникал сквозь листья, играл желтым и зеленым на тротуарах, въедался золотой лессовой пылью в стволы деревьев и длился до самой ночи, благоуханной чернильно-звездной ночи, оглушающей ароматами трав и кустов.

Еще разъезжали по городу редкие фаэтоны, «иса-арава» — по-узбекски, а в народе — «ишак-арава», и следом, норовя вскочить на запятки, бежали беспризорники.

Торговля в городе шла бойко и повсюду. Ломились от фруктов базары, каленые узбеки выносили в тазах, накрытых полосатыми чапанами, горячие, только из тандыра, лепешки, от которых шел такой тминный томительный дух, что мимо пройти — никакой возможности.

Запряженные в арбы ишаки смиренно смаргивали слезы под тучами зеленых мух...

111

С раннего утра на углу Осакинской и Пушкинской затевался базарчик. Вдоль Учительской прямо на обочине выстраивался ряд молочниц, старик-узбек торговал жареной кукурузой, белыми солеными шариками курта и миндалём в сахаре: «пара рубль». Инвалиды за пачку «Беломора» драли аж целый рубль тоже...

Высокий, дородный, как генерал, старик Савелий — барыга в плаще защитного цвета, — степенно прохаживался взад-вперед, зычно покрикивая: «Е-е-есть! Е-е-есть! Есть аспирин, стрептоцид, пирамидон, американский резиновый гандон!»...

За ним волочился хвост передразнивающих его беспризорников...

...А главное, встретил здесь случайно Юрий Кондратьич Володю — отцова друга, часовщика. А ведь отец был в свое время первый в Харькове часовщик! Юрий это дело с детства знал, часовую машину видел и понимал прекрасно, и душа к этому лежала. Впрочем, речь не столько о душе, сколько о выгоде.

Дело налажено было отменно. Приезжал из Москвы «челнок», оптом привозил фурнитуру — запчасти к часам: аксы, волоски, балансы, маятники. Отремонтировать-то можно было любой хлам, запросив при этом с заказчика вдесятеро. Циферблаты, по пятьдесят рублей штука, писала бойкая девочка Нина, что сидела в отделении «Красного часовщика» на улице Урицкого.

Дряхлеющий, больной раком, Володя уговорил Юрия войти в дело, потеснился в своей будке на центральной оживленной улице Карла Маркса, и вскоре в сложной и многоступенчатой иерархии ташкентских часовщиков «Семипалый» — так мгновенно окрестило его все часовое общество — занял подобающее его толковой башке место.

Через год Володя умер, оставив Семипалому будку и все связи, да и сам Семипалый к тому времени стал уже известным скупщиком, с налаженной сетью мелких барыг, которые поставляли ему товар, сбывали готовый, и тем кормились от него помаленьку.

Официально Семипалый числился в артели «Красный часовщик». Получал неплохую пенсию по инвалидности, жил тихо, как в логове, в своей половине дома, который купил для матери и сестры еще в 47-м году, — это была небольшая комната с кухней и прихожей, с отдельным выходом на звенящую арыками улицу, всю в вязкой, тревожной тени карагачей.

* * *

Тем вечером, когда Семипалый забрал Катю из дому, она впервые в жизни переступила порог ресторана. Сидела на стуле с высокой резной спинкой — прямая, настороженная, среди крахмального полотна скатертей и салфеток, огромных, в полстены, зеркал в позолоченных рамах — впадая в тихую панику от количества ненужных вилок, ножей и ложек. От вина отказалась наотрез. Слыхала, и не раз, — чем это вино кончается.

— Что дама выберет? — спросил Семипалый, открывая синее глянцевое меню с нарисованной на обложке пухлой хлопковой коробочкой.

Внешне он был невозмутим и безукоризнен. А глаза время от времени вскидывал на Катю, и взглядом своих острых гвоздиков-зрачков пригвождал ее к резной спинке стула. И тогда становилось страшновато и непонятно, чего хочет этот человек — хорошего или плохого.

— Итак: антрекот, бефстроганов, люля-кебаб, тарталетки?

— Да... — напряженно вслушиваясь в незнакомые слова, сказала Катя.

— Что именно — да?

— Которое третье, — краснея, пробормотала она.

По тому, как вились вокруг вышколенные официантки и сколько раз подходил заведующий залом, поинтересоваться —

доволен ли «Юра» и вкусно ли даме, — (да она в жизни своей не ела такой удивительно пряной, источавшей тонкий аромат выдержанного в вине мяса, еды!) — Катя поняла, что здесь Юрий Кондратьич свой человек...

После ресторана чинно, под руку, прошлись Сквером, свернули к курантам, погуляли по краснопесчаным дорожкам в парке Горького... Там играл духовой оркестр, и, несмотря на холод, трое велофигуристов — две девушки в пачках и сухопарый дядька, похожий на гуся с черной бабочкой на кадыкастой шее, — выделывали вокруг клумбы умопомрачительные штуки на одноколесных велосипедах...

Напоследок Семипалый завел ее в кинотеатр «Молодая Гвардия», где в тот день крутили фильм «Путь в высшее общество», но Катя так волновалась, что мелькания полустертых лиц и фигур на экране почти и не видела, искоса взглядывая на острый профиль Юрия Кондратьича, который как раз очень внимательно следил за происходящим, хмыкал, раза два рассмеялся, блеснув в темноте зубами, и так увлекся, что на Катю не посмотрел ни разу. Она же запомнила только синие, театрально-бархатные занавеси в фойе, потолки с лепниной и полную певицу на деревянном крашеном возвышении.

Статная, в черном, переливающемся блестками, платье с открытыми плечами, певица пела какой-то романс, складывая створками ладони в умоляющем жесте и пытаясь удержать на полном носатом лице выражение одухотворенного страдания...

Публика сначала толпилась в буфете, потом чинно бродила по фойе, шаркая подошвами. Лишь небольшая группа, сгрудившись у сцены, слушала, вернее разглядывала носатую певицу. После романса та исполнила несколько известных песен, время от времени протягивая руку в сторону какого-нибудь мужчины, напевая: «Сашка — сорванец, голубоглазый удалец...», — и глаза ее неестественно, лихорадочно блестели.

Кате было весело и страшновато. Никогда в жизни еще за ней *так шикарно* не ухаживали. В буфете Семипалый купил ей бокал морса и два батончика московской фабрики «Октябрь», по 33 копейки... Он придерживал ее под руку, время от времени прижимая к своему боку тонкий Катин локоть.

...Возвращались с ветерком — поймали мотоцикл, Катя села в коляску, Юрий Кондратьич — позади лихача, и помчали темными ночными улицами, резкий холодный ветер обдувал лицо... Свет фары выхватывал то кривое колено карагача на повороте, то метнувшуюся вдоль арыка кошку или крысу...

У дома Семипалый рассчитался с парнем, дождался, когда мотоцикл, потряхивая пустой коляской, развернется и уедет и, пропустив девушку в калитку, вдруг удержал ее за руку, повыше локтя, и сказал просто:

— Не хочешь посмотреть — как я живу?

— Другой раз, — дрожа и чувствуя, что он ощущает эту дрожь, проговорила Катя. — Поздно уже, мне рано вставать.

— Как хочешь, — спокойно сказал он, не отпуская ее руки. — Зашла бы на пять минут. У меня есть чем угостить...

Она молчала, пытаясь сдержать колотивший ее озноб.

Семипалый достал ключ из кармана, прошел по кирпичной дорожке к своей двери, открыл ее и, войдя в коридор, щелкнул выключателем. Теплый уютный свет окатил его высокую фигуру и спокойное лицо.

— Заходи, — приветливо щурясь, по-домашнему пригласил он Катю.

«Дура, чего трясешься! — подумала она вдруг. — Человек как человек. Наслушалась всякой брехни, корова!» — и поднялась по ступенькам в дом.

В углу прихожей притулилась круглая деревянная вешалка на трех приземистых, словно присевших ножках, на стене висело небольшое зеркало, под которым стояло, накрытое крышкой, отхожее ведро. В кухне под окном притулился низкий старый шкафчик, крашеный, со скриплыми дверцами. Чистая клеенка, примус...

Семипалый открыл шкаф, достал тарелки и какие-то свертки.

— Знаешь, — сказал он, — сладости люблю. Даже стыдно — взрослый мужик к конфеткам тянется.

И высыпал на тарелку слипшиеся кубики мармелада, фигурные печенья, фунтик соленого миндаля.

— Проходи в комнату, я чайник поставлю.

Катя перед порогом скинула туфли, как принято было в Ташкенте в домах.

В комнате было чисто и очень просто. По углам стояли две этажерки с книгами, у стены просторная, аккуратно застеленная кровать с никелированными шарами на спинках. Из другой стены выпирала круглым важным животом печка, крашенная серебрянкой. И стол круглый, почти такой же, как на половине у бабки Лены, стоял посреди комнаты, а на столе — молоток, напильник, еще какие-то инструменты. Видно, перед уходом мастерил что-то Юрий Кондратьич, да так и не убрал.

Катя успокоилась и повеселела. Пошла бродить в чулках по домотканому узбекскому половику, приблизилась к горячей печке — видно, там, на другой половине, с вечера топили, — прислонилась спиной...

— Кто вам убирает? — спросила она. — Баба Лена?

— Налетай на мармелад, — отозвался он из кухни. — Не стесняйся.

Она еще побродила по комнате, склонила голову набок у этажерки, медленно читая названия книг. Назывались они все непонятно...

— Книги смотришь? — спросил Семипалый, подходя к ней сзади. — Ты любишь читать?

И вдруг горячей ладонью мягко взял за плечи, быстро огладил грудь, чуть привалил к себе.

Катя метнулась из его рук, шарахнулась к столу и, схватив молоток, попятилась к двери.

— Вот это да! — негромко восхитился Семипалый и пошел на нее.

— Убью! — сухими губами предупредила она. Сцепила зубы и удобней перехватила рукоятку молотка. Все обмерло и высохло — во рту, в гортани... На обочине взгляда дурацкой горсткой желтел мармелад на тарелке.

Юрий Кондратьич засмеялся ласково, сделал еще шаг и нежно, крепко прижал ее голову к своей груди.

— Правда, убью, — прошептала Катя, тычась лицом в его грудь. Там пахло свежей сорочкой, горячим здоровым мужским телом и веяло застарелой Катиной тоской по дому, по семье.

— Волчонок... — тихо сказал он в ее маленькое вишневое ухо. — Бездомный волчонок, надо же когда-то в чье-то логово прибиться...

...Часа через два Катя на ощупь пробралась через темную комнату бабки Лены к себе за занавеску и легла навзничь, мелко сотрясаясь всем телом от лихорадочного озноба. Пролежала так минут пять... десять... Дрожь не унималась, перекатывалась по всему телу от затылка до ступней, еще хранящих тепло его большой ладони, попеременно согревающей и быстро растирающей то одну ее ледяную ногу, то другую.

Во дворе заскулила и лениво брехнула, звякнув цепью, собака Найда. С исступленным шорохом скользила по стеклу ночная бабочка.

— Ли... Лида! — услышала она задушенный шепот бабки Лены. — Спишь?

— Мм...чего, мам?.. — хрипло отозвалась дочь.

— Слышала, нет?

— Оставь ее в покое, — раздраженным шепотом ответила Лида. — Это ее личное дело... Спи!

— А когда этот гад дом у тебя для нее отымет, — это чьё дело будет? А?

Дочь помолчала мгновение, потом вдруг сказала с ненавистью, почти в полный голос:

— У меня завтра контрольная в шестых классах!

Бабка зашикала испуганно, и все стихло.

На другой день Катя перебралась на половину Семипалого. Он сам предложил, и не понять было — шутит или всерьез. Поживи, говорит, у меня, пока не надоест. А то сожрут там тебя бабы...

Пока не надоест... Кому? Кате или ему, Семипалому?..

* * *

Ему она казалась забавной: резкий ее, неустойчивый характер временами — в теплые минуты неожиданно накатившего душевного разговора — вдруг смягчался, прояснялся, как под рукой реставратора сходит налипшая на живописный слой коричневая накипь времени, обнажая кусочек лазури над крышей дома и легкое, как кисея, белое облако, прежде незаметное...

Эти-то перепады — от тихой нежности к хищному оскалу — и щекотали Семипалого, волновали его...

За месяц он одел ее: купил широкий модный песочного цвета макинтош, шубу, обуви три пары и кучу всякого тряпья, от которого она обезумела, опьянела, каждый час меняя кофточку или юбку.

Тряпье — пусть, ладно. Но не больше!.. Никаких драгоценностей, иначе волчонок почует запах крови, и неизвестно — к чему это приведет...

Наверное, слишком много он позволял ей — какую штуку сыграла она со Сливой и этим слизняком Пинцем! Зубами вырвала кусок побольше — сама, не побоялась, напала без предупреждения! Когда в будку его среди дня ввалились багровый от злобы Слива и гадючка Пинц, Семипалый выслушал их и насмеялся от души.

Он любил наблюдать за ней искоса, с удовлетворением отмечая, какая она гибкая, легкая, в какое согласие с голосом приходит все ее тело, когда она рассказывает о ком-то, изображая интонацию, движения, походку человека... И видно было, что совсем не задумывается над этими жестами и гримасами, то есть движима только природным даром.

Однажды вечером она принялась изображать ему трамвайных пассажиров.

То *бабая* из кишлака, впервые попавшего в город: как проезжает он одну остановку за другой, боясь сойти по ступенькам на тротуар, заносит ногу, держит ее приподнятой и наконец ставит на место. Двери закрываются...

То старый еврей, возмущенный поведением сына, как-то сам вылепливался из ее лица с характерной желчно-иронической гримасой: «Лучше бы он меня зарэзал, — я бы это легче перенес! — чем он мне такое сказал!»

То украинский дядька, отягощенный приличным воспитанием, трубно сморкается, потом оглядывает публику и говорит вежливо:

— Звиняйте, это я носом...

А вот забубённая компания возвращается с гулянки к остановке. Полупьяный гармонист, разворачивая свою гармонь, выкрикивает частушки. И пьяная баба выплясывает, подпевая ему в тон. Подъезжает троллейбус... Вскочив на нижнюю ступеньку и вцепившись в поручень одной рукой, баба другой рукой продолжает широко поводить под музыку, одновременно притоптывая и приплясывая на ступеньке. У гармониста фуражка съехала набок, две тетки из той же компании подтанцовывают на остановке. Водитель сидит, скрежеща зубами, так как не вправе тронуть троллейбус, пока эта компания не ввалится в салон. А те, с раскрасневшимися потными лицами, все отплясывают, разворачивая гармонь, голосисто выкрикивая:

«Гости ели, гости пили и насрали в сапоги!
Видно, прав товарищ Сталин, что кругом одни враги!»

Лежа на кровати, закинув искалеченную руку за голову, Семипалый смотрел на Катю, которая становилась то гармонистом, со съехавшей на ухо фуражкой, то окаменелым от ярости водителем, то пьяной бабой, отплясывающей на ступеньке троллейбуса... Даже лица пассажиров, мгновенно сменяя одно другим, она вмиг изображала... Хохотал в голос! Даже охрип... Отсмеявшись, сказал:

— А ты актриса, волчонок. Нет, правда! У тебя большие способности. Тебе учиться надо... — Помолчал и добавил задумчиво:

— Да и я способен на большее, чем в будке торчать.

Она прыжком забралась к нему на кровать, растопырила пальцы, будто сейчас задушит.

— Да и не торчи, — сказала она. — Денег у тебя и так навалом.

Он засмеялся невесело:

— А я больше хочу... И тебе не советую деньги мои считать. Ясно?

Она отпрянула, спрыгнула с кровати и, напевая, пошла по комнате кружить...

— Я-а-асна, а как же! — выговорила аккуратненько, улыбаясь своим оскалом.

Она все понимала — про себя, про него, — поэтому тоска отпускала ее лишь для передышки, как цыган своего ручного медведя отпускает на длинную цепь. Понимала, что — не навсегда. Понимала, что для Семипалого она проста, необразованна. Однако не тянулась — хоть как-то наверстать, хоть немного сократить это расстояние.

Вообще презирала всякую натугу. Все ее существо, искореженное детским голодом и страшными смертями близких, было устремлено только к одному — добыче.

Единственно что — любила, когда Семипалый вспоминал боевых товарищей. О дяде Лёше просила рассказывать несколько раз, с подробностями.

— Не пропускай! — просила... — Отец, значит, был из казаков...

— Но опальный! Из казаков его выгнали в 1905 году, за то, что он отказался рубить студентов на демонстрации. Когда искореняли нэпманов и кулаков, его взяли за то, что в Ростове владел двумя домами, — он к тому времени был землемер, непьющий, серьезный человек. Конечно — враг народа, а кто же! Лёше тогда было тринадцать лет, он как сын врага народа тоже загремел в лагерь. Сидел в женской зоне, с уголовницами... Они шили рукавицы, телогрейки, ватники... ну и разыгрывали Лёшу в карты на ночь.

— Бабы?! — ахала она, — мальчишку?!

— Кать, ну я же тебе рассказывал... Потом, когда вышел из лагеря, его направили в военное училище. Ну, началась война, попал он на фронт в звании старшего лейтенанта разведроты. Чуть ли не в первом бою — тяжелый был бой, много людей погибло — его контузило. Он по госпиталям валялся, лечился, опять на фронт попал, но до конца так и звенело в ушах... и бешенство вдруг накатывало — мы уже знали, старались в такие минуты подальше держаться... И вот, сидит дядь Лёша в окопе, чистит автомат, тот на коленях лежит... Вдруг — капитан Несольцев, как черт из табакерки: пойдешь, говорит, со своими людьми опять таким-то коридором. Лёша ему: там же немцы все держат. Дай мне другой коридор!

— Нет, пойдешь, куда я сказал!

Этому Несольцеву, понимаешь, карьеристу, сукину сыну, никого не было жаль.

— Не пошлю я ребят, зазря погибнут!

— Пойдешь, так твою перетак! — выхватывает в злобе пистолет, вскинул его... А у Лёши-то автомат на коленях лежал, он его только что чистил. Ну и успел раньше Несольцева. Просто успел! Прошил его насквозь... Потом мучился... «Знаешь, —

говорил, — понимаю, что был он подлец, мерзавец, все бойцы его ненавидели. Понимаю, что он-то меня точно порешил бы, не успей я... Все понимаю... Но: ведь сколько я немцев ухлопал! Без счету... Ни один никогда не снился... А этот — что значит свой! — каждые полгода снится»...

Расслабившись, размякнув от ее преданного внимания, Семипалый пускался в институтские воспоминания и, незаметно для себя, переходил на рассуждения — тогда какие-то, враждебные Кате, иностранцы выскакивали из его слов, как черти из бутылки, изрекали глубокомысленную муть. Некий Кант что-то где-то сказал, а другой, с идиотской, как кличка, фамилией Спиноза, считал иначе... И вся эта абракадабра лилась однообразным потоком, затопляя Катю скукой и безнадежной тоской... А она любила только жизнь, только случаи с людьми, только сильные характеры и поучительные поступки...

Слушала Семипалого с холодноватой отчужденностью, поглядывала насмешливо, а иногда довольно грубо прерывала громким возгласом с французским прононсом, в который вкладывала неизмеримый пафос:

— Энтри-коо-от!

Семипалый осекался, глядел на нее с молчаливым недоумением или цыкал как нашкодившему щенку:

— Фу! — добавляя негромко. — Дура...

Именно с этого времени зародилась в ней неприязнь к «шибко умным».

Ничего не могла она поделать с собой. Что-что, а против себя не шла никогда. Собственный характер волок ее на аркане к несчастьям и одиночеству... Вечная игра с огнем, глупый азартный риск...

* * *

«— ... Мам, а ты послевоенный Ташкент хорошо помнишь?
— Спрашиваешь!..

— ...а как одевались, что было в моде, прически, танцы-шманцы?..

— А как же, помню, конечно! В те годы вся жизнь в Ташкенте проходила на улице. Особенно по вечерам, особенно в теплое время года... Неторопливо так прогуливались по центральной, Карла Маркса, пары и компании; мужчины выходили в льняных белых брюках-клеш, дамы — под китайскими зонтиками... Как раз снесли Воскресенский базар — его еще называли в народе «Пьян-базар», — действительно средоточие всякой пьяни, и начали строить театр оперы и балета имени Навои — ты его хорошо помнишь? Имперского величия здание! Архитектор — Щусев, тот самый, автор Мавзолея... Строили его пленные немцы и японцы, причем пленные немцы ходили без конвоя, а пленные японцы — под конвоем. Кстати, один из прорабов, наш сосед, посмеиваясь, говорил, что японцы возмущаются качеством строительства и материалов, чуть ли не с ужасом говорят: «Это здание не простоит и двухсот лет!»

— Слушай, а что носили в то время?

— Девушки — легкие платья из крепдешина, креп-жоржета, набивного шелка и ситца... А, да, еще были в моде шелковые юбки фасона «солнце», с подтяжками, и платья фасона «кимоно», под горло, с открытыми руками, ну, и надставные плечи, так, чтобы к ушам задирались...

— А душились чем?

— Смотря — кто... Я, по бедности, — духами «Ландыш». «Огни Москвы» были очень популярны, но подороже, шли в синем таком флаконе. Позже появились «Красная Москва», «Красный мак», «Пиковая дама»...

— А косметика? Прически?

— Тогда не было принято... девушки не красились... Замужние, те могли пройтись по носу пудрой «Лебедь белая», ну, губы тронуть помадой... А прически... Многие зачесывали волосы наверх, да еще запихивали их в какую-то сеточку, это очень старило...

Да, так — улица Карла Маркса... На ней всех знакомых можно было встретить; останавливались, обсуждали новости, сидели на скамейках вдоль бульвара — крепкие такие скамейки с приземистыми чугунными ножками, с выгнутыми спинками... Тут же зарождались и рушились романы, вспыхивали семейные сцены, в Сквере собирался кружок болельщиков футбола, оттуда неслось оживленное обсуждение очередного матча: спортивные термины вперемешку с матом.

— А танцы-шманцы?

— Ну, в ОДО, в Окружном Доме Офицеров, трижды в неделю работала танцплощадка — в среду, в субботу и воскресенье, с 9 утра до позднего вечера... Плати рубль и танцуй себе, сколько влезет — танго, фокстроты, вальсы... Ты что, не помнишь парк при ОДО? Он огромным был, очень зеленым, с экзотическими растениями, розарием, клумбами...

— Там ведь и летний кинотеатр был, и эстрадные артисты с концертами выступали?..

— ...а по вечерам у входа в парк играл духовой оркестр ОДО. Обстановка была страшно романтичная: звездное, прекрасное ташкентское небо, все напоено влюбленностью... Замечательная музыка издалека кружила, — например, вальс «На сопках Манчжурии»... Так молодёжь зазывалась в парк: офицеры, солдаты, студенты... Понимаешь, время еще было довольно тяжелым, те, кто вернулся с фронта, — наше поколение, — учились, работали, все еще недоедали и недосыпали... но как-то все же по-своему были счастливы. Многие были уверены, что мы живем в самой прекрасной стране, которая победила мировое зло фашизма, ну и так далее...

— А вы что, все идейные были?

— Как тебе сказать... Те, кто умел думать, обобщать... да просто — видеть, понимаешь, просто видеть — это ведь тоже надо уметь... Например, судьба Нины Закржевской, моей сокурсницы: ее отца — он был начальником Среднеазиатской железной дороги — арестовали в тридцать седьмом и сразу расстреляли. А мать взяли через месяц. Остались девочки — Нина, ей было двенадцать, и старшая Наташа, четырнадцати лет. От них шарахнулись все родственники, за свои шкуры испугались. Квартиру отобрали, девочки оказались на улице... Взяла их к себе узбечка, молочница. И сестры прожили у нее на балхане год, пока Наташа не пошла работать. Она и Нину вытащила, заставила поступать в университет... А мать их нашла, еще когда сидела. Выжила — знаешь за счет чего? Она закончила Бестужевские курсы, а бестужевки учили стенографию. Так что в лагере она оказалась единственной стенографисткой. Этим подонкам, лагерному начальству, надо было стенографировать все их сходки. Так вот, она выжила благодаря стенографии... Смешной в этой истории эпизод: старшая ее дочь, Наташа, вышла замуж за хорошего парня. Ну и зять написал незнакомой своей, заочной лагерной теще письмо — как, мол, любит ее дочь и все силы приложит... и так далее. В ответ мать присылает настоящий разнос: «Наташа! Обращаю твое внимание на то, что в письме твоего мужа допущены две синтаксические ошибки! Это недопустимо! Поработай с ним!»... А освободилась она, когда мы учились на четвертом курсе... И это тоже, скажу тебе, история... Она просто написала дочерям, что, мол, скоро приеду... но не назвала точной даты. Когда поезд подъезжал к Ташкенту, продала на какой-то станции пальто и на эти деньги — прямо на вокзальной площади — зашла в парикмахерскую, сделала завивку, маникюр... И только тогда поехала к дочерям. А?!

— Вот это женщина!

— ...а на другой день мы, сокурсницы Нины, купили огромный букет бульдонежей, помнишь, белые такие шары-цветы, весной продавались в ведрах на каждом углу... и пошли к ней с цветами...

— ...ну, это, знаешь, тоже поступок нехилый...

— Да нет, в Ташкенте как-то было... легче жить... Мы меньше боялись... Может, солнца было много, а в нем ведь, как теперь выясняется — серотонин содержится, да? — ну, тот гормон, что лечит страх, облегчает сердце... Так вот, это солнце, эти платаны в парке ОДО... листья величиной с тарелку... музыка танго...

— Мам, а под что еще вы танцевали?

— Под «Брызги шампанского», «Утомленное солнце», «Дождь идет»... Под «Рио-Риту»... Еще пели: «Если любишь — приди, если хочешь — найди, этот день не пройдет без следа, если нету любви, ты меня не зови, все равно не найдешь никогда»... А заканчивался вечер танцев таким фокстротом, он назывался «Вышибальный — по блату». Никто не знал его настоящих слов. Кто-то из пошляков сочинил что-то эдакое: «По блату, по блату, сестра пульнула брату, а мама — адвокату, и все пошло по блату. А папа сердится и все ворчит, а мама лыбится и все молчит»... Такую вот белиберду напевали себе под нос в заключение вечера...

— А я помню, у соседей была радиола и футляр веером, там лежали пластинки...

— ...ну, ты-то все время пела! Уже в три года ты исполняла «Бэса мэ мучо» очень музыкально...

— А еще, помню, однажды вы взяли меня на последний сеанс в летний кинотеатр при ОДО, на фильм... — не помню названия... — там играла страшно популярная Симона Синьоре!..

— «Путь в высшее общество» назывался... Да, были сумасшедшие очереди, с милицией... А ты что, правда все это помнишь?

— ...еще помню фильм с концертом Ива Монтана; я сидела между вами на длинной скамейке, болтала ногами и, задрав голову в открытое небо с обалденными звездами, слушала, как он поет эту, твою любимую — «Опавшие листья»...

— О-о, да-а-а... «Листья летя-ат, сад облета-ая, низко к земле-е прислонился ду-уб...

— «...слова любви не замира-ают, они готовы сорвать-ся с губ»...

* * *

...Когда по утрам ее стало тошнить, она помрачнела и осунулась. Молчала, чуяла, что это — конец. Однажды проснулась от подкатившей к горлу тугой волны, вскочила и, кинувшись в прихожку, вырвала в помойное ведро.

Семипалый еще лежал в полудреме, растянувшись под простыней. Перевитая бинтами клешня лежала рядом покойно, как сверток.

Катя обтерла губы, вернулась в комнату и, как была — в короткой ночной сорочке, — села на стул.

Семипалый приоткрыл глаз, лениво и вопросительно взглянул на нее, опять смежил веки.

— Когда блюю по утрам — это что? — наконец спросила она, не глядя на него...

Помолчали.

— Это ничего, — спокойно сказал он, не открывая глаз. — Договоримся с врачом... Это недорого...

Катя сидела не шелохнувшись. Она и не ждала от Семипалого другого решения. Да и ей ребенок был совсем не нужен. Но даже гнев, даже раздражение, досада подействовали бы на нее не так страшно. Мразь, подумала она, это же твой ребенок, открой хоть один глаз, хоть клешней пошевели... «Недорого... Договоримся...»

— А если не договоримся? — угрюмо спросила она, чувствуя тиканье бешенства в висках, словно уже сорвали чеку с детонатора и взрыв должен последовать неминуемо, хочет того Катя или нет.

— Договоримся, — оборвал он сухо.

«На!!! — она мысленно выкинула руку в неприличном жесте, — я тебе не курица, чтоб выпотрошить меня, когда тебе вздумается!»

Мощное течение бешенства уже несло ее и швыряло, как несет и швыряет щепку в горном потоке.

Она встала, распрямилась, сильно потянулась, до истомы и головокружения, и отчеканила с удовольствием:

— Осточертел ты мне, Семипалый!

Он открыл глаза, сел и с интересом взглянул на нее.

— Да ну?

— Ага. Осто... — она закончила витиевато и непристойно.

— Все, Катерина, — он откинулся на подушку. — Устал я от тебя, ей-богу.

Семипалый еще пытался сохранить спокойствие на лице, но желчь уже разливалась в складках рта, потемнели глаза, отвердели желваки на скулах. Семипалый привык, чтоб ему подчинялись. Слишком он забаловал эту невоспитанную и невежественную девку, слишком много воли дал — сам виноват... Ладно! Пусть катится на все четыре... Но прежде, конечно, надо избавиться от ребенка. Неизвестно, что она выкинет через год, через пять лет. По наследникам он пока не тоскует. Задобрить ее, что ли? Или припугнуть?

Катя, между тем, оделась и, судя по всему, собиралась куда-то основательно — раскрыла свой черный фанерный чемодан и складывала в него вещи стопкой.

— Ты куда? — насторожился Семипалый.

Она подняла голову, скинула с лица прядь пепельных волос и сказала мягко, почти благодушно:

— Я ж тебе сказала — надоел. Тошно с тобой... Командуй вон Сливой... Пинцем... А то вели Жабе убить меня, как вы того, возле будки, убили.

— Заткнись! — он отшвырнул простыню и вскочил на ноги. Сказал врастяжечку, как тогда, у будки:

— Не горячись, Катя... уйдешь, когда захочешь, как человек. И шмотки все заберешь... Кольцо тебе куплю с камушком... Только уговор — ребенка отсюда не унесешь...

Катя глядела на него с изумленной, застилающей глаза ненавистью. Ах ты, Юрькондратьич, тварь семипалая! Как же ты, между тем, боишься меня! Да и не меня, вернее, а свое же семя! Нет, дружок, и живот от тебя унесу, и оберу, и заложу весь твой гадюшник... Я от бабушки ушел, я от дедушки ушел, от могилы на Пискаревке... от подвала эвакогоспиталя... А от тебя, сука семипалая, подавно уйду...

Он осторожно подвигался к ней, протягивал правую руку, говорил что-то, уговаривал... Хотел по-хорошему? Нет, было в его говорке что-то страшненькое.

— Боишься меня? — хрипло спросила она и оскалила гладкие свои белые зубы в улыбке. Отступила, оглянулась мельком — близко ли дверь, — подобралась вся, как для прыжка, и сказала:

— Правильно, бойся! Подпалю я тебя. Не обижайся!.. Вот что хотела сказать.

И прежде чем он кинулся на нее, успела вертким обманным движением, подавшись вправо, ринуться назад, мимоходом лягнув стул в живот Семипалому, шибануть дверь ногою и вылететь на улицу...

...На углу переулка она остановилась, медленно подошла к Цилиному лотку и, пытаясь унять бушующий кашель в груди, выдавила:

— Циля... налей... чистой...

Мирно тренькнул трамвай за спиною. Двое парней в футболках, в полотняных белых брюках прошли, горячо что-то обсуждая... — и один из них оглянулся на Катю.

— Налей еще... — тяжело дыша, бормотнула Катя.

Циля с суровым интересом наблюдала, как мучительными крупными глотками прокатывается газировка в узкой шее девушки.

— Катя, шо ты желтая, как моя жизнь? Поговорили за политику? — Циля бросила взгляд на лоскут оторванного рукава Катиного платья. — Зашьем тонкой иголочкой, сам черт не заметит...

— Циля, они меня убьют! — тоскливо и трезво проговорила Катя. — Налей еще... — взяла из рук Цили стакан и, согнув ногу в колене, осторожно обмыла газировкой окровавленную ступню.

— Н-на, — сказала Циля, отрывая полосу от полотенца, — перехвати пятку, шоб зараза не попала.

И, вздохнув, добавила просто:

— Ну, шо тебе сказать, Катя? Раскладуха у мене найдется...

...Вот только жила Циля в соседнем переулке, и это было из рук вон плохо — в любую минуту могли выследить Катю холуи Семипалого. Впрочем, особенно попереживать по этому поводу Катя не успела: вечером того дня, когда Циля привела ее к себе в комнату, — угловую комнату длинного кирпичного барака, — Катя свалилась с высокой температурой, замолола чепуху: про какого-то ребенка, которого надо куда-то убрать, словом — горячка не горячка, а что-то вроде того.

Лежала беспомощная, жаркая, обливалась слезами и часто звала какого-то Сашу, уговаривая его на лодке кататься.

Вот такое еще удовольствие на бедную Цилину голову! Главное, неизвестно — заразная она, Катя, или нет. Тут же дети бегали — Розка и Вовка. На ночь Циля забирала их к себе в постель, и перед сном они возились с приглушенным смехом, отпихиваясь друг от друга кулаками и коленками, поскуливая.

— А ну, ша! — грозно шикала на них Циля. — Больной человек в доме!

Ко всем еще прочим радостям образовался у Кати нарыв на той самой пятке, которой она на стекло напоролась. Вечерами Циля проводила сеанс лечения: кипятила на примусе воду в тазике, командуя Розкой и Вовкой, посылая их в аптеку то за стрептоцидом, то за свежими бинтами. Подтаскивала к раскладухе тазик с горячей водой, цепко хватала Катину ногу за тонкую щиколотку и опускала в воду, не обращая внимания на стоны и крики. Па́рила, спокойно сопя, удерживая дергающуюся от боли ногу в тазу.

— Молчи, холера! А то в больницу сдам...

Среди ночи Катя иногда приходила в себя, приподнимала голову, старалась понять — где она и, вспомнив, что это Циля лежит там, тюленьей тушей, на кровати, звала испуганно:

— Циля!

— Ха?!

— Дверь заперта?!

— Заперта.

— На засов?!

Циля, сопя, поминая чуму и холеру, сползала с высокой кровати и шлепала к ведру с водой.

— Пей! — приказывала она, поднимая могучей ладонью Катину голову и поднося к ее губам холодную скользкую кружку. — На засов, на замок, на цепочку, на швабру, на веревку.

И Катя опять роняла голову и уплывала в тоскливые парные туманы, чтобы часа через три, на рассвете, опять всплыть и вскрикнуть:

— Циля! Дверь заперта?!

...Однажды, очнувшись, она увидела над собой литую Цилину грудь и проговорила слабо:

— Циля, найди врача. Надо сделать аборт.

— Кому? — спросила та, отплывая в противоположный угол комнаты и окутываясь клубами тумана, как вулкан Везувий на старой открытке.

— Семипалому... — пробормотала Катя, уронив голову на подушку.

Днем дежурить возле Кати оставались дети. Двое курчавых, как негритята, смешливых чуда-юда: Розка—Вовка.

Катя открывала глаза и спрашивала верткую кудрявую головенку:

— Розка, дверь заперта?

— Кать, я — Вовка.

— Вовка, запри дверь на засов...

— Да она заперта сто раз, — отвечал тот, косясь в открытую дверь барака на зовуще-зеленую траву во дворе, на теплые круглые камни в пыли.

— Опять песня с тою дверью... — тихо докладывал он вечером матери, и они с Розкой прыскали, переглядывались, а Циля хмурилась.

Розка, которая пошустрее была, как-то спросила:

— Кать, а зачем дверь на запоре держать?

Та помолчала... Лежала уже дня два в полном сознании, но слабая до того, что кисти рук чугунными казались.

— «Остров сокровищ», кино — видела? — спросила она серьезно. — Пират может явиться, с черной меткой...

Розка подвинулась ближе, заволновалась кудряшками и спросила испуганно:

— А разве сейчас пираты бывают, Кать?

— Бывают, — мрачно ответила та.

...И явился...

Катя уже поднималась и даже старалась чем-то помочь Циле по дому, — то посуду перемоет, с песочком, что брала тут же во дворе, то залатает какой-нибудь пододеяльник, который Циля собралась уже на тряпки рвать, а вот надо же — еще послужит. (Тетя Наташа, светлой памяти! — как же пригодились твои заботливые уроки рукоделья!)...

Они уже обо всем переговорили, и ясно было, что время они, как сказала Циля, — «проворонили».

— Но живучий, ты глянь, цепко держится! — удивлялась Циля, вроде бы даже одобряя существо, квартирующее в Кате. Сама-то она понимала толк в живучести. — Через такую горячку продержался! Пусть живет, босяк, заслужил!

Странную Катину болезнь она упорно называла белой горячкой и гордилась, что не сдала девушку в больницу, а выходила сама, хоть и намаялась порядком.

* * *

Между тем пора было от Цили отчаливать — не сидеть же всю жизнь на ее, пусть и могучей, шее, а Катя и не привыкла зависеть от кого бы то ни было и про себя твердо решила, что Циле за ее душевность отплатит сполна.

Возвращаться на кенафную фабрику ей не хотелось, и Циля обещала поспрашивает и узнать — куда бы можно было приткнуться до родов. О предстоящем Катя думала с тоской и неприязнью. Подолгу сидела, мрачно уставясь на какой-нибудь табурет или тарелку, словно изучала, как они сработаны. Циля на нее покрикивала:

— Не думай! — приказывала она. — Маланхольник родится!

Кате, честно говоря, было все равно — какой *он* родится — веселый или «маланхольник»; веселому ему вроде не с чего быть, а вообще, она бы дорого дала сейчас, чтобы *он* вдруг растворился, исчез в загадочных недрах ее организма. И кому отомстила, дура? Семипалый будет жить, как жил, припеваючи, а ты, с этим кульком на руках, — куда денешься, и кому нужна? Конечно, надо было согласиться, когда он уговаривал, и содрать с него побольше денег, и уехать отсюда — куда веселее. А куда — веселее? Может, к морю... Вон, в Цилину Одессу.

— Циль, — спрашивала она. — У тебя в Одессе остался кто?

— Ага, могилы... — охотно отзывалась та и пускалась рассказывать о погибшей сестре, близнеце. Какая это была сестра! Всем сестрам сестра! Бухгалтер, не кто нибудь. Главный бухгалтер завода! Как ее люди-то на заводе уважали... Через эту свою честность кристальную, идиотскую, и пропала. Какую-то зарплату кому-то недовыдала, а немец уже вошел в

Одессу. Ну, и не успела эвакуироваться с этой чертовой зарплатой! — и зорко взглянув на Катю, привычно цыкала:

— Не думай, я говорю! Не думай! Носи, холера, как тебе положено!

Так что Катя уже успокаиваться начала и даже во двор выходила, посидеть на лавочке, когда вдруг появился Слива.

Возник из-за кустов сирени, вышел, деловито поддергивая штаны, словно во двор по нужде заходил, а теперь пойдет восвояси.

На самом деле он, конечно, выжидал за кустом, когда Циля к своему лотку уплывет, а Розка и Вовка разбегутся гонять по арыкам.

Тащил на себе Слива большущий узел, и по этому узлу Катя поняла, что пришел он «по-хорошему».

— Здравствуй, Катя! — приветливо воскликнул он, подмигивая красноватыми отечными глазками...

Она молчала. Страха не было, вот что удивительно. Наверное, отбоялась, вычерпала страх до донышка, когда барахталась в тоскливых парны́х туманах горячки.

Она смотрела на тщедушного Сливу и понимала, что этого Семипалый на мокрое дело не стал бы посылать. Вот разве — черную метку принести. Значит, есть еще время...

— В дом не зовешь? — спросил он, криво улыбаясь.

Катя молча поднялась с лавочки и, толкнув дверь, вошла в барак. Слива — за ней, с узлом за плечами.

В комнате он присел на краешек табурета, словно показывая, что он — так, на минутку присел, и сказал, поглаживая колени растопыренными ладонями:

— Ну, Катя, погостевала у чужих и будет. Собирайся домой.

— Это куда — домой? — ровно спросила она с непроницаемым лицом.

— Как — куда? К Юрькондратьичу... дрёбанный шарик...

— А что за тюк ты принес?

— А!.. Так это ж... — он сбросил на пол узел и торопливо подпихнул его Кате. — Вещи твои... Кать... Шуба, платья, там, кофты-мофты всякие...

И пока она развязывала узел, разворачивала его, — все там было; внизу, под шубой, лежал завернутый в бумагу паспорт, — говорил торопливо:

— Юрькондратьич послал... Беспокоится — как ты, мол. Без вещей, разута-раздета... Деньги велел передать... — Он полез в карман пиджака. — Вот... Полкуска...

Катя сказала насмешливо:

— Деньги, это хорошо. Давай сюда...

Забрала пачку и спросила, следя за его лицом, за суетливо шныряющими отечными глазками:

— А это как же получается, Слива... — вроде и зовет он, а тут же вещи отсылает. Хитрая какая-то штука. Деньги-то зачем, если назад зовет?

— Так это... дрёбанный шарик... — он таращил глазки, отдуваясь и старательно играя задушевное беспокойство Катиным положением. (Плохо играл. Эх, Семипалый, дрянцо твои порученцы!)

— Это уж... как тебе вожжа попадет... — он засмеялся натужно... — Юрькондратьич так и сказал — мол, неизвестно, захочет ли вернуться, а вещи все равно отдай, потому что не намерен Юрькондратьич мелочиться с тобой, Катя...

Он даже вспотел, исполняя обязанности парламентера.

— Только ты, Кать, пойдем! Очень он просит. Истомился...

Катя молчала, переводя взгляд с узла на Сливу, на его руки, поглаживающие колени.

Все поняла вдруг, в секунду. Вдохновение какое-то накатило, или черт его знает, как это назвать. Молчала, потому что мысленно проверяла еще раз план Семипалого, и удивлялась себе — что сразу разгадала. Неужели она умнее Семипалого?

— А что, Жаба вернулся? — наконец спросила она кротко, не глядя на Сливу.

— Вернулся Жаба, — кивнул тот. Расслабился, старый болван. Решил, что дело готово, ну и болтанул лишнее. Запнулся, вскинулся настороженно:

— А чего ты — про Жабу? Чего тебе — Жаба? Ты, Кать, не бери худое-то в голову. Ошалела ты совсем, Кать! Чего ты?!

— А то, — сказала она спокойно, проводя языком по растянутым в полуулыбке губам, — что пойду я с тобой к Семипалому, а там меня Жаба дожидается. Он же у вас заплечных дел мастер?

Слива оторопел, кровь кинулась в лицо. Дьявол-девка!

— Тьфу, дура! — крикнул он. — Чего выдумала, дура!

— А ночью на огороде закопаете, — продолжала Катя. Лицо ее было совершенно спокойным. — Или в уборную спустите — вот это уж точно не скажу... А сунется милиция — так он в полном порядке: расстался с Катей по-хорошему и вещи отослал, и деньги она взяла... и Циля подтвердит, что деньги — вот они... А Жаба опять на год сквозь землю провалится... Придумано складно...

— Психованная ты, Катька!

— Складно придумано... — медленно повторила она... Ярость поднималась в ней, как газировка в откупоренной бутылке. — Только передай Семипалому, чтоб Гегеля хорошенько учил.

— Кого? — нервно спросил Слива, напрягаясь запомнить незнакомую еврейскую, как он понял, фамилию и думая, что для дела это очень важно.

— Или еще кого-нибудь с его этажерки.

Взгляд ее упал на узел, оттуда торчала голубая лямка бюстгальтера. Она вдруг хохотнула, дико, озорно:

— Слива! — крикнула, смеясь, — ты же лысый, Слива! Что ж ты без головного убора ходишь, голову же напечет! На тебе чепчик!

Вскочила, выхватила из развороченного узла лифчик и с размаху нацепила его Сливе на голову.

— На память! Чтоб помнил меня!

Тот от неожиданности не сразу стянул с лысины эту срамоту. И когда снимал, запутался ушами в лямках и застежках. Встал с табурета, остервенелый, и перед дверью пробормотал, трясясь от злобы:

— Ну, повеселись, повеселись чуток...

Она подскочила к нему и еще громче захохотала, истерически, в его красные свинячьи глазки, и хохотала долго, топоча ногами до изнеможения, чтобы Слива слышал ее веселье, пока идет по двору.

Потом смолкла на мгновение, прислушиваясь к тому, как шумно разгоняется кровь по венам, стучит в висках, бухает в сердце.

Отерла слезы.

— Все! — приказала себе шепотом. — Быстро! Быстро-быстро-быстро!

В ее распоряжении были минуты. Сейчас Слива побежит и доложит, что дома она одна.

Катя обулась, завязала в узелок кофту, два платья, кое-что из бельишка. Все остальное — шубу, юбки-кофточки, ботики новые, красивые, оставила в узле на кровати. Отсчитала из пачки двести десятками, помедлила и забрала себе еще сотню. Двести положила под сковородку, рассудив, что так Циля найдет их сегодня же вечером. Оторвала из Розкиной тетради клочок бумаги и, торопясь, послюнявя химический карандаш, написала: «Циля это всё тебе продай или детям перешей. Прости не прощаюс убьют гады хороший ты человек. Катя».

Приникнув к солнечной щели в дощатой двери барака, она зорко оглядела двор.

Все было тихо. Две старушки в углу двора сидели на лавочке под орешиной, пацан прогрохотал на самокате...

Она выскользнула за дверь, торопливо заперла ее, поминутно оглядываясь, оставила ключ — как Циля делала — под ведром, и не к остановке направилась, а в соседний переулок, и долго бежала, вроде бестолково, петляя. Несколько раз, свернув за угол, прижималась к стене, — как разведчики в фильмах, — проверяла, не висит ли кто на хвосте.

Потом, очень довольная собой, выскочила на дорогу, остановила грузовик и, узнав, что водитель едет в Джизак, быстро взобралась в кабину.

12

Горящая свеча жила своей трепетной жизнью. Собиралось вокруг черной нитки фитиля желтое прозрачное озерцо растопленного воска. Вот уровень его повышался, почти затопляя фитиль; желтое копье пламени валилось набок, и струйка воска устремлялась по мягкому желобку вниз; копье пламени выпрямлялось и вновь выхватывало из угла круглый бок железной печки. Капля воска продолжала свой путь: стремительно выбежав из озерца, она катилась по белому стволу свечи, туманясь на ходу, набухая, и наконец сползала к основанию, на блюдце, и застывала там круглой приплюснутой виноградиной. А вдогонку ей катилась уже другая, наплывала сверху, и вскоре целая виноградная гроздь лежала на блюдце с огарком истопленной свечки вместо черенка.

Верка преграждала путь бегущей капле, подставляя палец, и когда, ужалив раскаленным воском, капля застывала на пальце, словно врастала в кожу, девочка подолгу внимательно рассматривала застывшую парафиновую бусину...

Горящая свеча была радостью. Вокруг ее лучистого тепла возникал ореол ровного доброго света, — такого разного с изнанки: синеватого споднизу, ярко-оранжевого в ширину и уходящего алой пикой ввысь...

Когда робкий и живой лепесток пламени угасал, захлебнувшись в лужице воска на блюдце, черная и густая ночь валилась в комнату. Вера не боялась этой шевелящейся тьмы. Она покорно поворачивалась на бок, подтягивала ноги и закрывала глаза, хотя их можно было и не закрывать, — кромешная темень стояла вокруг кровати бесконечно высокой и неохватной стеной.

Мать приходила поздно. Часто Вера и не слышала, как она подваливалась рядом, — горячая и усталая. Но даже и во сне бессознательно вцеплялась маленькой рукой в материнскую сорочку, забирая побольше материи в кулак, и так спала — уже спокойная. Невозможно было отцепить ее.

Более всего в детстве Верка боялась потеряться.

Мать несколько раз забывала ее — на рынке, в магазине. Она никогда не брала девочку за руку. Поэтому, если шли куда-то, четырехлетняя Верка вцеплялась в материнскую юбку мертвой хваткой и бежала за ней повсюду, как собачонка, даже в общественный туалет на улице. Мать, раскорячившись над зловонной дыркой в цементном полу, раздражалась, била по кулачку дочери — все было бесполезно. Дочь стояла и чинно ждала рядом, не отпуская подол юбки.

Этот панический ужас перед толпой чужих людей, которым дела нет до ее маленькой жизни, сохранялся в ней долго, да так и осел в душе, — неприязнью к большому скоплению народа, будь то воскресная толкучка на ташкентском ипподроме, или давка за билетами на модный спектакль, или — тридцать лет спустя — толпа на открытии ее персональной выставки в Людвиг-музее, в замечательном городе Кельне, когда, спустившись в бар, до закрытия просидела над коктейлем одна, в глубокой нише, где и разыскал ее Дитер, так много сил отдавший этой первой ее выставке на Западе, и, кажется, впервые по-настоящему озадаченный ее мучительно тяжелым нравом.

Еще девочка боялась своей тени — маленького черного зверька, который мог притаиться у ног и неожиданно выскочить впереди, прыгнуть на стену, кривляться, размахивать тонкими черными руками; мог растянуться кишкой, стать на ходули, кивать маленькой злобной головкой; тень была живая и таинственная. Девочка постоянно ждала от нее какой-то недоброй выходки. Когда вечерами мать уходила, оставив свечу на табурете, возле кровати, тень выныривала на противоположной стене комнаты — лохматая, огромная, и молча ожидала, когда Вера взглянет в ее сторону. Но Вера была умной и осторожной девочкой, она не смотрела на тень, не желала той давать повод демонстрировать свои отвратительные штучки.

Уютная эта комната с круглой печкой была первым жилищем, которое Вера запомнила. До этого она не могла ничего помнить, хотя впоследствии, в хорошие минуты, мать и рассказывала довольно подробно о жизни их в Джизаке, и спрашивала разочарованно: «Не помнишь? Неужели не помнишь?»

Смешным и трогательным мифом остался Федя, акушер, который влюбился в новорожденную Верку, приходил ее пеленать, приносил кормить, говорил:

— Давай я женюсь на тебе, Катя, больно девку отдавать не хочется! Щекастая какая, глазастая!

Мать усмехалась холодно:

— Забирай так, она мне даром не нужна. Да и ты не нужен...

Федя-то и дал девчонке имя, — тем более что мать как-то не задумывалась об этом... родилась девка, не урод, не недоносок, ну и ладно...

— Назови Верой, — предложил Федор, умильно наблюдая, как поршневыми движениями круглых щек младенец высасывает обильное Катино молоко... — Сейчас все Наташами да Светами называют... еще Маринами... На прошлой неделе три Марины выписались... А Вера... это высоко, Вера — это правда, это то, что тебя над грязью держит, не дает упасть...

— Ну, пусть Вера, — равнодушно согласилась Катя... — А отчество свое дам, как у меня будет — Семеновна... пусть папа хоть так поживет еще...

Никогда не рассказывала она только о том, как нака-
нуне выписки из роддома, вечером, Федя пришел к ней в
палату, как сказал, — «попрощаться». Поставил на
тумбочку коробку духов «Красная Москва», побалагурил
немного... Потом замолчал... Наконец проговорил:

— Ты, Катя, прости меня, если невпопад... Я вот
что... ты что ль, не шутила, когда говорила, мол, забирай
девку?

— А тебе чего? — напряженно спросила Катя.

Он сглотнул с силой, как бы проталкивая внутрь не-
ловкость свою, нерешительность... Наконец сказал:

— Я бы взял... — и заторопился. — Ты не думай, у ме-
ня просто обстоятельства такие... Я семейные обязан-
ности справлять не могу, болен, ранение у меня такое,
деликатное... А вот ребеночка очень хочется... прямо как
бабе... Очень хочется, Катя! Они у меня тут перед гла-
зами таким богатством проплывают... Скольких я при-
нял, скольких на руках держал... и все мимо, мимо... А ты
вроде так сказала, что она тебе в тягость... ну, и я по-
думал... Я бы ее любил как свою, ты не сомневайся! А ес-
ли б ты когда ее увидеть захотела, то пожалуйста, я не
против... А я ж с детьми ловкий, умелый... Я бы тетку из
Сызрани привез... Кать! Ты что смотришь так, Катя?..

Катя смотрела на Федю едва ли не с меньшей ненавис-
тью, чем на Семипалого... И этот... отнять, забрать у
нее ее собственное, что в животе ее собственном вырос-
ло! И так запросто предлагает... Как кило картошки ку-
пить...

— А я деньгами тебе помогу, Катя, — забормотал он
потерянно, — ты не думай, я же понимаю, что не за про-
сто так...

— Деньгами? — кротко переспросила она. — И во
сколько ты мое нутро оценил?

Федя понурился... Уже понимал, что не так разговор
повел, сплоховал... Она аж зубы оскалила, мелкие и белые...

— На!!! — и руку выбросила ему в лицо, с силой перебив ее другою. — Получи!!!

Федя поднялся и, безнадежно махнув рукой, пошел к дверям. Но прежде чем он вышел, Катя, схватив с тумбочки и перегнувшись, с силой запустила ему в спину «Красной Москвой»...

Там, в Джизаке, мать вроде бы служила где-то, для отвода глаз участкового, — то ли курьером в каком-то учреждении, то ли вахтером. Но кипучая ее деятельность вне стен учреждения носила, конечно, не столь законопослушный характер: именно тогда, в Джизаке, в этой глухой провинции провинциальнейшей республики, она создала бесперебойную систему оптовых закупок и перепродаж, которой пользуются в западных странах все торговые и посреднические фирмы и за которую в советской державе сидело по тюрьмам множество прирожденных талантливых коммерсантов.

После нескольких рейдов по местным базарам-торжищам она выудила из толпы трех барыг (сама не могла объяснить — почему именно этих, *внутренность* подсказала) и в течение считаных дней сколотила из них слаженную команду легких на подъем спекулянтов: в Россию поехали накатанной дорогой фрукты, пряности, узбекская расписная керамика, радужный хан-атлас; назад шли икра, копченая колбаса, духи, косметика, сигареты, гжель... Школа Семипалого и «сцены на толкучке» дали обильный урожай.

Свои комиссионные получали все: продавцы местного универмага, завбазами, милиция, проводники в поездах... В особо важных случаях, когда шла партия *деликатного* товара, мать ехала сама или с одним из барыг... Ей охотно давали в долг здешние цеховики, — она возвращала день в день с процентами. Была вынослива, неприхотлива, с любым представителем местных, дорожных и прочих властей договаривалась *по-хорошему* в течение минуты. И скудно, но честно рассчитывалась с наемными... Дрожжи нетерпеливой ненависти взращивали в ее душе страсть к большим деньгам... к пачкам, кошелкам, мешкам больших денег... а если бы кто-то вдруг спросил ее — зачем? — она бы, наверное, только зубами лязгнула, как хищник, устремленный к добыче.

Девчонка мешала ей, не давала развернуться во всю ширь — это ж надо, какую глупость она сморозила, тогда с Федей! Вот, алчность всегдашняя попутала! Главное — *своего* не отдать, как тогда, у хлебного магазина... А если подумать? Была б сейчас налегке — едь, куда хочешь.

Однако вскоре мать сдружилась с продавщицей местного универмага — одинокой и тихой женщиной лет тридцати пяти. Маша — худенькая, гнутая как веточка — разговаривала полушепотом.

Мать потом рассказывала: «Одна совсем была по причине дефекта — глаза бегали»

— Как это бегали? — удивлялась Вера.

— А вот так: она с тобой разговаривает и всю тебя этими глазками обегает, щупает; они как ртуть бегали, серенькие такие глазки, ни секунды на месте твердо не стояли. Она вообще ни на кого твердо не смотрела. Вот так — и мать изображала Машу, здорово изображала, так, что Вере казалось, что она вроде и помнит ее.

Но помнить Машу она никак не могла, так как в то время ей было полтора года, и вот именно на эту серенькую Машу мать оставляла дочь, когда уезжала дня на два-три с товаром.

Однажды вернулась и... — господи ты боже мо-о-ой! — все пусто... В шкафу только плечики деревянные постукивают. Верка бродила в своей железной кроватке по голому матрасу на кривых ножонках, хлюпала мокрым носом и делала ручками «полетели-полетели», приговаривая при этом: «Тю-тю Мася...»

Серенькая тихоня с бегающими глазками подобрала все подчистую, ничего не оставила, даже простынку и наволку с детской кроватки сняла. Ложки, вилки, коврик персидский, гобелен с оленями на поляне... все, что Катя успела здесь нажить... Эх, можно подсчитать, да тошно жить... железную кружку, вот, оставила...

Мать кинулась отвинчивать никелированный набалдашник со спинки кровати... Так и есть: свистящая пустота полой трубки тайника... вот она, — камышовая песня в ослиные уши Искандера...

Мать села на пол, возле кроватки, и долго сидела, раскачиваясь как безумная.

Верка над головой ее лепетала что-то по-своему, — Семипалово отродье, гиря на руках...

А ведь эта гнутая веточка могла не только обобрать ее, она могла и стукнуть куда надо, поскольку обо всех Катиных поездках знала... Могла и стукнуть, чтоб совсем уже Кати не бояться... В том, что Маша отсчитывает сейчас на поезде немалый отсюда километр, она не сомневалась...

Уехать! Одной, сейчас. И — навсегда!.. И чтоб — ничего не помнить. Вот она, за пазухой, — прибыль от последней поездки... Товар сейчас реализуют ее ребята. Ждать ли денег? Опасно. Нет, уехать, уехать! Все сначала. Все по-новому. Учиться пойти. Куда? Все равно... А Верку... Верку соседи подберут, сдадут куда-нибудь, не бросят же умирать живого ребенка...

Она рывком поднялась с пола, перевязала косынку... Оглянулась в дверях.

Верка переступала босыми ножками по голому матрасу, смотрела на нее тихими серыми глазами, отцовскими, которые — из-за четко обведенной радужки — с самого рождения у нее были по-взрослому проницательными.

— Тю-тю мама? — вдруг спросила она ласково.

Тогда мать завыла — страшно, зло, безнадежно завыла, без слез. Воя и скрипя зубами, обернула дочь своим жакетом, вытащила из кроватки и понесла прочь.

* * *

В Ташкенте чуть с поезда — первым делом мать бросилась к Циле. Да только «тю-тю Циля!» — как говорила Верка. Соседка по бараку подробно, с обстоятельным удовольствием рассказывала Кате, как пришло Циле письмо из Одессы, от сестры, которую та считала погибшей. Сестра-то, оказывается, спаслась, да еще как удивительно: бежала из расстрельной колонны по пути к яме, забралась в какой-то хлев, зарылась в сене... Но за ней погнались, и, когда вломились в хлев, конвойный стал штыком все сено ворошить, проверять... И тут, представляешь... боров, который лежал себе спокойно в углу, поднялся, подошел к тому месту, где эта несчастная пряталась, и сверху лег, накрыл ее собой... Конвойные переворошили все сено... да и ушли ни с чем, колонну догонять... Длинное такое письмо, знаешь, интере-е-есное! — прямо как книга написано... И все эти годы, оказывается, она Цилю разыскивала... И вот, нашла! Циля, как письмо получила, дня два ревмя ревела от счастья, водой торговать не ходила, а все по соседям таскалась, каждому письмо читала. В три дня расторговала, что имела, — шифоньер хороший Тосе напротив продала очень дешево, кровать, этажерку, стулья, посуду кое-какую, забрала детей, да и махнула в свою Одессу. Все время повторяла: «Теперь я человек! У меня сестра бухгалтер, не кто-нибудь!»

Соседка рассказывала и все время делала маленькой Верке «козу». Та сидела на колене у матери, смотрела удивленно на рогатую руку и молчала — ей никто еще не делал «козы».

— А знаешь, кто еще уехал-то? — спросила соседка, испытующе и сердобольно глядя на Катю. — Папка ваш уехал.

— Какой еще папка? — зло огрызнулась мать. — Троюродной фене он папка... — и спустила ребенка с колен. Верка качнулась, шлепнулась на землю, но не заревела. А огляделась вокруг и подобрала камушек — розовый, острый, — стала с ним играть.

— Ну, это уж не знаю я ваших дел, Катя, — соседка вздохнула виновато. — А только уехал он. Как ты сбегла, так он и смылся. Циля поначалу сильно нервничала, думала — он тебя искать поехал. А потом я бабку Лену на базаре встретила, покалякали — то, се, мол, что-то давно сынка вашего не видать. А она говорит — сынок в Харьков вернулся, там теперь навсегда жить будет...

— А половину свою продал, что ли? — спросила мать.

— Да нет, вроде замок навесил. Бабка Лена говорит — сестра хотела занять, но он пригрозил, чтоб, мол, близко не подходили и даже не надеялись на эту жилплощадь.

— О-ой, — мать засмеялась недобро. — Страхи какие... — и потянулась возбужденно: — Брешет, старая курва! Это от меня она замок стережет... Ага, ну ладно... Посмотрим... Та-а-ак... Хорошие ты новости мне рассказала, теть Зоя... Спасибочки!

Она поднялась со скамейки и взяла ребенка за руку. — Ногами! — прикрикнула строго и шлепнула по тянущимся к ней ручкам. И поковыляли они со двора...

Соседка смотрела им вслед сочувственно. Раздалась Катерина-то после родов. Шире стала, крепче, руки налились... Пошла небось воевать за жилплощадь. Много вы там навоюете — нерасписанная с незаконной...

* * *

...Бабка Лена сидела в прохладной комнате за швейной машинкой, стрекотала, и время от времени поднималась только мух сшибать мухобойкой — житья от них не было этим летом.

Мать прошла в калитку, перед крыльцом подхватила Верку на руки, поднялась по ступеням на террасу. Здесь в тишине раздавались из комнаты звучные хлопки и ликующий голос бабки Лены:

— А!!! З-зараза! На! — мгновенная тишина и снова серия гулких шлепков: — На! На! На! А?! Х-а-адость!

Мать толкнула дверь и стала на пороге с Веркой на руках. В комнате было сумрачно — яблоня и вишня со двора заслоняли свет в окне.

Бабка Лена с мухобойкой в руке стояла на стуле, куда она, видимо, взобралась для охоты на необъятных прериях потолка. Мухобойка была хорошая, самодельная — крепкая палка с толстой, как подметка, резиной.

— Здравствуй, баб Лена, — сказала мать прищурившись. Старуха так и осталась стоять на стуле, молча глядя на вошедших.

— Что-то... не признала... — пробормотала она. — Катерина, что ли?

— Ну-ну, признавай скорей, — усмехнулась та, опуская ребенка на пол. — Горю нетерпением обняться.

Старуха, судя по всему, не горела нетерпением. Она, кряхтя, слезла со стула и подошла ближе, искоса поглядывая на толстенькую румяную Верку.

— Ну, здравствуй, — сухо проговорила она. — А я уж думала, ты насовсем уехала...

— А вот это беспричинные мечты, — едко засмеялась мать. — Куда мне насовсем уезжать? У меня нигде никого нету. Кроме вас! — добавила она жестко. Бабка Лена пропустила последние слова, бросила на стол мухобойку и сделала озабоченное лицо.

— А Юра-то уехал, Катерина, вот какие дела... И не сказал даже — куда...

— Ой! — притворно испуганно воскликнула мать, — Ой, ну надо же, беда какая — и не сказал куда! — она оборвала причитания и добавила спокойно: — В Харьков он уехал, баба Лена, и хрен с ним. Скатертью дорога, не это важно. Важно, что комната его не уехала. Верно? Будет где жить нам с Веркой. Все-таки дочь его. Внучка, между прочим, твоя, баб Лена. Глянь, ваша порода, исподлобников.

Она наклонилась и, шлепнув Верку по заду, подтолкнула ее к незнакомой бабке. Но Верка заупрямилась, сунулась мордочкой в подол материнского платья и обняла ее колени.

— Не испугала. У меня таких внуков пол-Ташкента бегают, — возразила бабка Лена.

— Возможно, — с ласковой злостью согласилась мать. — Возможно, бегают. Только от этой ты никуда не убежишь.

Бабка Лена аж зашлась от такой наглости.

Хотела она казаться спокойной и уверенной. Хотела дать понять этой бесстыжей девке, что не на тех напала, нет: на тебе родню! на тебе комнату! на тебе порог! Суровое достоинство — вот что должно было противостоять наглым притязаниям Катьки. Но это суровое достоинство как-то осыпалось, крошилось, выдувалось, словно ветром, той силой, незыблемой правотой матери и ребенка, с которой явилась сюда Катерина.

Девчонка обнимала крепкое материно колено, запрокинув светлую крупную головку с выпуклым лбом, тянулась вверх, пытаясь карабкаться по Катиной ноге.

Мать нетерпеливо отцепила руки дочери, легонько отодвинула ее коленом.

— Давай договариваться по-хорошему, — предложила она взбешенной бабке. — Чего нам собачиться? Комната все равно пустая стоит.

Эта ее уверенность совсем взбесила бабку:

— Стоит. Пустая! Только не про тебя.

— А про кого?

— А ни про кого! Уехал хозяин. И ключа не оставил. И точка в разговоре.

— Нет, — тихо сказала Катерина, шагнув к ней, — нет... — и было что-то в ее голосе, от чего бабку мороз по коже продрал, и вдруг вспомнила она, что одна дома, совсем одна. — Погоди, старая сволочь, точки ставить.

Она мягко подалась к столу и так же легко, словно невзначай, схватила мухобойку.

— Хорошая мухобойка, — сказала она вроде бы задумчиво. — Это не Юрькондратьич ли мастерил, случаем?

— Да нет у меня ключа, нет! Чего привязалась?! — пронзительно и испуганно крикнула бабка, не сводя глаз с мухобойки в налитой, крепкой Катиной руке.

— А я вот счас погляжу, — миролюбиво сказала Катерина и со всего размаху хрястнула добротным домашним изделием по стеклянным дверцам буфета. Посыпалось разбитое стекло, зазвенела битая посуда.

— Спасите... — пробормотала бабка Лена, хватая воздух трясущимися руками.

— Бог спасет, — откликнулась Катя и с холодной яростью долбанула еще пару разочков, что под руку попалось из бьющегося.

Бабка Лена обмякла и села на пол. Ей уже было не до посуды. Правую половину тела она вдруг перестала чувствовать, а также померкла и половина комнаты, справа. Сердце оборвалось и вдруг сильно стукнуло в ушах, и еще, и еще раз... Она смутно, издалека слышала звон и треск, и видела, как встала над ней громадная Катерина и спросила далеким задушевным голосом:

— Дашь ключ? Или огладить тебя разок?

Бабка Лена хотела сказать ей, чтоб не била, что ключа и вправду нет, не оставил, мол, сын ключа-то, но не успела — всхрапнула, задергала головой и завалилась за угол буфета...

...Выронив мухобойку, Катерина стояла над бабкой.

В летней теплой, зудящей мухами тишине возникали и таяли какие-то шумы продолжавшейся жизни — проехал по переулку грузовик, залаяла чья-то собака, хлопнула калитка в соседнем дворе...

— Тетя упайа, — вдруг сказала Верка серьезно, и мать вздрогнула от ее голоса. — Бо-бо тетя...

Между тем достаточно было одного взгляда на старуху, чтобы понять — никогда уже ей не будет «бо-бо». Она лежала неподвижно на боку, багровым отечным лицом уткнувшись в стенку буфета.

Голос дочери пресек оцепенелую тишину, и мать очнулась — кинулась к Верке, схватила ее в охапку и бросилась прочь отсюда.

В переулке было тихо, сонно, лишь двое малых детишек в тени карагача громко хлопали глиняным туляем об асфальт.

Катя почти бежала по переулку к остановке трамвая, стараясь держаться в короткой тени заборов. Каждая калитка взрывалась яростным собачьим лаем, и Верка радостно сообщала:

— Собацка!.. — и спрашивала без конца. — А тетя бо-бо?

— Да замолчи, наконец! — крикнула мать и больно шлепнула ее, но тут же сорвав на ходу веточку с дерева, сунула ее Верке. — На вот, цветочек...

— Цветоцек, — согласилась покладистая Верка... — А тетя бо-бо...

...К вечеру, исходив и изъездив весь город, Катя сняла комнату в доме, в большом, застроенном одноэтажными жактовскими халупами, заросшем мальвой и кустарником, дворе. Комната была невелика, но чисто выбелена. Стояла в ней широкая, с крепкой сеткой, железная кровать, кухонный стол, покрытый клеенкой в лиловый цветочек, и хороший новый стул. На длинном гвозде за дверью постукивали деревянные плечики... Словом, жить можно.

Впрочем, долго прожить в ней Катя не надеялась. Со дня на день ждала — вот придут за нею, заберут, обвинят в убийстве человека и — прощай, Катя, пожила-порадовалась, будет с тебя. Верку — куда? В детдом Верку. У нас государство насчет детей очень заботливое. Вот пожалела же ее тогда, в Джизаке, не оставила одну в железной кроватке торчать, а, видно, все ж на роду у нее написано без матери расти. Господи, думала она изумленно, и не война ведь, и чего я все под прицелом живу?

Ясно представляла, как впихнут в «воронок», как станет ее допрашивать следователь... Может, даже привезут в тот дом — есть ведь такое, она видела в каком-то фильме, — называется «следственный эксперимент»... Вспоминала, как, мертво уткнувшись в буфет отечным лицом, лежала на полу старуха... Бабку нисколько не было жаль. Дрянь была бабка! Плевая душонка... Но мысль о том, что живая и энергичная старуха до ее прихода строчила на машинке полотенца и азартно гоняла мух, а после — валялась на полу багровой никчемной тушей, — эта мысль была тягостна...

Но день проходил за днем, промелькнул месяц, а никто за нею не являлся. Это было странно... Катя напряженно ждала, первые ночи даже ложилась не раздеваясь, но с течением дней и недель напряжение ослабевало, как ослабевает с течением времени все — и страх, и ненависть, и любовь.

Она огляделась...

13

Мое летнее детство (а это были неравномерно сменяющие друг друга разные две жизни — летнее и зимнее ташкентское время: зима захлопывала форточки, проклеивала вырезанными из газеты лентами стыки оконных рам и, главное, слизывала все краски, кроме трех — серой, черной и белой, превращая живопись в графику... Кирпичная кладка типовых домов жилмассива Чиланзар не давала глазу особо веселиться, а вечно натирающий шею шерстяной воротник коричневой школьной формы превращал мое зимнее детство в довольно унылую пору. Единственным привалом на пути к весне высилась желтая сверкающая пика новогодней елки, и все блестящие разноцветные шары, вкупе с шариками оранжевых мандаринов в бумажном кульке из-под новогоднего подарка, на короткое время зимних каникул расцвечивали жизнь вкраплением цветных пятен... С весны же и до глубокой осени мир набухал запахами, сиял пестроцветьем, дарил полную свободу не обремененного грузом одежды тела, накалялся нестерпимым солнечным блеском, звуками нескончаемых дворовых игр!), — так вот, мое летнее детство изрядно напиталось запахами коммунальных ташкентских дворов.

Целыми неделями летом я жила у бабушки с дедом, в одном из тупиков Кашгарки. То ли по бабкиному великодушию, то ли по недосмотру, летние мои дни были наполнены беспредельной свободой передвижений.

Сейчас страшно вспомнить, насколько мое детство было рискованно вольным.

Разумеется, ребятня окрестных дворов была мне знакома. А в одной семье я просто прижилась. Напрочь не помню — как я попала в ту странную семью, но с изумлением думаю о том, почему зацепилась в ней, что меня там держало, а главное, что заставляло хозяев терпеть бестолковое присутствие надоедливой чужой девчонки, кроме своих-то, Таньки — десяти лет, и Петьки — пятнадцати?

Они снимали мазанку в глубине узбекского двора. Надо было пересечь этот большой, утоптанный, с островками травы, двор, и мимо деловито разгуливающих кур и индюков попасть в тесный закут, нечто вроде предбанника, или летних сеней, в которых к вечеру появлялся понурый осел, неизвестно где пребывающий днем.

Напротив этого загона дверь вела в хибару, поделенную на две комнаты. От двери, как войдешь, — налево печь, и в нос тебе шибает душный запах выварки. На печи круглые сутки в клубах парного тумана варилось в огромных алюминиевых баках детсадовское белье. Печь, с клубящимся над ней паром, была как постоянно и обреченно курящийся вулкан, к которому уже привыкли аборигены в долинном селении...

Комнаты поделены были перегородкой без двери. Да она и не предполагалась, по-видимому... К чему одной семье дверь между комнатами? Два-три стула паслись вокруг обшарпанного стола, над которым висела полка с фарфоровыми слониками и фигуркой Будды, — с ним-то я и вела тайные беседы. Стоило подтолкнуть указательным пальцем невозмутимо улыбающуюся голову пузатого толстяка, как она начинала качаться из стороны в сторону, а иногда вверх и вниз. Эта непредсказуемость реакции меня и интриговала. Он казался мне совершенно и тайно живым. Мы перемигивались. По сути дела какое-то время эта фигурка была моим божком. Я не то чтобы молилась ему, но доверяла беспредельно. Дождавшись, когда Танька выскакивала в уборную, — а бежать ей было на дальние задворки, — я подкрадывалась к толстяку и шепотом задавала ему вопросы.

— Ага? — спрашивала я. Он соглашался или категорически не советовал предпринимать те или иные шаги...

Еще в этой первой комнате стоял большой сундук. Похожие я видела только в музее Израиля, на выставке концептуального искусства... Гора из таких, наваленных на полу, сундуков представала символом беженского сиротства...

Во второй, смежной, комнате обстановка была побогаче: плечистый шифоньер и тети Симина железная кровать, с гобеленом над ней. Напротив стоял топчан дяди Васи, покрытый блеклым байковым одеялом... И еще одна роскошная вещь обреталась в этой комнате — трофейный патефон, который нам с Танькой позволялось заводить. Только сначала надо было наточить патефонную иглу о дно перевернутой пиалушки, потом как следует накрутить ручку и:

«Мой Ва-а-ся-я-я... мне все казалося, что это ты-и-и...»

Мы с Танькой по очереди заводили пластинки, а тетя Сима в это время гладила белье огромным чугунным утюгом, время от времени поднимая плоскую алюминиевую крышку бака. Пар вырывался оттуда, обволакивая комнату фантастическим подводным светом, и еще несколько минут жемчуга пара перекатывались под потолком, пока тетя Сима острой палкой крутила и ворочала в баке белье... Где и когда она сушила это неимоверное количество простыней, наволочек и пододеяльников, я не знаю, но как тщательно гладила — видела не раз... Руки у нее были морщинистые, красные с синевой... И лицо было в морщинистую сборочку: сборочка улыбки, сборочка плача...

Такой веселой подруги, как Танька, у меня в жизни больше не было! Непонятно — над чем мы смеялись, но хохотали и прыгали как безумные. Скакали по кровати, растягивая сетку, — почему-то нам это сходило с рук. Тетя Сима выдавала нам по ломтю хлеба с луковицей, которую мы макали в соль и наворачивали за обе щеки...

Целыми днями деятельно наводили красоту: выдавливали на донышко пиалы сок из листьев усьмы, макали в него спичку с накрученной ваткой и рисовали брови «чайкой». Брови были зелеными, прекрасными, заползали на виски...

Время от времени Танька доставала из шифоньера свое богатство, которому я ужасно завидовала и иногда клянчила — примерить. Это был украинский венок, с настоящими атласными лентами всех цветов радуги... Я в нем была чудо как хороша, просто настоящая украинка, гип-гип гопака! Разлетаются ленты по плечам, сапожки топочут... Я подбегала к Будде, спрашивала шепотом: — У меня такой будет? Ага?

— Нет-нет, — кивал загадочный толстяк, — о нет...

Однажды, когда мы, как обычно, хохотали неизвестно над чем, с улицы раздался странный рык. Он не был похож ни на ослиный вопль, ни на какое бы то ни было извержение духа животного, но это и не человеческий был голос. Нет, не человеческий.

Танька в секунду захлопнула патефон и, крикнув: «Отец пьяный!», — схватила меня за руку и потащила под тети Симину кровать. До этого я только в кино видела, как прячутся под кроватью, и никогда не верила, что там можно надежно спрятаться. Мы распластались рядышком, бок о бок, на полу, под низко свисающей сеткой кровати, и Танька с вытаращенными глазами прижала палец к губам, приказывая мне молчать, а с улицы уже ввалился дядя Вася, с порога матерно костеря на чем свет стоит тетю Симу. Та молчала и, судя по дребезжанию и волоку стульев по полу, кружила по комнате, уводя его от баков — так утка низко кружит над охотником, уводя подальше от гнезда.

Откуда ни возьмись появился Петька, которому, видно, друзья побежали сказать, что отец явился пьяный. Мы лежали бессловесные, застывшие, полуживые от страха, а из соседней комнаты неслись вопли, звуки ударов и грохот пере-

вернутых стульев — Петька в то время уже был крепким пар-
нишкой, мог заступиться за мать...

(Избивать пьяного отца по-настоящему он стал позже, года
через два, когда я уже выяснила с Буддой все вопросы, и —
бедный мой божок! — он разбился, покатившись от удара
слишком широко размахнувшейся Петькиной руки.)

Наконец дядя Вася сник, ввалился в нашу комнату и, вместо того чтобы рухнуть на свой топчан, ничком упал на кровать,
под которой лежали мы. Железная сетка прогнулась почти до
наших спин... Мы с Танькой не дышали... Это было почти как в
фильме про мальчика-с-пальчик и великана-людоеда...

Чуть ли не впервые в жизни, вместе с вибрацией подлинно-
го страха, я испытывала неописуемый и — тоже подлинный —
восторг! Вряд ли в тот момент я смогла бы объяснить причину
подобной эмоции. (Но и гораздо позже, когда стала отдавать
себе отчет в истоках ненормального стремления вникнуть, вне-
дриться... да попросту *влипнуть в сюжет*, — я бывала бес-
сильна остановить самое себя на пути к любой опасной, никчемной, да и просто идиотской ситуации.)

Дождавшись, когда раздастся дяди Васин храп, мы —
(мальчик-с-пальчик!) — выкарабкались на волю...

В той комнате, которую тетя Сима называла «залой», все
было перевернуто. Но белье по-прежнему варилось в баках.
Этот алюминиевый кратер, вечно бурлящий лавой белейшего
белья, оставался символом устойчивости жизни.

...Недели две после этого происшествия я не показывалась
у Таньки, боялась. Потом все-таки потянуло к бездумному ее,
легкому веселью, я старалась выманить подружку на волю.

Например, в соседнем дворе можно было жарить голубей.
Ничего более вкусного я в жизни своей не ела! Главным было
украсть из голубятни — их было по две, по три в каждом дворе — или подстрелить на лету из рогатки голубя, — этим зани-
мались старшие пацаны. А мы, малышня, камнями и кусками
кирпичей окружали вытоптанное, голое от травы пространство
на ближайшем пустыре, разжигали костерок и на железные

прутки, уворованные со стройки, нанизывали куски деловито ощипанного и выпотрошенного голубя. И какая бы компания ни собиралась вокруг костра, старшие всегда справедливо делили тушку между ребятами. Дважды мне досталось тонкое бедрышко, хрустнувшее на зубах...

(Кстати, когда много лет спустя я прочитала о том, как в древности, в Иерусалимском Храме, приносили в жертву голубей, рот у меня вдруг наполнился слюной, и тот божественный вкус всплыл на острие вкусовых рецепторов, — чуть прогорклый запах жареного мяса, тонкое бедрышко, нежно хрустнувшее на зубах...)

Но — странно! Тетя Сима, живущая в парнóм тумане невыносимой своей жизни, очень редко отпускала Таньку гулять. У нее были свои каноны воспитания. Она была уверена, что домашние сцены львиной охоты будут менее вредны для дочери, чем влияние дворовых компаний.

А я потом не раз бывала свидетелем дяди Васиных бесчинств, даже принимала участие в боях; правда, по какому-то наитию, меня он пальцем не трогал...

Мне было по-своему хорошо в этом убогом доме. Раза два я оставалась у них ночевать, укладывалась с Танькой на тети Симиной кровати, лицом к гобелену, с увлечением разглядывая лебедей и русалку, развесившую золотые свои груди над травянистым берегом ручья...

14

В большой комнате, отделенной от Катиной коридором и кухней, жил с сыном хозяин жактовского домика Валентин Петрович — очень приличный человек с громким учительским голосом. Он и преподавал физику в ремесленном училище, в длинном приземистом кирпичном строении, задним крыльцом выходящем в этот же двор. И сын его, подросток Сергей, рос тут же, при нем, позже закончил ремеслуху, приличным человеком стал...

Вот только мать у них померла три года назад. Собственно поэтому и сдал Валентин Петрович вторую комнату одинокой женщине с ребенком. В деньгах он не особенно нуждался, а вот похлебать иногда домашнего супу хотелось. Так и сказал вначале:

— Видите ли, за комнату я у вас совсем гроши возьму, но единственное у меня условие, Катерина Семеновна, чтоб вы когда мне и Сергею моему тарелку супу налили.

Насчет супа: вот это уже оказались, как говаривала Катя, — беспричинные мечты... Супом разжиться у Кати — как, впрочем, и чем-то другим, — было трудновато. Кулинарное искусство, в отличие от всяческого рукоделья, никогда мать не привлекало. Самым вкусным для нее по-прежнему оставался кусок хлеба; кусок хлеба, припорошенный крупной солью, венчал и Веркино бродяжье детство.

Так что если кто и подкармливал Верку домашней едой, то это как раз и был дядя Валя, с обреченной миной шарманщика крутивший ручку чугунной мясорубки и с покорной монотонностью опускавший в ее жерло куски мяса — на котлетки.

Вообще очень хороший оказался человек — дядя Валя. Устроил мать техничкой в ремеслуху, так что все тут под боком было — и работа, и дом, все в одном дворе. Верка освоилась в училище и обжила учительскую. Мать, пока коридоры мыла да звонки давала, усаживала ее на высокий широкий кожаный диван, и девочка боялась сама слезать с него на пол. Путешествовала по дивану на четвереньках. Черная потрескавшаяся кожа была прохладной, извилистой на ощупь... Верка могла бесконечно рассматривать смутные отражения предметов в тускло блестящей поверхности.

На переменах в учительской собирались преподаватели и Верку баловали — то пирожком угостят из своего завтрака, то конфетку сунут. Особенно одна, Юлия Константиновна, учитель географии, нежная такая блондинка с робкими мелкими чертами лица, подсаживалась к девочке и всю перемену с ней тетешкалась. Однажды даже конфуз случился. Верка заигралась и забыла попроситься, так и подмочила карты, которые на диване лежали. Всю Европу подпортила и часть скандинавских стран. Мать как узнала — очень расстроилась, думала, придется за карты платить. Верку отшлепала в учительской, приговаривая: «Просись, просись, стервенок, просись!»

Ничего... Все смеялись. И Юлия Константиновна до слез смеялась и говорила: «Верка осваивает географию!» И карту потом называла — «та, с подмоченной Европой»...

Она же, Юлия Константиновна, придумала, что Верка — рисует. Глупости, заметил дядя Валя, сидевший тут же, за столом в учительской. Что может рисовать ребенок в полтора года, когда еще нет нужной моторики рук? Все они просто портят бумагу, калякают по ней... А вас, Юлия Константиновна, прошу не давать ребенку переводить казенные тетради.

— Валентин Петрович! Рисует, осознанно рисует, уверяю вас! Смотрите, ведь это Кузя!

Дядя Валя спустил очки на крылья носа и поднес к глазам изрисованный Веркой листок. И сидел так некоторое время, задумчиво узнавая в неотрывной линии контур ленивой спины, завершенной изгибом хвоста общественного пенсионера, кота Кузи. Ушки тоже наличествовали, а вот морды и глаз не было. Но пластика кошачьего движения передана была изумительно точно.

— Это совпадение, — заявил дядя Валя, отбросив листок на стол.

— Да какое совпадение! Вы у нее спросите! Веруша, кто это, вот тут, на бумаге — ты кого рисовала?

Верка доверчиво смотрела серьезными серыми глазами на

Валентина Петровича. Из ее носа на губу вытекла прозрачная сопля.

— Ну? — строго спросил он. — Клоп, отвечай — кто тут нарисован?

Она шмыгнула, втягивая соплю, и сказала:

— Óбака...

— Как же — облако? — воскликнула Юлия Константиновна. — Ты что, Веруша, это же Кузя, Кузя?

— Кузя, — повторила Верка, вроде соглашаясь. — Кузя — óбака...

— Потрясающе! — Юлия Константиновна возликовала. Она много лет безуспешно добивалась внимания Валентина Петровича и всякий раз бывала довольна, когда хоть в чем-то одерживала над ним верх. — Представляете, какое образное мышление? Она соединила в воображении облако и Кузину мягкую шерсть... Катя, у вас очень талантливый ребенок! Купите ей цветные карандаши, пусть рисует.

— Еще чего, — буркнула мать, вытирая тряпкой пыль с директорского стола. — У меня жалованье не чета вашему... На каждое баловство не напасешься...

Странно, что будучи сама талантливым *изготовителем красоты*, мать напрочь отвергала страсть дочери к рисованию. Может быть, потому, что в любом изделии признавала только практическую пользу. А что за польза — бумагу изводить?

* * *

Года через полтора Катя столкнулась в гастрономе с Лидией Кондратьевной. Вернее та окликнула ее сама и даже вышла из очереди в кассу. Катя сначала отшатнулась, словно от удара, ощутила жар в сердце и обреченную тоску... Но Лидия Кондратьева выглядела очень обрадованной встрече, обняла Катю, сказала:

— А у меня, Катя, мама умерла.

— От... чего? — натужно спросила та, цепенея от тошно-творного ужаса.

— Инсульт. Мгновенно! Я на работе была, а она одна дома. Видно, забралась на стул, мух бить, ну и не удержалась, упала. Да прямо на буфет. Посуда вся вдребезги... Знаешь, прихожу — кругом осколки, черепки, а в углу мама лежит... Вот так... ужасно. Ужасно, что в последнюю минуту с ней никого не оказалось. Может, что сказать хотела, передать...

«Хотела она, как же, — подумала Катя. — Ее и удар шарахнул от ненависти, что я имущество попорчу...»

И Катя проглотила комок ужаса в горле и понемногу разговорилась тоже, хотя и весьма осторожно. Как там Коля и Толя? Спасибо, занимаются оба в техникуме, стали серьезнее и в общем выправляются...

— Кать, — с задушевной интонацией продолжала Лидия Кондратьевна (не притворялась, Катя всегда это чувствовала), — ты же хочешь о Юре спросить? Он, знаешь, подумывает вернуться из Харькова в Ташкент, все-таки, — тебе-то известно! — у него здесь были дела налажены... А там никого почти не осталось... Трудно жизнь строить заново... Но... — Она взглянула прямо Кате в глаза: — Я тебе как женщина женщине, Катя: не жалей о нем. Он дурной человек, хоть и брат мне. Дурной, злобный... Да ты и сама помнишь, как он ко мне, — к родной сестре! — относится. Все не может мое замужество простить. Я же, Катя, вышла замуж за его лютого врага. Вернее за того, кому он сам лютым врагом сделался. И причина-то какая смехотворная: оба они теннисистами были, в одной студенческой команде... То ли на соревнованиях что-то не поделили, то ли еще какая-то чепуха... Вот уже сколько лет, как мужа нет в живых, а братец все счеты со мной сводит... Не стану вдаваться, но бога благодари, что ты от него избавлена!

Катя кивала с сочувствующим бабьим лицом, поднимала брови, ахала, качала головой...

Внутри закаменела вся...

О Верке не сказала ни слова.

Ни слова.

* * *

...Это было время, когда ступала она мягко и опасливо, как затаившаяся рысь, почуявшая легкую и шальную добычу... И счастливую встречу с Лидией Кондратьевной, встречу, снявшую с ее души свинцовую гирьку потаенного страха, расценила как некий благословляющий знак. Хотя вряд ли кто — там, на небе, — мог благословить ее на дело, в которое она входила сейчас осторожно и постепенно, как в дикую горную речку входят — трижды пробуя шаткий камень, прежде чем утвердить на нем ногу...

В дело входила поперначалу на правах «верблюда» — на мизерных правах простого перевозчика...

...Месяца три назад ее окликнула в трамвае старая знакомая, спекулянтка Фирузка, когда-то скупавшая ворованные на кенафной фабрике нитки и материю, — лихая оторва с золотыми зубами, пересыпавшая узбекские слова русским матом. За эти годы она постарела, немного остепенилась с виду. Но клокотала в ней по-прежнему какая-то неиссякаемая радостная злость.

— Катька, ти знакомий как не узнал, джалябкя!

Они обнялись...

И на другой день, в назначенное время к скамейке на Сквере, под памятником Карле-Марле, Фирузка привела не кого-нибудь, а Сливу, все того же Сливу, ушлого и бессмертного, как сама Тезиковка, как Сквер, как древнее ремесло барыги, «не помнящего, — как уверял он, — худого»...

— А я, Кать, сразу понял — кого это Фирузка имеет в виду... И обрадовался, ей-богу! Помню твою хватку, дрёбанный шарик!.. А в нашем деле это — первая необходимость... Часики-

то помнишь, артистка? Аксы-балансы-маятники-цифербла-
ты?.. Часики теперь тикают без меня — отыгранный бизнес...
А вот если серьезно хочешь заработать, — милости просим, но
будешь по моим правилам играть...

Катя спокойно слушала, даже приветливо пару раз ему
улыбнулась. Это мы потом поглядим — кто по чьим правилам будет играть...

Но с легкой руки уже подслеповатого Сливы на долгие годы
в многоступенчатом мире этого страшного бизнеса к ней при-
лепится кличка — *Артистка*.

15

Вечерами дядя Валя играл на мандолине...
Это был упорный и тяжеловесный меломан. Свой неваж-
нецкий слух он компенсировал деятельной и даже агрессивной
любовью к музыке. Склонив голову набок, играл на мандолине
«Турецкий марш» Моцарта или «Серенаду» Шуберта, трепе-
ща медиатором, старательно выводя кудрявую мелодию и яростно отбивая ногою такт. Играл всем корпусом, самозабвенно.
Трудился и потел. Работал музыку, как сваи забивал.

С тем же остервенелым упорством время от времени он
приобщал к музыке сына Сергея — длиннорукого, длинноно-
гого неслуха.

Играли они дуэтом — была еще в доме треснувшая по верхней деке старая гитара. Висела она за шкафом на гвозде, на
длинной красной ленте, как удавленник. Она и хрипела, как
удавленник. Сын должен был подыгрывать отцу вторую партию.

Сергею подобные соприкосновения с миром прекрасного
ничего хорошего не приносили. Гитара не держала строй,
хрипела, дребезжала. Добряк дядя Валя свирепел при каждом огрехе нерадивого сына.

— На «два и» соль диез!!! — выкатив глаза, орал он фистулой. — Сколько раз повторять тебе, идиот!!! Соль диез!!! Соль диез!!! — и потрясал грифом мандолины.

И казалось, что речь идет о жизни и смерти.

Так же упорно и непреклонно приучал сына к чтению. Сажал на стул, совал в руки книгу и, когда замечал, что в течение часа страница не переворачивается, сатанел, орал и бегал по комнате с ремнем.

Для Верки, которая вечерами околачивалась на половине дяди Вали, это были страшные минуты. Забившись за шкаф, она молча глядела, как бегает с ремнем дядя Валя, как мечется по комнате, переворачивая стулья, Сергей. Оба орали как резаные.

«Убью!!! Идиот!!! Бездельник!!!» — «Папа не нада-а-а!!! Я не буду!!! Я буду!!! Клянусь!!!»

Наконец отец настигал сына где-нибудь в углу, между печкой и стулом. Тот сползал на пол, прячась за стул, извивался, непрерывно вопя и защищая голову руками. Ремень шваркал пару раз по кожаной обивке стула, вопли становились и вовсе непереносимыми, у Верки все в животе дрожало и умирало...

Нет, не Сергея ей было жалко, она понимала, что по-настоящему жестоко бить его отец никогда не станет. Но вот что было страшно и нелепо: один человек гнался за другим, и тот, не отбиваясь, падал на пол, извивался и беспомощно вопил. И ничего нельзя было сделать, чтобы изменить это в мире.

Интересно, что когда мать, случалось, лупила Верку и лупила больнехонько — рука у нее была тяжелая, — Верке не было так страшно. Тогда просто не до размышлений — тут как бы вылететь во двор и сгинуть в кустах мальвы и сентябринок.

Мать, когда входила в раж, совершенно безумела, била куда попадала. Больше ладонью, наотмашь — ремня в доме не было. Иногда хватала веник, и тогда удары получались колючими, болезненными.

Верка молчала или поскуливала, зажмуривая глаза, когда веник обжигал лицо.

Мать была данностью, как галера, к которой раб прикован до скончания жизни. Как крепостное право, в котором родился и умрешь. Мать была всегда и всегда была именно такой — орущей, дерущейся, непонятной, несправедливой, но привычной данностью. Освободиться от нее, деться куда-нибудь в те годы еще не приходило Верке в голову, как до поры до времени не приходит в голову рабу поджечь дом господина.

С матерью она жила совершенно отдельной жизнью и никогда ничего не знала о ней. Впрочем, платила ей взаимностью и никогда не рассказывала — где бегала, чем занималась. Может быть, если б мать хоть раз спросила у нее по-человечески, Верка бы и ответила, — не жалко сказать, что весь день на развалинах они ловили с мальчишками скорпионов в банку. Но мать не разговаривала, а покрикивала надсадно: «Где шлялась? Посмотри, во что ты платье изгвоздала, стервенок! Ты с кем болталась?»

— Ни с кем, — привычно, спокойно. Не ответ, а заслонка от надоедливой ругани.

— Это как — ни с кем? Нет, я тебя спрашиваю, сволочь, ты где была?!

— Нигде... — и смотрела спокойно, а то и вовсе не смотрела. И свою долю ударов наотмашь получала как данность, от которой никуда не деться.

Мать была частью мира, основополагающей, краеугольной. Собственно, мир с нее и начался, произрос из нее, как дерево из зернышка. Но — узкий, смутный, разрозненный в начале, мир вокруг Верки с каждым днем раздавался вширь, вбирая в себя новые улицы, лица, слова, вспыхивая новыми гранями, как шлифующийся под рукой ювелира алмаз, — и мать к этому новому миру Верки имела с каждым днем все более отдаленное отношение.

Например, одной из таких, внезапно вспыхнувших, граней, была восхитительная возможность из нескольких черных закорючек составить слово, разгадать это слово на листе в ряду других, и еще, и дальше... много слов, которые в свою очередь могут, медленно наслаиваясь, наезжая друг на друга, спотыкаясь о запятые и тормозя на точках, составляться в неведомый, спрятанный под картонной обложкой, упоительный мир.

Читать Верка научилась лет в пять, совершенно случайно, и впервые азбуку постигла в перевернутом виде.

Дело в том, что она крепко дружила с Сергеем, суматошным, но добрым сыном дяди Вали. У Серого был велосипед «Орленок», классная машина, — нужно было только вовремя подкачивать колеса. Хмуро осмотрев свое видавшее виды транспортное средство, обеими руками приподнимая и вновь крепко опуская его на землю, Серый хмуро изрекал голосом хирурга, требующего скальпель: «Насос мне, Мышастый!» — Верка пулей влетала на террасу, хватала валявшийся в углу насос и, как верный пес, приносила его к ногам своего кумира.

Гораздо позже она оценила его великодушие в условиях жестоких нравов ташкентского двора: почти все свободное время этот мальчик вожжался с пятилетней прилипалой, не обращая внимания на издевки сверстников, — часами возил Верку на багажнике, отбивая ей тощую задницу на ухабах, после каждого болезненного «бздыка» спрашивая через плечо: «Как жопа, Мышастый, цела?»... И Верка, болезненно морщась, стоически отвечала: «Цела!»...

На этом стареньком «Орленке» они облетали, обтарахтели, объюлили весь город; не было таких далей, — от Болгарских огородов до Рисовых полей, от Домрабада до Греческого городка, — куда бы ни занесло их попутным ветром, и не было такого лотка с газводой, возле которого они бы ни тормознули, чтобы, строго поровну, выпить один на двоих стакан «крюшона».

Лет до десяти главным оплотом и надёжей была для девочки выученная наизусть тощая, с выпирающими мослами позвонков, спина Сереги, позади которой, обеими

руками обхватив его впалый живот, она провела самую
счастливую пору детства.

Так о чтении...

Когда, распаренный беготней, драками и футболом, Серега
садился наконец делать уроки, Верка взбиралась коленками на
стул напротив и наваливалась грудью на стол. Так она могла
стоять часами, завороженно следя за рукой Сергея, что-то
медленно выводящей на бумаге.

Уроки он делал, как все остальное, — бестолково и неряш-
ливо. Часто зачеркивал, бормотал что-то, считал вслух, обмо-
рочно закатывая глаза и загибая пальцы. Для Верки это зрелище было многозначительным таинством, как для дикаря
темное бормотание шамана.

— «Собака» — через «а» или через «о»? — бормотал
Сергей, сумрачно глядя на благоговеющую Верку. — Через
«а», — решал он. Верка жадно следила за его рукой, выводящей перевернутую букву «а».

Закончив «русский язык», Сергей принимался за «литера-
туру». У Верки здесь были свои обязанности. Когда Сергей зу-
брил стихотворение, Верка должна была, перегнувшись через
стол, ладошкой закрывать в учебнике ту строфу, которую за-
бормативал он, дабы не появилось соблазна подглядывать.

— «Мороз и солнце — день чудесный... Мороз и солнце —
день чудесный... Мороз и солнце — день чудесный...» — уны-
ло и тупо повторял он. — Что там дальше? «Еще ты дремлешь,
друг прелестный... Еще ты дремлешь...» Хренятина какая-то...
Что там дальше?

Так однажды Верка приоткрыла ладошку, заглянула в учебник и вдруг прочла:

— «П-о-р-а-к-р-а-с-а-в-и-ц-а-п...»

— Не нуди! Быстрее! — приказал мальчик. — Ладно, нá
учебник, будешь подсказывать, где запнусь.

Он перевернул учебник и подтолкнул его Верке:

— Давай, чего там «пора»?

Верка, недоуменно поглядев на страницу раскрытого учебника, быстро перевернула его вверх ногами и старательно прочитала: «По-ра, кра-са-ви-ца, прос-нись»...

Сергей несколько секунд глядел на нее, как на считающую собаку в цирке, потом вскочил и крикнул пронзительно:

— Па! Пап!!! Верка читает навыворот!

Прибежал из кухни с газетой в руках дядя Валя — в очках, строгий и деятельный. Верку еще раз заставили читать и так и эдак. Дядя Валя сказал, что случай феноменальный, что Верка жутко способная, и стал тут же, не сходя с места, учить ее читать правильно, покрикивая и даже пару раз легонько съездив ей по макушке. Все трое были в восторге от происшествия...

Недели через две Верка уже сносно читала, а через два месяца, совершенно обезумев от возможности часами жить в сочиненном кем-то, разнообразно прекрасном мире, одну за другой осиливала книжки Сергея, до которых сам он, как презрительно говорил дядя Валя, «еще не дорос».

Мать к этой новости отнеслась подозрительно и враждебно. Ее давняя скрытая ненависть к «шибко умным», унесенная от Семипалого, всколыхнулась с прежней силой. Как она и опасалась, дочь получалась из той же породы, вырастала чужой и непонятной — себе на уме, отродье Семипалово...

Но Серега — бестолковое дитя ремеслухи, выкормыш ташкентского двора, — явно гордился Веркиными успехами. Иногда приводил домой пацанов и заставлял девочку громко читать страницу какой-нибудь книжки, до которой у самого, как он объяснял, «руки еще не дошли», и, выждав минуты три громкого торжественного чтения, обрывал Верку по-хозяйски:

— Хватит, надоело. Все ясно! — и пояснял товарищам, таким же прыщавым балбесам:

— Во! Я научил.

Каждый день Верка поджидала его из ремеслухи, сидя с книжкой перед домом на трухлявом бревне некогда могучего тополя. Кора бывшего тополя была изрезана ножичками фэзэ-ушников. Крупно и четко, как-то любовно высечены были ма-терные слова, а также таинственные имена — Илона, Регина... и застарелая глубокая насечка «попсяра!», неизвестно что обо-значающая.

К мату, захламлявшему ее жизнь с детства, Верка относилась равнодушно, как относилась ко всему бессмысленному и беспо-лезному. Вообще же незнакомые слова, а тем более имена, вол-новали ее необычайно.

— Герда... — шептала она, разглаживая пальцем сгиб в трухлявой книжке Андерсена «Сказки». — Герда... Кай...

Сергей появлялся — красный, с потным грязным лбом, швырял на землю измочаленный портфель с пришитой и пе-ревязанной изолентой ручкой, опускался на бревно рядом с Веркой.

— Параша по истории... — сообщал он с досадой. — Сука историчка, зануда... Опять от пахана бздык будет.

Верка была доверчивой и вдохновенной зевакой. Она благо-говела перед этим балбесом, как благоговела перед жизнью вообще — перед любым ее проявлением. Приоткрыв рот, она рассматривала физиономию с потной россыпью бурых и розо-вых прыщей, пристально и бессознательно цепко отмечая дви-жение лицевых мышц, мимолетный промельк языка, облиз-нувшего губы. Она погружалась в странно углубленное изучение шкодливых, покрытых цыпками и порезами, рук мальчишки, перенимала манеру говорить в нос, презрительно растягивая гласные, — неистребимый говорок ташкентской шпаны.

— Землетрясение слыхала ночью? — спрашивал Сергей. — Говорят, ничё тряхануло... Я дрых без задних ног...

Изучающе глядя на него, Верка повторяла беззвучно впер-вые услышанное — «без задних... ног»...

Часто в их беседы встревала бурая коровища, пожилая Вер-кина приятельница с трубным тоскливым гласом. Ее приводи-ли попастись и оставляли привязанной к толстой иве двое узбечат, — место за дувалом, на развалинах саманного дома, было травным и сочным...

И целыми днями коровища лежала на боку под плакучей завесой старой могучей ивы, примяв огромное свое вздутое нежно-бежевое вымя...

16

...А по ту сторону двора тянулся за забором дивный сад, владения одной непростой узбекской семьи. Говорили, что дед, высокий статный старик с густой и ухоженной белой бородой, служил когда-то садовником у царского генерала и получил от него эту землю в подарок. Садовник он был милостью божьей: таких яблок, груш, слив, как в его саду, не встречалось ни на одном базаре. И до сих пор я помню вкус крупной черносливины, забытой осенью на верхушке старикова дерева, сверкающим антрацитом упавшей на ослепительный первый снег.

Старик, бывало, коротко говорил: «Ха-арoший врэмя было! Тэпер такой генерал нету!» — и вздыхал.

Старшая дочь его все ругалась, что места во дворе мало, грозилась спилить гигантскую, любимую его грушу. В день, когда грушу спилили, хозяин сада умер...

А под дувалами сидели последние старики в зеленых чалмах, успевшие до Советской власти совершить паломничество в Мекку. Социализм они оценивали скептически. Перебирали четки и кривили губы: «Лучше бы инглиз (англичанин) прийшёл!»

Странно, что я помню еще старых узбечек, носивших паранджу. Когда впервые — мне было года три, — в рыночной толпе я наткнулась на этот ходячий египетский саркофаг, который несли бойко скрипучие, узкие черные лакированные сапожки, я страшно перепугалась и заорала.

— Ну что ты! — сказала соседка Маша, тонкая и сутулая, словно согнутая, женщина средних лет со странно бегающими глазами. Она жила в шестиметровой комнате в одной с нами коммунальной квартире, и мама иногда оставляла меня на ее попечение. Маша поступала практично — повсюду таскала меня с собой. Бывало, за день мы с ней и на Алайском закупимся, и к сеструхе в гости съездим (мгновенно накрытый стол, и все как полагается — нарезанное сало, пирог с капустой, водочка: — Маш, налей девке чуток, чтоб отвалилась. — Да не надо, она тихая... Еще мать учует! Оставь...)

Она похлопала меня по спине:

— Ты что, это ж просто *опá*, опушка обыкновенная!

Нет, ни к какой лесной опушке диковатое сооружение отношения не имело!

И этот страшный скрип:... иду-иду, ногой скриплю... деревян-ной ногой... отдай мою ногу, Иван-дурак!..

И лишь какое-то время спустя привыкла не пугаться длинного темного наряда с тяжелой, до пят, черной накидкой из конского волоса. Гадала с замиранием сердца: кто, кто скрывается под этой колючей накидкой? Принцесса? Страшная ведьма из восточных сказок?

Годам к шестидесятым железная тяпка советского равноправия успешно выкорчевала *мракобесие* на огороде дружбы народов. Может, какой-то прок в этом и был: позже кто-то из знакомых эмансипированных узбечек рассказывал мне, что там, внутри, под густым волосяным *чачваном*, действительно было так темно, что у женщин смолоду портилось зрение...

А с Машей я исходила в детстве множество дворов за самой разной надобностью.

Для меня до сих пор осталось загадкой — чем, собственно, занималась эта очень тихая женщина, — лет через пятнадцать ее задушили ночью в той самой коммунальной квартире, с которой мы к тому времени давно

съехали, получив теткино американское наследство, об-
глоданное до костей хрущевской Инюрколлегией.

Так вот, обычно Маша оставляла меня играть в чужом дворе и, приказав «сидеть, как про́клятая, на этом вот самом месте», — исчезала...

Я набиралась всевозможных впечатлений.

Так, однажды весьма удачно ввинтилась в большую толпу,
собравшуюся под балконом нового четырехэтажного дома. Там,
на самой верхотуре, стояла очень белая голая женщина, одной
лишь рукой придерживая сидящую на перилах девочку моего
возраста. Толпа внизу все росла, налипая друг к другу, ширилась, взбухая воплями, жужжа разговором и взвизгивая хихи-
кающими возгласами. А женщина сверху кричала что-то — невозможно было понять на каком языке. Ни одного слова я не
понимала.

— Во дает! — крикнул одобрительно кто-то из мужчин. —
Во кроет! Э-эх, отчаянная!

— Да просто бесстыжая, вот и все!

— Может, пьяная? Или сумасшедшая... Не знаете, кто это?

— Да, говорят, какая-то мать-одиночка... вроде давно
стояла на очереди, ее опять обошли... ну, она сама и вломи-
лась в квартиру... дом, видишь, готовый к сдаче... Замок взло-
мала...

— Грозится, что сейчас бросится вниз... Вон, милиция, видишь — не знают, что делать...

— Да звоните же скорее в горсовет, пусть приедут!

— Чего звонить! Граждане, расходитесь, пожалуйста, вам
что здесь, — цирк?

— Да это получше цирка будет, — крикнул, одобрительно
смеясь, кто-то из мужчин, — гораздо лучше, а, Гриша?!

В этой толпе меня и разыскала Маша. Взяла за руку, руга-
ясь, что я чуть не пропала, бессовестная, а ей потом перед
матерью ответ держать... Маша и сама еще, обшаривая окрестности рассыпающимся взглядом, поглазела на белую жен-

щину, так свободно стоящую абсолютно раздетой и так небрежно придерживающую одной рукой на перилах балкона
свою дочь...

*Странно: в то время только в бане я видела голое
женское тело, совершенно не обращая на него внимания.
Еще в папиных альбомах, но все те розовые бокастые
тетки были неживыми... А в этом дворе, в этой толпе я
бы сколько угодно долго стояла, завороженная видом
столь неуместной красоты — очень белая женщина на
фоне красной, кирпичной стены дома... Возможно, именно эта картинка и стала первым в моей жизни ненавяз-
чивым профессиональным уроком по извлечению образа
из привычной среды?*

Маша дернула меня за руку, и мы пошли со двора... А я все
думала — наверное, холодно стоять так, босой, на цементном
полу балкона?.. И только остановившись у тележки с газводой
и попросив у старухи два с крюшоном, Маша вдруг задумалась,
медленно сглотнула пунцовой игристой воды из стакана и тихо
проговорила, совсем уже не управляя своими рвущимися
врассыпную глазами:
— А ведь это Катька была... Ей-бо... — Катька!

* * *

«...О Ташкенте? Погодите... Вы меня врасплох застали... Да
и странно, ей-богу, там ведь полжизни моей прошло, как я могу — в двух словах? Давайте я напишу, ладно? Я сочинения в
школе писала неплохо, даже учительница зачитывала. И потом, это мысли организует... Ну, и все-таки я какой-никакой
издатель, пусть маленького, частного, как говорят здесь —
русскоязычного, но уже много лет выживающего издательства... Так что:
«...Лично я родилась в самом центре Ташкента.

Когда расширяли Аллею парадов, местную Красную площадь, мой роддом снесли и поставили на этом месте памятник Ленину. Потом, уже после моего отъезда в Израиль, свежие ветра политических перемен смели и памятник, а на пьедестале установили большой стеклянный шар — ташкентцы, естественно, съязвили: «Ленин снес яичко!»

Жили мы на маленькой улице Северной, недалеко от Театрально-художественного института. Архитектурой эти окрестности не блистали: дома — глиняные мазанки... Но было какое-то обаяние в нашей улочке, укрытой зеленью, тихо звенящей арыками...

На плоских крышах спали в жару целыми семьями... А на исходе лета пацаны поднимались на крыши — собирать виноград с тех плетей, которые туда взобрались... Самым вкусным было получить полуподсохшую кисточку уже заизюмившегося винограда из рук сборщиков.

А вообще фруктовые деревья сажались не только во дворах. На улицах тоже высаживали вишневые, урюковые, миндальные или сливовые деревца. Особенно красиво было весной, когда все цвело белым, розовым, лиловым цветом, и осенью было красиво: повсюду красно-желтые листья шуршат... Дворники сметали их в кучи и разжигали на рассвете костры...

Но главная особенность ташкентских улиц — чего ни в одном городе я больше не встречала — это арыки. Они разделяли проезжую часть и тротуар. На центральных улицах их бетонировали, а на всех других — просто бежала вода в глиняных бережках. И поливали улицу этой водой, и прохлада от нее шла. И конечно, в ней играли дети. В жаркий летний день подоткнешь юбку или закатаешь штаны выше колен — и броди босиком по прохладной воде сколько влезет. А еще в арыке можно было набрать глины и поиграть в туляй — это лепешка из влажной глины, ее бросали о тротуар. Если в твоем туляе возникла дырка, можно отщипнуть кусок от соседского и дырку заделать. У кого в итоге получался самый большой туляй, тот и побеждал.

...Вспоминаю наших соседей — кто на этой маленькой улице только не жил, кого там только не было: по официальной переписи населения в Ташкенте обитали девяносто восемь наций и народностей! Стихийный интернационал, «Ноев ковчег»... Удивить кого-то тем, что ты армянин, айсор, еврей, грек, татарин, уйгур или кореец, было трудно.

Молочница, носившая нам козье молоко, была украинкой. К ней однажды приехала в гости дочь с маленьким ребенком. Еврейка бы тут же заявила, что это лучшее дитя на свете. А украинка выразилась откровенно: «Ой, Лыду, яке ж воно в тэбэ дурнэ!» Стоявшие рядом узбечки тут же закачали головами и сказали, что ребенок выправится. «А я говорю — дурнэ!» — припечатала бабушка.

Как-то мы общались на всех языках понемножку. До сих пор помню, как с соседкой, татаркой по имени Венера, мы убегали от здоровенного гусака и во все горло кричали по-татарски: «Ани! Карагын!» («Бабушка! Погляди!») Иногда меня «подкидывали» на вечер соседке, узбечке Каят. Та только посмеивалась: «Менга бара-бир — олтитами бола, еттитами!» («Мне все равно — шесть детей или семь!») Несколько фраз каждый из нас знал на фарси, идишскими ругательствами щеголяли на улице с особым шиком; выражение — «Шоб тоби, бисова дытына!» тоже вошло в мой лексикон с детства. В общем, те еще были полиглоты...

Евреи о политике при детях старались не говорить («Ша, здесь ребёнок!»). А греки-политэмигранты о политике могли говорить везде и всегда. Если два грека вцеплялись друг другу в лацканы пиджаков и громко кричали, это не значило, что один оскорбил другого. Это так они говорили «при политики» (о политике). Им было хуже: дети греков понимали все, о чем говорят родители. А еврейские бабушки и мамы для конспирации переходили на идиш. Из чистой вредности я выучилась кое-что понимать. Во всяком случае, когда однажды бабушка принялась мыть косточки соседке Гале (мне было лет тринадцать): «Са ене Галька! Зи шлофт мит цвей мужчинес!», я с лукавым удовольствием поправила: «Бабуля, мит цвей менчн!» — «А ты откуда знаешь?»...

И уж евреи в Ташкенте были всех мастей: ашкеназские, бухарские, горские, крымские. Моя подружка, «крымчачка» Хана, спросила однажды: «А вы какие евреи? Русские?» — «Да, а что?» — «Вы русские, а мы — настоящие». — «Так и мы не игрушечные!» — я никогда не оставляла за кем-то последнего слова.

Когда мною овладевала охота к поездке в трамвае, я начинала канючить: «Бабуль, поехали на Воскресенский!» Так коренные ташкентцы называли место, где когда-то был Воскресенский базар (около Воскресенской церкви, в здании которой разместился кукольный театр). На площади уже давно бил фонтан в форме хлопковой коробочки, и стоял построенный пленными японцами по проекту Щусева театр оперы и балета имени Алишера Навои, а старое название еще жило.

Чего только не было там, на Воскресенском! Петушки на палочках! Разноцветные блестящие прыгучие шарики на резинке! Вертушки! Соленый и сладкий миндаль в фунтиках! Можно было обойти фонтан кругом, по барьеру, держась за бабушкину руку. Можно было опустить руки в воду и брызгаться. А чтение афиш чего стоило! — «Бабуль, кто такая Баядера?» — «Это не из нашей жизни!»

Однажды моя бабушка — она всегда и всех жалела — подобрала на улице беспризорную бабульку, которая ушла от собственной дочери. Потом конфликт с детьми (опять же стараниями бабушки) был улажен, но какое-то время Зинаида Антоновна жила у нас. Оказалась выпускницей Смольного института и взялась прививать мне хорошие манеры. Это было необычайно забавно! Реверанс делать я выучилась с легкостью. А однажды, когда вернулась с улицы в перемазанных глиной трусах, она нахмурилась и послала меня немедленно помыться и переодеться: «Деточка, запомни: у дамы белье должно быть, как для свидания в Версале!» Что такое свидание, а тем более Версаль, я спрашивать не стала, но фразу эту запомнила на всю жизнь.

Еще более причудливый тип представляла собой наша соседка в доме напротив — Вера Ильинична. Ее муж работал парикмахером, а она вела дом — пироги пекла чуть ли не каждый день. Половину готового пирога делила на кусочки и разносила соседям, умоляя попробовать: на блюдце — салфеточка, на салфетке — кусочек пирога. После землетрясения сын увез ее, уже овдовевшую, в Москву. И представляете? — она пыталась угощать своими пирогами угрюмых и замкнутых москвичей, жителей одной из многоэтажных башен на Проспекте Вернадского: звонила в дверь соседской квартиры и стояла на пороге: на блюдце — салфеточка, на салфетке — кусочек пирога. На нее смотрели как на безумную. Но никакие увещевания сына, что в Москве так не принято, не помогали: соседей надо угощать.

Жили на нашей улице и узбеки.

Участковый милиционер Гафуров обитал неподалеку в своем каменном доме, и как не выглянешь на улицу, — на рассвете или в сумерках, — он идет походкой хозяина то по одной, то по другой стороне...

Напротив жила семья профессора Аскарова. Сам профессор к тому времени сбежал к молоденькой аспирантке, а его первая жена Каромат Исламовна с кучей детей остались в доме. Приходила к нам красавица Каромат, садилась на крыльцо, обмахивалась подолом широкого узбекского платья из хан-атласа, демонстрируя цветные шальвары, жаловалась бабушке на жизнь: «Полина Семеновна, как мине всё это надоелся!»

Вообще взаимоотношения с узбеками были у нас в те времена самые задушевные. Помню свою старшую сестру, одетую в узбекское платье с бархатной жилеткой, — она на утреннике должна была танцевать узбекский танец. А я обожала надеть платье с карманами и в праздник Навруз ходить с узбечатами по домам — песни петь, получая за это что-нибудь сладкое.

Или зайдешь к соседке, чтобы позвать ее дочку играть на улице, а она тебе — кусок лепешки в руки, или изюма горсть, или орехов. Или слышишь: «Чой ичамиз!» («Чаю попьем!») Гостеприимство — один из важнейших законов узбекской жизни. И в нас, в европейцев, или, как говорил один папин сослуживец — «колониальных белых», — это тоже с годами въелось, так что стало общеташкентским стилем жизни.

Однажды посадили меня соседи за большой дастархан, плов есть. А я возьми да и попроси ложку. Моя подружка Насиба рассердилась: «Ты что, плов есть не умеешь?» Плов полагалось есть руками, сложив пальцы горстью и подгребая помаленьку к себе. Освоить это искусство — не ронять ни рисинки — было не так-то просто, но необходимо: вдруг позовут на свадьбу или на угил-той — обрезание, а ты плов есть не умеешь! И брезгливость надо отбросить за ненадобностью, если хозяин решил угостить тебя со своей собственной руки. Как говорил наш сосед, дядя Рахматулла: «Кизимкя, кушяй, мусульманский рука чи-и-истий!»

Хотя ради справедливости надо заметить, что восточная гибкость, какая-то восхитительная приемистость к перемене обстоятельств у мусульманских наших соседей поражала уже и тогда, когда этот советский интернационал казался самым прекрасным, незыблемым и единственно верным образом жизни. Одно из наших семейных преданий рассказывает, что в свое время, в 1952 году, когда Сталиным готовилось выселение евреев на Дальний Восток, к нам ночью через дувал перебралась соседка и пыталась выторговать у бабушки дом: «Полина, тебе вигонят и ни копейка денги не дадут. Лучше продай!»

А в хрущевские времена у тех же дувалов паслись бесхозные ослики. Вышел такой идиотский указ — запрет на содержание крупного скота в городских домах. Что делать? Коров прирезали, а ишаков куда? Просто повыгоняли...

Переломным моментом в истории Ташкента стало землетрясение 1966 года. Многие рассказывают, что были трещины в земле, — такого не припомню. А вот как гудела земля перед толчком — помню отчетливо. Бабушка, перед тем как выскочить во двор, аккуратно застелила кровать, и это годы спустя вспоминали в семье с неизменной улыбкой.

Говорили, что не такие уж тотальные были разрушения, чтобы с лица земли весь город снести, но, видно, где-то там, «наверху», решили сделать из землетрясения образцово-показательное мероприятие, апофеоз дружбы народов, не понимая, что настоящая дружба народов — это и было то золотое равновесие, которое являл старый Ташкент, великий Ноев ковчег, в котором ругались, любились, дрались, воровали и праздновали — каждый свои, а заодно и чужие — праздники, и плыл он себе в океане вечности, рассекая волны; плыл, неся на своих палубах всю свою живность, всех чистых и нечистых, равных и неравных, а главное, всех, кому в нем было хорошо и кто не помышлял покинуть его, палимые зноем, палубы...

Ну и навалились всей страной.

Целые кварталы типовых застроек вырастали на пустырях за считаные месяцы. В центре города поставили бронзовый памятник: мускулистый мужчина в тюбетейке, а за его спиной — женщина с ребенком. Он протягивает руку жестом, как бы ограждающим от беды, но слишком уж похожим на отталкивающий.

Сей монумент тут же прозвали: «Памятник отцу-алиментщику».

А к другому памятнику — Юрию Гагарину в одноименном сквере — сочинили эпиграмму: «Тебе, Ташкент, Москвой подарен огромный хрен, на ём — Гагарин». Так-то: нам, ташкентцам, палец в рот не клади! Наш сосед дядя Гриша сходил посмотреть на этот памятник и вернулся недовольный: «Это ж безовкусица!»

Конечно, наша жизнь была не такой идиллической, какой издалека вспоминается. Молодые узбеки пытались приставать практически к любой «европейской» девушке. Пойти, скажем, на ежегодный карнавал можно было только в большой компании, одной — ни в коем случае, замучают приставаниями. Вообще, в Ташкенте были места, куда женщине лучше было не соваться. В частности, в чайхану — это была мужская вотчина. В чайхане не только ели и пили чай. Там и травку покуривали... — вился, вился запашок, отпугивая чужих, — кого, может, и тянуло заглянуть в чайхану, выпить зеленого чаю в жаркий день.

В чайхане, кстати, часто устраивали состязания острословов — «аскию». Один смешное слово скажет, другой подхватит — и все хохочут. А хохотали узбеки так смачно, что непривычные люди на улицах вздрагивали. Высмеять, подшутить — это было в народных традициях, обижаться при этом не полагалось, надо просто немедленно отбрить задиру ответной шуткой. Словом, что-то вроде кавээновской разминки, только без тридцати секунд на обдумывание.

Недавно я вспоминала свои детские книжки издательства «Юлдуз»: герои русских сказок там были уморительно похожи на узбеков. До сих пор помню скуластую Марью-царевну с бровями «чайкой» и слегка раскосыми глазами...

Мне часто Ташкент снится: платаны, карагачи, тополя... воздух его, вкусная вода... Светает, смеркается... — участковый милиционер Гафуров идет по улице...

И все снятся и снятся эти розовые корни деревьев, шепот арыков, нежный шелк струящихся в воде водорослей...

Наверное, человеку свойственна привязанность к местам своего детства и юности... Может, потому, что в них, как в зеркале, как на глади озера, запечатлен твой образ в те годы, когда ты был счастлив... А если и зеркала того уже нет? Если исчезли с лица земли те улицы и здания, деревья и люди, которые тебя помнили? Это неправильно, знаете... Города должны жить долго — дольше, чем люди. Они должны меняться постепенно и величаво, строиться основательно и не наспех, улицы и площади называться раз и навсегда, памятники — стоять незыблемо... Это плохо, когда человеческая память переживает память города, да еще такого обаятельного и милосердного города, каким был Ташкент, который всех нас берег и хранил, а вот мы его — не сохранили...»

17

Летом и осенью огромный Веркин двор жил бурной коммунальной жизнью. Посиделки, перепалки, мордобои, сплетни, обсуждения международного положения — все это выносилось на крылечки, на сколоченные из досок и врытые в землю скамейки.

Едва ослабевал азиатский млеющий зной, едва длинные тени от урючин и яблонь сливались и густо застилали щербатые дорожки из рыжего кирпича, из окон домов выползали черные змеи резиновых шлангов. Толстые и потоньше, скрепленные на стыках белой алюминиевой проволокой, они протягивали к земле раздвоенные языки воды, и земля жадно подставляла под холодные струи сухую горячую спину. И когда прибивалась пыль и напивалась земля, в воздухе возникал и плыл, вливаясь в раскрытые зарешеченные окна домишек, тонкий и порочный запах «ночной красавицы» — маленьких красно-лиловых цветков, похожих на крошечный раструб граммофона.

Из дверей выносились на улицу столики, кресла, табуретки... Кто-то и самовар разжигал...

Двор как кастрюля вскипал голосами, смехом, вскриками, визгом ребятни, окриками матерей, двор гудел, напевал, выплескивал из окон звуки радиол. Бабка Соня каждый вечер просила зятя Рашида ставить ее любимую — «На позицию де-евушка провожала бойца...». Он ставил, не мог возразить. Был человеком мягким и уступчивым, хотя и ругачим. Ставил пластинку толстыми своими пальцами долго, сопя, не сразу попадая дырочкой на никелированный штырек, вздыхая и бормоча: «Собака ты, собака...»

* * *

В двух зажиточных семьях уже имелись телевизоры «КВН» — маленькие, с квадратными экранами, с дутыми линзами перед экраном.

Умелец Саркисян иногда пускал «посмотреть» на мерцающий телевизор — если бывал в хорошем расположении духа и в ладу с супругой. В комнату набивался народ со двора, приносились стулья, табуреты, садились друг к другу на колени, полулежали на полу. Саркисян — маленький, верткий, в дырчатой майке и синих бриджах — то и дело ревниво подскакивал к телевизору: «наладить» — подправить линзу, крутануть какую-нибудь ручку. Саркисян гордился собой, своим телевизором, комнатой с синими бархатными портьерами, суровой женой Тамарой, детьми — Лилькой и Суреном, но главное — телевизором. «У меня "цветной"», — сдержанно добавлял он. Цветной — это делалось так: добывалась где-то твердая прозрачная пленка с тремя цветными полосами, красной, синей и желтой, и лепилась на линзу перед экраном. Таким образом лицо киногероя или диктора новостей, и без того обезображенное линзой, одутловатое, становилось и вовсе жутким — лоб и волосы мертвенно синими, глаза и нос красными, как у вурдалака, а рот и подбородок ярко-желтыми.

Но какой восторг перед чудесами прогресса испытывали все зрители — от бабки Сони до шестилетней Верки!

Саркисян славился во дворе любовью к семье и твердыми моральными устоями. Каждое лето он отправлял жену с детьми к родным в Армению, а сам принимался за ремонт.

— Саркисян опять впрягся, — с уважением говорил кто-нибудь, следя за тем, как ворочает маленький Саркисян большие мешки с алебастром.

— Семьянин! — замечала бабка Соня таким тоном, словно Саркисян носил это звание официально, как звание чемпиона или лауреата. — Семьянин!

Саркисян и вправду обладал выдающимися семейственными достоинствами. Он волок на своем горбу семью сестры жены Тамары, обе четы дряхлых родителей, а главное — опекал и страшно любил своего несчастливого брата Вазгена, инвалида детства. Четырнадцатилетним мальчиком Вазик попал под трамвай. Мачеха послала его за маслом в магазин, он по пути заигрался с пацанами в «лянгу», а, спохватившись, помчался, боясь ее гнева — магазин мог закрыться. Ему отрезало обе ноги выше колен. И это горе согнуло его, скрючило в безвольного злобного алкоголика. Младший брат был главной ношей трудяги Саркисяна. Дважды в день Вазику носили кастрюльки с горячим.

Однажды летним днем, в жару, уже пятнадцатилетняя Лилька принесла ему приготовленную матерью долму. Она отперла дверь своим ключом, вошла и увидела Вазика спящим на балконе. «Понимаешь, — рассказывала она лет пятнадцать спустя Вере, с которой до того не виделась примерно столько же, — он лежал на коротком матрасике, без протезов, беспомощный такой, — полчеловека».

Недели за три до смерти он поскандалил с братом, с благодетелем. Явился пьяным, орал на весь двор немыслимые гадости. Ну и Саркисян не вынес публичной обиды, прогнал его с глаз долой. Лилька в то время готовилась к свадьбе. Она как раз ехала в трамвае, возвращалась с женихом из магазина, где по талонам покупали ему черный жениховский костюм. На задней скамейке полупустого трамвая трясся пьяный Вазген. Увидев племянницу, поднялся, проковылял на костылях по вагону и, перед тем как выйти, бросил ей, гадливо улыбаясь: «Тварь!»

Спустя неделю Вазик повесился и висел три дня. Какой-то его собутыльник вошел в незапертую квартиру, увидел висящего Вазика, прибежал к Саркисяну:

— Поди, вынь брата из петли!

Тот пошел, вынул...

В этот день у Саркисяна поседела вся левая сторона груди. Жена Тамара ходила по соседям, плакала, шепотом рассказывала о несчастье; когда доходило до поседевшей половины Саркисяновой груди, она прижимала ладонь к монументальному бюсту, и тогда казалось, что Тамара, в своем стремлении к наглядности, сейчас вывалит на сочувственное обозрение соседей свою левую грудь.

А года через три Лильку привели к гадалке. Тем летом у нее пропал муж, и Лилька бегала и искала его повсюду. Гадалка сказала, что муж вернется к ноябрю, он и вернулся, — не о нем, кобелине, речь. А гадалка была неописуемая, и кроме всего, вертела блюдечко — вызывала духов. И Лилька вызвала Вазика — она все мучилась, ей казалось, что он, который с детства был ей как брат, не говорил того слова, в лязге трамвайном почудилось. Блюдечко вертелось, дергалось, подпрыгивало. Это явился Вазик. Разом вспотевшая, Лилька спросила высоким дрожащим голосом:

— Вазик, ты какое слово сказал мне в нашу последнюю встречу?

И блюдечко завертелось, выстраивая по буквам: «Т-в-а-р-ь!»

Так о ремонте.

Ремонт Саркисян неизменно делал своими руками, хотя работал на стройке прорабом и имел в этом деле неограниченные возможности. Каждый год придумывал что-нибудь новенькое.

— Этот год накат делаю, — устало сообщал он ближайшему соседу справа, Рашиду. Сидел на крыльце, запачканном известкой, — в старых, заляпанных этой же известкой, бриджах, гордо и удовлетворенно выкуривая папиросу. — В столовой пущу желтый колокольчик по красному полю, наискось, в спальне — синий квадрат на зеленом круге. Красиво будет...

— Саркис, желтый колокольчик бывает разве? — лениво улыбаясь, спрашивал Рашид.

— Э-э, — махал на него рукой Саркисян. — Смотри, лентяй, пять лет на косое крыльцо выходишь. Ты какой хозяин, а?..

Подробности ремонта любила выспрашивать бабка Соня. Делала она это из какого-то самозабвенного злорадного самоистязания, понимая, что ее зять Рашид никогда не достигнет таких высот, — нет, всю жизнь он готов жить в обшарпанных стенах.

— Саркис, а пол? — жадно расспрашивала она. — Шпаклюешь?

— А как же нет! — обижался Саркисян, одновременно понимая, что нельзя обижаться на эту бедную, и так обиженную судьбой старуху. Он сплевывал, щелчком отправлял окурок в кусты мальвы, стеною растущие у забора, и перечислял, загибая пальцы:

— Шпаклюю, чтоб иголка не прошла. Так? Теперь: крашу в ореховый цвет. Такой цвет достал! Маме такой желаю, Соня, поверь. Теперь: жду три дня, чтоб высохла. Так? Теперь: а-астарожна, лаком крою, и еще раз крою, и еще раз крою, Соня! Три раза, поверь, не пожалею лака! Кому жалеть, Соня? В этом доме мои дети растут, и внуки жить будут. Меня отсюда вынесут, Соня, кому жалеть лака?! Три раза, говорю, крою. А как иначе?

— Как зеркало будет, — с горькой радостью подводила итог бабка Соня. — Ты семьянин, Саркис.... А он, — легкий кивок в сторону собственных окон, — будет в хлеву жить. Ему так нравится...

Еще лет через пять бабка Соня одряхлеет настолько, что перестанет подниматься вовсе, и ненавидимый ею зять Рашид будет ворочать ее, мыть, менять под ней пеленки, ставить затертую любимую пластинку, по-прежнему не сразу попадая дырочкой на никелированный штырек.

«На позицию де-е-вушка провожала бойца»...

«Собака ты, собака, — вздыхал он, стирая загаженные старухой пеленки. — Собака ты, собака...»

* * *

Летом двор полон был знойной райской жизнью. Он гудел и вибрировал этой жизнью, как улей со сладостным медом. Со всего света слетались на кусты сентябринок крохотные цветные бабочки, цепкие и доверчивые. Босиком, с замершим сердцем, Верка кралась к кусту, где на звездчатом, голубом с желтой сердцевиной, цветке колебалась от ветерка сине-вишневая, в черных крапинках, бабочка; плавно заносила руку, нежно и убийственно точно брала ее чуткими пальцами, и, ощутив на мгновение замшевую, трепетную дрожь крылышек, отпускала на свободу яркое крохотное чудо, чтобы в следующую минуту, проследив глазами нервный пунктирный полет крупной капустницы, красться к месту ее оцепенелой передышки и вновь с замершим сердцем заносить руку.

Это биение в собственных пальцах чужой хрупкой жизни, ощущение собственного могущества волновало ее необычайно. Были минуты, когда ей хотелось распорядиться этой жизнью: оторвать крылышко или приколоть бабочку к картонке, как это делали многие ребята во дворе, но каждый раз девочку удерживало смутное чувство, которое никогда бы она не смогла объяснить. Была ли это жалость к мимолетной яркой жизни, думала ли она в эти минуты о карающей руке матери, которая частенько напоминала дочери о своем могуществе? Скорее всего, то было ощущение непобедимой, животной, всеобъемлющей радости, когда ты уверен, что все на земле непостижимым образом крепко переплетено между собою. Детское ощущение мироздания сродни религиозному. Нельзя было обидеть крохотное существо, ведь точно так же кто-то мог обидеть и Верку.

185

По двору, испепеляемому лютым солнцем азиатского лета, можно было путешествовать без конца.

Кирпичи обжигали босые ступни, даже в сандалиях было горячо. А если уж в подошве случались дырочки, а это часто случалось — подошвы протирались недели за две («классики», опять же прыганье через веревку — все шаркающие игры), а сандалии куплены на все лето — то уж терпи или беги в тень, отдергивая от земли лапки как лягушонка.

В дальнем углу, за сараями, возле ржавых баков, у дощатого забора раскинулась великолепная помойка. Таила она множество чудес. Однажды Верка наткнулась там на картонную коробку в форме сердца, выстланную изнутри грязноватым белым атласом. В углублениях коробки покоились два пустых граненых флакона из-под духов «Красный мак»: один большой, другой поменьше, и оба с чудными гранеными крышечками. От флаконов тонко пахло пролитыми некогда духами, и этот нежный запах соперничал с могучей вонью помойки и удивительно гармонично сливался с нею.

Это была царская находка, и ей долго завидовала Лилька, дочь Саркисяна, с которой Верка подруживала иногда, если Лилька придерживала свой дрянной характер.

Подобные находки на богатейших просторах помойки наводили Веру на некоторые размышления о жизни. Например — кому из жителей двора принадлежала изящная коробка? Вероятно, учительнице музыки, которая жила в третьем, если считать от бабки Сони, доме. Учительница склонялась уже от средних лет к пожилой поре, но все еще красила губы, подчеркивала пояском набрякшую талию.

К ней каждый день ходили ученики — мальчики и девочки с нотными папками. Они аккуратно шли по кирпичной дорожке к дому, огороженному низким зеленым штакетником, и уже по благонравной походке видно было, что они во дворе чужие... Каждый раз, когда кто-нибудь из учеников с нотной папкой попадался Лильке на глаза, она делала равнодушное лицо и замечала: «Мне папа тоже хочет пианину купить, а я — ни в какую!»

Из домика доносились наводящие оторопь гаммы. Иногда сама учительница играла полонез Огинского — и тогда горькая польская тоска странным образом сливалась с грешным запахом «ночной красавицы» и кружила по двору, кружила...

В противоположной от помойки стороне краем двора протекал арык — довольно широкая канава глубиною с метр. Он выныривал из-под забора, ходко бежал метров пятьдесят вдоль стены высоченных кустов бархатно-вишневой и нежнолиловой мальвы, добегал почти до ворот и снова нырял под забор.

Верке арык казался глубокой речкой, «с ручками и с ножками». В жару ребята постарше не вылезали из него целыми днями.

Однажды Верка увидела на дне его бумажный рубль. Да, целый рубль, а если учесть, что случилось это уже после реформы, то можно представить, какие это были огромные деньги. На рубль можно было купить всю вселенную: красного липкого петушка на палочке — их продавала на углу черная, иссушенная жарою узбечка; белые хрупкие, крошащиеся в пальцах шары жареной кукурузы; липучки, перевито раскрашенные, как купола собора Василия Блаженного на праздничной открытке; туго выдутые из аптечных сосок пузыри. (В пузырях перекатывались сухие вишневые косточки. Пузыри гремели как мексиканские погремушки. С пузырями можно было «делать Кармен». И Лилька бы сдохла от зависти, и пусть бы она подавилась своим телевизором и своим кукарекающим котом в сапоге!)

А сколько газировки можно было выпить на сдачу с этого рубля — да тут обопьешься и лопнешь!

Удивительно, что она первая обнаружила сокровище, удивительно, что в те минуты — а было уже время, когда день растворялся в сумерках, — никто из ребят не плескался в воде и не околачивался здесь, возле забора. Голоса доносились откуда-то с противоположной стороны двора, из-за кустов мальвы и сентябринок. По внезапным воплям можно было заключить, что люди яростно и самозабвенно играют в «казаки-разбойники».

Лежа на животе, низко перегибаясь к воде, девочка палкой пыталась зацепить рубль. По дну арыка стелилась и волновалась по течению темно-зеленая трава. Сквозь прозрачную бегущую воду видны были скользкие коряги на дне, тускло отсвечивающая консервная банка, множество бутылочных осколков, о которые частенько ранила босые ноги ребятня. Рубль зацепился за одну из коряг. Течение играло им, волнующаяся бумажка была похожа на извивающуюся пиявку, она то облепливала корягу, то раскрывалась как раз той стороной, где написано было «1 рубль». Толща прозрачной воды над ним придавала зрелищу призрачное волшебство. Кроме того, существовала опасность, что в конце концов драгоценная бумажка отцепится, поплывет по течению и безвестно сгинет за забором. И вся вселенная, заключенная в ней, — и липучки, и петушки, и тугие надувные пузыри, — сгинет в дальних странствиях, в неведомых морях.

Нет, дальше медлить было невозможно. Верка скинула сандалии, схватилась одной рукой за ветку ближнего к воде куста и, осторожно нащупывая ногою дно, стала спускаться, вернее соскальзывать в арык, не сводя глаз с колеблющегося на дне рубля. Когда наконец обеими ногами она стала на дно, выяснилось, что тут ей вовсе не «с ручками». Но вода доходила до подбородка, так что приходилось задирать голову, чтобы не нахлебаться.

На ощупь она добралась до заветной коряги. Требовалось сделать еще один-единственный шаг, но для этого пришлось бы выпустить ветку, а как тогда выбраться на берег?

Ах, драгоценная желто-зеленая рыбка, только не уплыви, не исчезни, достанься мне, мне, я так люблю тебя заранее!

Минут десять девочка стояла в воде, достигающей подбородка, и пыталась ногою дотянуться до коряги. Вода уже вовсе не казалась ей теплой и ласковой, хотелось поскорее завершить рискованное предприятие и выбраться на землю.

Она отпустила ветку и шагнула к коряге. Не сразу, зажав гибкими пальцами правой ноги скользкую бумажку, стоя на одной левой, она перехватила рубль рукой и, крепко сжав его в кулаке, перевела дыхание и огляделась... Все шло отличнейшим образом. Капитан Сильвер достиг желанного острова и вырыл сокровище, закопанное двести лет назад испанскими конкистадорами. Оставалось только запастись водой и съестными припасами да набрать новую команду по портовым тавернам, предварительно перестреляв старую.

Вдруг что-то скользкое и тугое крепко обвило ее ногу и тут же отпустило. «Змея! Водяная змея!!» — поняла Верка. Дернулась всем телом, заорала и с головой ушла под воду.

Она барахталась, воя, хрипя, булькая и пытаясь дотянуться до слабой поросли травки на берегу. Странно, что теперь почти невозможно было нащупать ногами дно. Может быть, этому мешали ужас и омерзение. При этом, молотя по воде кулаками, Верка не выпускала заветного рубля.

Вдруг ее схватили за волосы, дернули, потянули, перехватили под мышками, какая-то сила потащила ее вверх, вытянула на берег и больно проволокла животом по мелким камушкам и колючкам...

...Она сидела на траве и хныкала, из носу текло по лицу, по содранному животу, с волос бежала вода. Над ней стоял большой мальчик из ремесленного училища и носком ботинка подталкивал ее как дохлую мышь:

— Дура! Встань, шо расселась! Шо в арык полезла, щас утопла бы, к ляду!

Да пусть бы он и вовсе пинал ее своими ремесленными ботинками и ругался хуже, чем мать, даже и тогда Верка испытывала бы к нему величайшее доверие и благодарность.

Он опять легонько поддал ей в бок носком ботинка:

— Шо ты там забыла, придурошная? Купалась, что ль?

Она замотала головой, улыбнулась и, глядя на него снизу вверх, разжала кулак с мокрым комочком рубля.

— Ого! — воскликнул он, схватил рубль и разгладил его на ладони.

— Молодец, выловила... — помахал бумажкой в воздухе, подул на нее. — Щас высохнет... — помолчал и искоса взглянул на Верку. Девочка все еще сидела на траве — худая, в мокрых, облепивших тело сатиновых трусах. Она тихо икала и, блаженно улыбаясь, смотрела вверх, на могущественного человека.

— Ну ладно, топай домой, — хмуро велел он, — а то, вон, совсем синяя...

Верка поднялась и доверчиво протянула руку за своим так тяжко добытым трофеем.

— Ты шо? — ухмыльнулся парень. — Да это мой рубль, поняла, головастик? Я его здесь утром посеял. Давай, проваливай! Надоела...

Ничего еще не поняв, Верка в молчаливом недоумении глядела на него. Она ждала, когда могущественный благородный спаситель отдаст ей ее сокровище.

— Ну, шо зенки вылупила? — крикнул он нетерпеливо. — Это мой рубль, ясно? — сунул бумажку в карман форменных брюк, повернулся и пошел в сторону ворот.

— Отдай, — тихо попросила Верка, все еще не веря, что ее так страшно обидели. Побежала следом, повторяя: — Отдай, отдай... — В мокрых трусах было холодно, струйки воды сбегали по зябнущим ногам.

— А ну, пошла отсюда, придурок! — негромко и зло бросил он. — А то щас врежу!

— Отдай! — упрямо повторила девочка, глядя умоляющими глазами.

Он быстрым бреющим движением смазал ее по затылку.

— Еще?! — спросил, — или отстанешь?

Но Верка была привычна к побоям. Она уцепилась обеими руками за форменную куртку, бормоча исступленно: — Отдай, отдай, это мой рубль, я нашла!

Он стукнул ее еще несколько раз — не очень сильно, но когда понял, что эта липучка не отцепится, ребром ладони что есть силы рубанул по худым рукам, не отпускавшим полу его куртки. Она взвыла, затрясла руками. А он, рассвирепев по-настоящему, бил ее уже от всего сердца, кулаком, по плечам, по голове. Наконец пнул по ногам, и она повалилась на землю, лицом в пыль.

Он повернулся и пошел.

— Сволочь!! — крикнула она с земли, задыхаясь от ненависти. — Гад, сволочь!!

— Шо-о-о? — изумился он. — Ах ты ж!.. — Подбежал, но не стал бить, а уселся верхом ей на спину. — Ну? Повтори, сучонок, шо-та я не расслышал?..

Верка лежала лицом в пыли. Пыль набивалась в рот, в ноздри к тому же она ударилась о камень и перед глазами из носа в пыль натекала бурая лужица крови. Грудная клетка была сдавлена под тяжестью сидевшего на ней верхом парня. Ненависть остро и больно перекатывалась в животе, булькала в горле.

— Ну?! — он подпрыгнул и больно придавил задом ее спину. — Ну, повтори!!

Надо было молчать, молчать, лежать как мертвая. Тогда он встанет когда-нибудь, поднимет когда-нибудь с ее спины проклятый свинцовый зад.

— Сволочь!! Гад!! Ворюга! — плача и кашляя, повторила она ртом, полным пыли и крови. — Сволочь проклятая! Чтоб ты сдох! Чтоб тебя разорвало!!

— Ладно, — сказал он удовлетворенно. — На! — И снова ребром ладони рубанул ее несколько раз по шее, по спине, — как отбивают кусок мяса для биточков.

Но видно, ему надоела глупая возня с этой злобной глистой. Он поднялся, поставил ногу в ботинке на ее тощую как у кильки спину. Придавил легонько.

— Лежи! — приказал он, — а то весь встану, враз подохнешь!

Она лежала, молчала. Пыль набилась в рот, в горло, в сердце. Серая пыль была в сердце, и хотелось умереть.

Тогда напоследок он наклонился, оттянул резинку ее сатиновых трусов, и, когда обнажилась белая озябшая попка, смачно харкнул на нее, захохотал и пошел прочь...

...Верка долго лежала на земле в темнеющем дворе, слыша, как где-то за кустами мальвы и сирени раздаются голоса детей, играющих в «казаки-разбойники». Земля остыла от дневного жара и глубинным холодом проникала в щеку, в грудь и в живот...

* * *

Наконец она села, потрогала щеку, распухшую губу и пьяный зуб. Покачала его немного грязным пальцем, попробовала потянуть, но решила оставить это огромной важности дело на завтра.

Над высокими кустами мальвы желтым тусклым оком глядел на девочку фонарь из-под жестяного колпака. Из окон дома учительницы музыки изливался полонез Огинского. Со всех концов двора, из окон, с крылечек матери созывали детей зычными, пронзительными, грозно спохватившимися голосами. Тут девочка различила голос и своей — надсадный, словно измученный.

— Веерка-а-а! — звала мать и голосом обещала расправу. — Ве-е-ерка-а!!!

Вера знала, что после каждого такого зазыва мать добавляла негромко:

— Ну, явись только, сволочь!

Она поднялась с земли и поковыляла к дому...

| ЧАСТЬ ВТОРАЯ |

*Город становится миром, ко-
гда ты любишь одного из жи-
вущих в нем...*

Лоренс Даррелл. Жюстин

18

...Вот тут бы мне и отпустить ее на все четыре стороны. Расстаться, отлепиться от нее наконец, тем более что никаких особых симпатий я к ней никогда не испытывала. Странно, что я все еще прижимаю ее к себе, как заложника, которого тащат к самолету (катеру, машине...), чтоб под прикрытием его тела скрыться... куда? Ведь давно уже ясно, что скрыться мне не суждено... Тогда зачем я волоку ее по этим страницам и даже, кажется, пускаюсь с ней в какие-то выяснения отношений?..

Да это я, я ходила к той пожилой учительнице музыки в Веркином дворе, это я чинно шла по кирпичной дорожке, прижимая к животу нотную папку с вечно оторванной веревочной ручкой! Это я, вы слышите, я играла «Полонез» Огинского!

* * *

Непреклонно мое лицо на фотографиях тех лет... Беззащитный и одновременно вызывающий взгляд, угловатые скулы, слишком густые, мальчуковые брови: изнуряющий и неостановимый бег взапуски остервенелых хромосом, — жалкое существо, угнетенное служением прекрасному искусству, будь оно проклято...

Мое созревание, — то есть настаивание цыплячьего мозга на спирту и специях жизни колониальной столицы, — сопровождалось видениями. Самая обыденная вещь — сценка, случайная тающая фраза в уличной толпе, обиходная деталь быта вдруг высекали во мне сверкающую искру, и я впадала в прострацию. Нежный подводный гул в ушах, давление глубинной толщи, парное дребезжание воздуха, какое в жару поднимается над раскаленным песком, сопровождали эти непрошенные медитации. Так, однажды на уроке физики я вылетела из окна и совершила два плавных круга над школьной спортплощадкой — где-то я уже писала об этом.

В другой раз дивный пейзаж на щелястой стене деревянного нужника в углу полузаброшенной стройки ослепил меня по дороге из музыкальной школы. Пейзаж, пейзаж. Я имею в виду буквально: картину. Почему-то я не остановилась внимательно осмотреть находку, а, прижимая к тощему животу нотную папку, прошла мимо, только выворачивая назад голову, пытаясь удержать чудное видение (гул в ушах, вибрация воздуха...). На следующий день никакого пейзажа не оказалось.

Мною овладело обморочное отчаяние, тоска по зефирно-фарфоровым красотам загробной жизни. Сейчас я думаю, что это была мазня одного из рабочих — почему бы и нет? Вероятно, он вывесил картину сушиться, после чего снял. Словом, сегодня меня ни на йоту не заинтриговали бы подобные приключения моего воображения. А в то время я жила глубоко и опасно. На грани умопомешательства, как многие подростки.

Кроме того, я была скверной ученицей, и многие учителя натягивали мне лицемерную тройку только из корпоративного сострадания к маме, авторитет которой в педагогическом мире города Ташкента был очень высок.

Я храню свою характеристику за 8-й класс, написанную классной руководительницей Анжелой Николаевной. Вот она, слово в слово:

«Ученица 8-го «а» класса (такая-то) — девочка средних способностей. Однако, вместо того, чтобы приналечь на учебу, внимательно слушать материал, обращаться за разъяснениями к учителю или более способным и успевающим ученикам, она на уроках витает в облаках, не ударяя палец о палец... Если такое продлится и дальше — трудно сказать, что выйдет из этой ученицы. Она может пойти по плохой дорожке, которая приведет ее к непредсказуемым событиям в жизни».

Этот листок бумаги хранится у меня в папке с разными дипломами, газетными и журнальными интервью, уведомлениями о присуждении мне литературных премий, письмами от зарубежных издателей... и прочим **бряцанием славы**... *По-моему, есть в этом соседстве нечто назидательное: пусть мои безалаберные потомки видят, из каких низин,* **не ударяя палец о палец**, *может подняться человек...*

Недавно я повстречалась с Анжелой Николаевной на своем выступлении — где бы можно представить?! — о, в Амстердаме: сын завез, работает там в какой-то фирме... Милая старушка, вполне сохранная: «Слежу за тобой, горжусь, — со слезами на глазах повторяла она, — всем хвастаюсь, что...»

Конечно, я надписала ей книжку. В конце концов, ведь она оказалась совершенно права — разве подобную встречу можно было в 68-м году считать **предсказуемым событием в жизни**?

Вот он, передо мной, мой **Урта маълумот тугрисида аттестат**, *не скрывающий маминой печали:*

199

Алгебра ва элементар функциялардан — 3 (урта)
Геометриядан — 3 (урта)
Физикадан — 3 (урта)
Химиядан — 3 (урта)
Биологиядан — 5 (аъло) — это описка. Конечно же, и биологичка, измученная моим вечным **непротивлением неприсутствия** на уроках, но хорошо знакомая с мамой, скрепя сердце, пошла на служебное преступление, нарисовав мне тройку. А рядовая чиновница гороно, выписывая аттестат, вероятно, отвлеклась на чай с парвардой, в виду чего повесившая нос горбатая сирая тройка приободрилась и нагло заломила чуб назад.

Что интригует меня не на шутку — так это оценка по астрономии: пятерка. Трудно поверить, что я раскрывала когда-либо какой-то учебник, пусть даже и звездно-планетный. Значит ли это, что пожилой преподаватель **астрономиидан** разделял точку зрения классной руководительницы на то, что я **витаю в облаках**? И настолько одобрил это сомнительное времяпрепровождение?

* * *

Все мое отрочество — постоянное выпадение в транс. Провалы в какие-то колодцы подземной блаженной темноты, сладостное оцепенение и разглядывание себя изнутри: атласное дно закрытых глаз с бегущими вбок снопами изумрудно-оранжевых искр. Своего рода защитный экран от вечно раскрытых перед носом, засиженных черными головастиками нотных листов.

И сегодня, спустя сорок лет после начала музыкальной эпопеи, я все еще не собралась с духом для решающего поединка с моим Проклятым Рабовладельцем. Возможно, потому, что исход этого поединка мне известен заранее.

Что может быть страшнее и нереальнее экзамена по фортепиано? Дребезжание рук, ускользание клавиатуры, дактило-
скопические следы от вспотевших пальцев на узких спинках
черных клавиш, оскорбительное забывание нот. Что вообще
может сравниться по издевательству и униженности с твоим,
непослушным тебе, телом?

Поджелудочная тоска, тошнота в суставах, обморочный заплыв глаз — так, как я боялась сцены, ее не боялся никто. Я
выплеснула из себя в детстве и юности прибой этого горчично-
го ужаса, выдавила этот предсмертный липкий холод из застывших пор. Мне уже ничего не страшно. Я видела все. Я возвратилась из ада.

* * *

Поэтому никогда не волнуюсь на своих литературных вече-
рах.

Нет, все-таки о музыке надо подробнее.

Она началась с несчастного американского наследства: где-
то в нереальном капиталистическом Нью-Йорке, городе желтого дьявола, умерла папина тетка, покинувшая Россию тогда,
когда ее непременно стоило покинуть — в сумбурном начале
века. (Тут даю подножку своей бегущей памяти — дед сказал
бы на этом месте: «Ее стоило покинуть — всегда». Но бегущая
память, споткнувшись, несется дальше.) А дальше следы Ро-
зочки Ашкенази заросли травой забвения, как это и положено
было в то время. Но не полного забвения. Неизвестно, откуда,
кто и как доносил до семьи смутные сведения — она начинала
с изготовления и продажи искусственных цветов в бедных квар-
талах Бруклина, получала небольшие заказы на ремонт одежды
в маленьком ателье, со временем стала ведущей мастерицей,
затем вошла компаньоном в дело — когда хозяйка открыла
большое ателье мод... Словом, старуха процвела! Да что это

я — «старуха»? А, вот в чем дело: будучи-таки уже бездетной старухой и владелицей нескольких крупных ателье, она сошлась с каким-то жиголо, молодчиком, который обобрал ее еще при ее жизни... Во всяком случае, сумма, оставшаяся после любвеобильной старухи, вышла не миллионной, нет. Но достаточной, чтобы начать в Америке трезвую здоровую жизнь. Однако в Советском Союзе — а это была эпоха Хрущева — назревала денежная реформа, и рачительная Инюрколлегия подсуетилась с вручением наследства моим лопоухим родичам как раз тогда, когда сто сорок тысяч долларов превратились в четырнадцать тысяч рублей. Согласно новому курсу партии и советского рубля. Эту сумму сорока-воровка разделила между тремя братьями — отцом и двумя моими дядьями.

На причитающуюся нашей семье долю был внесен первый взнос в кооператив за трехкомнатную квартиру в Шестом квартале жилмассива Чиланзар, а на оставшиеся деньги торжественно куплено пианино «Беларусь». С воцарением в доме черного полированного ящика, в откинутой крышке которого многие годы затем неустанно отражалась моя оцепенелая тоска, началась новая, музыкальная эра в семье.

Сначала целый год двумя трамваями с пересадкой я ездила на другой конец города к учительнице музыки. Стояла необычно холодная для Ташкента зима — на мое детство их выпало две, кажется... От трамвая до дома учительницы еще бежала минут двадцать по морозу. Зачем? Не могу вообразить, чтобы я отправила свою дочь ехать трамваями в такую даль, зачем бы то ни было. (Правда, по мнению всех родственников, моя дочь невероятно разбалована, да и нет трамваев в наших иерусалимских краях...)

Зато перед уходом учительница заставляла меня выпить стакан горячего чаю. «Из дому надо выходить с запасом тепла», — говорила она, и одной этой фразой вот уже сорок лет прочно обитает в моей памяти.

Итак, к учительнице минут двадцать надо было бежать петлястыми переулками и заброшенными пустырями. Бог знает —

какие опасности ждали там восьмилетнюю девочку. Раза два я чудом ускользала от обидчиков. Господи, во имя чего все это было, — во имя «Полонеза» Огинского?

Помню, как однажды заметелило и долго, долго не было сначала одного трамвая, потом минут сорок я стояла на пересадке на Госпитальном рынке, ждала другой, потом, подвывая, бежала в бушующей снежной пене домой...

Когда позвонила в дверь, мама открыла и сказала бодро:

— Замерзла? Иди пирожки с картошкой кушать!

Я сидела за столом с тугой картофельной щекой, каменные коленки сладко отмерзали, пальцы ног болели, за окном крутила, юлила, валила мучная, свитая в косицы и веревки, сволочь, и я поверить не могла, что еще несколько минут назад погибала (в этом я была уверена!) там, одна, на дороге.

Детское одиночество — я говорю о чувстве — может сравниться только со старческим. Самый любимый ребенок в семье, как и обласканный всеми детьми и внуками дед, независимо от обстоятельств, может чуять этот космический холод еще — уже близкой бездны. Одни еще недалеко ушли, другие подбираются все ближе.

Кажется, мама была очень довольна, что я не пропустила урока. Наверное, она была права в чем-то существенно важном. Например в том, что ребенку следует прививать чувство ответственности.

Пропади оно все пропадом... Я прожила бо́льшую часть жизни, послушайте. Ни за что и никогда не заставляйте детей преодолевать препоны этого проклятого мира. В метельный вечер пусть они сидят дома. И тогда, милосердный Господь, есть надежда, что все они останутся живы.

Кроме того, я была обуяна жаждой прославиться. Почему-то ни на миг не сомневалась, что стану знаменитой. Странно. Кто вбил подобные бредни в мою кудлатую башку? Боюсь, что отец. Он всегда был одержим честолюбивыми родительскими мечтами. Он и сейчас упорно пророчит мне славу и богатство. Богатство, хм... Интересно, в каком возрасте человек наконец способен взглянуть в глаза самому себе?

Думаю, тут виновато еще одно странное качество моей натуры: с детства я рассматриваю жизнь как вереницу неких сцен. И поскольку в сценах приходится принимать участие, я одновременно становлюсь и зрителем, то есть наблюдаю развитие действия таким, каким мне его предлагают автор пьесы и актеры.

Однажды на день рождения — мне исполнилось лет пять — родители подарили мне красивую, «взрослую», сумочку на длинном ремне и блестящую синюю капроновую ленту с бархатными мушками.

После поздравлений (нет, ты сначала умойся и почисть зубы, как хорошая девочка, а па-а-то-о-ом... па-а-то-о-м... ты закроешь гла-за-а-а-а... и сосчитаешь до десяти-и-и...)

Я сильно зажмурила глаза, считая проступающие в темноте оранжевые пятна, мама завязала бант на моей кудрявой макушке и торжественно повесила через плечо сумочку...

— Ат-кры-вай!

Восторг, визг, счастье ощупывания, оглаживания и обживания новых вещей... Сладкое привыкание к владению.

В этот же день Маша, соседка по коммунальной квартире, взяла меня с собой в гости — как она часто делала, когда родители просили ее со мной посидеть.

«Пойдем к Саркисяну, — сказала она, — там у него Лилька, дочь, будет тебе с кем поиграть...»

Я так и пошла, с сумочкой и бантом, уже порядком утомившимся на моей башке от постоянных прыжков, но неувядаемо прекрасным...

Лилька оказалась и вправду хорошей веселой девочкой. Когда взрослые уселись за стол, мы выбежали в их огромный, как город, жактовский двор, и, расчертив куском рыжего кирпича «классики» на асфальтовой площадке перед гаражами, с увлечением принялись катить гладкую гальку, прыгать, поджимая ногу, перескакивая, переворачиваясь в прыжке... Сумка, болтающаяся на шее, мне порядком мешала, но я не сняла бы ее ни за какие коврижки.

В это время неподалеку остановился велосипед. Верзила с конопатой, от разной спелости на ней прыщей, физиономией наклонил руль, и с багажника соскочила девочка, повыше меня, очень худая, со странным, по-взрослому оценивающим, взглядом из-под припухших век.

— А у нас гости! — сказала Лилька и пропрыгала на одной ноге до шестого, там повернулась, подпрыгнула и, расставив ноги по обоим классам, остановилась. — Ее Динкой зовут, как нашу собаку.

— У тебя сейчас бант упадет, — вдруг сказала девочка, легко стягивая с моей главной кудри вялый бант... — О-о, какая лента-а-а... У меня такой нет, правда, Серый?..

— А у тебя ваще ничего нет, — отозвался Серый безразлично. — Ну, поехали на Воскресенский, Мышастый, или ты остаешься?

— Поехали... — проговорила девочка со странным именем «Мышастый», не отдавая мне ленты, плавно пропуская ее между пальцами левой руки...

Я завороженно следила за ленивой игрой ее пальцев с моей лентой и вдруг сказала:

— Возьми ее себе! — чувствуя катастрофическую жалость к уходящему сокровищу... Я не знала — кто или что там внутри заставили меня произнести эту фразу. Было страшно жаль мою ленту... — У меня сегодня деньрожденья, мне мампапа ее подарили, и вот, сумку тоже...

Она склонилась над сумкой, деловито расстегнула кнопочки, заглянула внутрь...

— Во, класс! — сказала она. — А у меня и сумки нет, правда, Серый?

— Да у тебя ваще ничего нет!

У нее вообще ничего не было, у этой худой длинноногой девочки в трусах и красной застиранной футболке. Может, у нее и дома не было...

— Тогда и сумку бери, — сказала я, снимая с шеи мой первый взрослый подарок... Меня качало на волнах вдохновенной жертвенности, я взлетала под небеса на качелях упоительной жалости... И очень внимательно следила за представлением.

Она спокойно забрала сумку и бант, не сказав даже «спасибо», вскочила боком на багажник, навесила на себя сумку, а бант дважды обвязала вокруг загорелой тощей ляжки. Прыщавый Серый провел велосипед до асфальтовой дорожки, занес высоко ногу (девочка привычно пригнулась), вскочил в седло и завихлял в сторону ворот...

На протяжении всей сцены Лилька так и стояла неподвижно, расставив ноги в новеньких сандалиях по разным классам. В ее взгляде смешались несопоставимые оттенки чувств — осуждение, презрение, удивление, — что может смешиваться в человеческой душе только в раннем возрасте.

— Ты чокнутая? — спросила она меня с жалостливым любопытством. Кажется, у нее пропало желание играть со мной, и вообще иметь со мной дело...

Я молчала, не в состоянии ей ответить и, главное, объяснить что-либо себе самой. Прилив вдохновенной любви и сострадания ко всему миру закончился, начался отлив, — как обычно, бестрепетно обнажающий берег с его старыми консервными банками, черными корягами и полуобглоданной вороньей тушкой, панически задравшей к небесам скрюченные лапы...

— Прям не знаю... — проговорила Лилька, вздохнув. — Меня б маманя прибила.

После этого происшествия в семье сложился миф о моей сверхъестественной доброте.

Никакой особой доброты во мне никогда не было. Было и есть умение ощутить чужую шкуру на плечах, окунуть лицо в чужие обстоятельства, прикинуть на себя чужую шмотку. Но это от неистребимого актерства, боюсь, чисто национального. Способность вообразить, нарисовать самой себе картинку и ею же насладиться. Есть еще и другое. Да, собственно, все то же, накатывающее на меня временами, состояние неприсутствия в данной временной и координационной точке, вернее, возможное присутствие одновременно во всех координационных точках времени и пространства... Во мне рождается безумная легкость душевного осязания всего мира, самых дальних его закоулков, я словно прощупываю огромные пространства немыслимо чувствительными рецепторами души... И опускаю поводья, как бы засыпаю — позволяю обстоятельству перейти на шаг и самому отыскивать нужную тропинку в этом вселенском океане неисчислимых миров и неисчислимых возможностей...

Это может происходить в минуту самой оживленной встречи, в решающий момент подписания договора на книгу, на сценарий, ну, и так далее. Душа моя вылетает в ближайшее окно, как когда-то на уроке физики. И я подписываю — все! Все пункты договора кажутся мне чепухой, не стоящей внимания, прахом, летящим в воронку времени, всепожирающую, равнодушную и механическую, — такую, какой ее придумали люди.

В каком-то, высшем, смысле это правильно. Но на деле я всегда оказываюсь внакладе. Причем в разнообразных смыслах этого слова.

Родители, помнится, были совершенно обескуражены происшедшим, а главное, моим виновато правдивым, но и гордым тоном, каким я рассказала им про нагло обобравшую меня девицу. Однако я точно помню, что меня не наказали. А стоило бы выпороть за этот идиотизм, от которого я до сих пор не избавилась и вряд ли избавлюсь когда-нибудь.

* * *

С этой девочкой я потом не раз сталкивалась в самых неожиданных местах. Например на концерте фортепианной музыки в Республиканской публичной библиотеке. Она была не одна, а с очень худым, немного томным, картинно красивым человеком лет сорока, с несколько затуманенным взглядом черных глаз.

Самым оскорбительным было то, что она не здоровалась, не отвечала на мои кивки, словно бы не хотела меня признать, или просто не замечала меня... Так и подмывало спросить ее — а где моя замечательная «взрослая» сумка, где чудесная синяя лента с бархатными мушками? В моем воображении эти вещи продолжали оставаться новенькими, только что у меня отнятыми. Не так ли и люди, с которыми мы расстаемся в юности, продолжают оставаться для нас новенькими, только что отнятыми, и подсознательно мы никак не готовы смириться с их подержанным видом, когда вдруг встречаем сорок лет спустя...

Несколько месяцев подряд, зимой и летом, папа водил меня на концерты классической музыки в публичную библиотеку... Мы торжественно шествовали под руку по улице, и папа, вероятно, гордый, что я, в свои тринадцать, почти доросла до него, неизменно повторял:

— Хорошо пройтись под руку с молоденькой девушкой.

Эта фраза меня коробила и казалась верхом неприличия...

Но колесница будущей славы, запряженная «Полонезом» Огинского, продолжала волочь меня, невольника музыкальных плантаций, все дальше и дальше... Так и не сумев придержать коней, на полном скаку я въехала в специальную музыкальную школу при консерватории — очень престижную.

Участь моя вновь была решена. На этот раз кардинально.

...Школа имени В.А. Успенского. Кто он был, этот деятель, в честь которого множество детских губ повторяли благоговейно «школуспенскава», или просто — «Успенка»? Не помню. Зато помню старый дом через дорогу от школы, в котором жил странного вида, обросший буйной бородой, явно сумасшедший человек. Мы сочиняли про него истории, якобы «чесслово» бывшие. Кто-то рассказывал, что у него умерла невеста, и он дал обет не бриться. Пошел работать в морг, чтобы самому ее обмыть. И бог знает, что еще понапридумывали мы про этого беднягу.

Яркие и разрозненные сколки памяти — «технический» экзамен в восьмом классе — мы сдавали гаммы, арпеджио, этюды. Потом, в ожидании припозднившихся родителей, стояли с одноклассницей перед окном, одни в пустынной школе, грели руки о батарею парового отопления и тихо переговаривались. Сыпал снег — и это была одна из ташкентских холодных зим....

Так странно, что при моей кощунственной памяти, способной сожрать бесследно целый кусок жизни, — например, несчастливый мой первый брак, — я помню совершенно никчемные и случайные лица, скажем, лицо угрюмого часовщика, с двупалой левой рукой, перебинтованной и похожей на клешню, — он сидел в будке напротив театра Навои. Однажды в детстве мне приснилось, что этой рукой он делает мне «козу», и я с криком проснулась.

Я помню бесконечное множество бесполезных мелочей: полуулыбок, кивков, оборотов головы, сюжеты идиотских книжек издательства «Юлдуз», плеск взмывших от клавиатуры рук, глупейший полусонный лепет... — буквально, слово в слово, как будто — о господи, как банальны и подлинны, и трагичны все наши чувства! — как будто все это было вчера, вчера, вчера...

19

Гуляя по Москве в одно из недавних своих гостеваний, я обнаружила, что Проезд Художественного театра переименован в Камергерский проезд...

И вдруг память выдала такое, что изумило и даже испугало меня мощным выбросом давно забытого.

Я вспомнила, как в детстве, в Ташкенте, на Алайском базаре, у старухи, рассевшейся на земле со своим жалким товаром — нитками, гребешками, пуговицами и прочим мелкохозяйственным скарбом, — я за две копейки купила старую блеклую открытку. Четверка обезумевших лошадей, запряженных в карету, неслась по краю оврага, и по тому, как опасно накренилась карета, было совершенно очевидно, что невидимая пассажирка, чья нежная, в кружевах, рука пыталась ухватиться за распахнутую дверцу, вот-вот выпадет, покатится по склону оврага, погибнет... (странно, что это изображение представляется мне сегодня не застывшей картинкой, а протяженной чередой кадров)...

Бог знает, чем меня полузатертая открытка привлекла, скорее всего, бисерной россыпью на обороте. Приглядевшись, я обнаружила, что слова-то с «ятями»!

Эта мелкая бегущая вязь до сих пор перед моими глазами:

Ея превосходительству Наталіи Петровнѣ Введенской. Москва, Камергерскій переулокъ, поворотя во дворъ, налѣво.

Воистину Воскресе, милая Наташа! Шлю искреннія пожеланія счастья и исполненія желаній. Спасибо за карточку. Это правда, что на ней я не узнаю прежнюю милую Наташу, къ тому же значительно похорошевшую и возмужавшую... Помню, Вась, помню счастливые дни, проведенные въ Вашемъ гостепріимномъ семействѣ на то давнее Рождество... И тонкій пальчикъ, который написалъ на морозномъ стеклѣ то, что навѣки въ моемъ сердцѣ осталось...

— что-то еще, что я навеки забыла, и —

Цѣлую Ваши руки, и изъ теплаго поэтичнаго Крыма молю за Васъ небо, Вашъ... — подпись, конечно, неразборчива...

Тревожная связь между падающим экипажем на открытке и милым, но неуловимо грустным письмом на обороте покорила мое влюбчивое воображение. Почему — из Крыма? Что делает там одинокий этот влюбленный?..

Не с того ли дня я оказалась отравленной сладостным ядом разысканий человека во времени...

Помню чувство оторопи: как — они были настоящими, живыми людьми?

И — тонкий пальчик?!. И, тем не менее, все они отошли, исчезли...

Значит, и я когда-нибудь умру?!

И трагическое открытие, что остается, в конце концов, лишь — невидимый след тонкого пальчика, царапающего по морозному стеклу...

Не это ли было тем глубинным тихим взрывом, радиоактивные последствия которого заставляют меня сегодня множить и множить слова, жалобно бегущие по краю все той же, длиною в жизнь, разросшейся открытки?

Иллюзия проницаемости времени — это иллюзия близости дна прозрачного глубокого моря, когда в очень ясную погоду плывешь на лодке, рассматривая подробную жизнь какого-нибудь кораллового рифа...

С возрастом, если что и интересует меня, так это отношения человека со временем. Человек — и ускользающая, улетающая прочь дырявая, как клочья тумана, бесформенная субстанция, которую можно высчитать и разбить на мельчайшие доли, а также описать все свои мельчайшие движения в эти мгновения (так создают бесплотную фреску на окаменевшей плоти минут и часов), но невозможно постигнуть и удержать. Убийца, которому нет определения, ибо неуловимость его вошла в поговорку.

Старый Ташкент был сокрушен в 66-м году подземными толчками и дружбой народов, снабженной экскаваторами. Старый Ташкент, пересечение судеб, прибежище для озябших, голодных и гонимых, для усталых разбойников, для раскаявшихся губителей, для затаившихся палачей, для доживающих жертв... — старый Ташкент: милые особняки, ореховые и яблоневые сады, чинары, тополя, карагачи в лавине солнечного света.

Второй раз его стерла с лица земли История, и жаль, если эти слова кому-то покажутся напыщенными.

Боюсь, что второй раз это было проделано персонально для меня.

Ташкентское землетрясение, шевелящаяся под твоими ногами спина дракона...

Весенние каникулы, запахи земли и глины, маки в развалинах саманных домишек на окраине бурно разрастающегося жилого массива Чиланзар.

Вся наша квартира была заставлена стеклянными банками, в которых стояли букеты багровых маков — каждый день, возвращаясь из своих опасных странствий по полям и бахчам, я приносила новый букет. Я действительно пропадала черт знает где, с утра до позднего вечера: мы ловили в развалинах скорпионов — милое занятие для двенадцатилетней девочки (до сих пор иногда мне снится омерзительно-ласковое подрагивание суставчатого хвоста, дугою занесенного над головой смертельной твари).

Не мудрено, что, являясь домой, я валилась спать как убитая.

С весны до осени мы с мамой и шестилетней сестрой спали на балконе. И однажды под утро я проснулась от голоса отца. Он стоял в нижнем белье и кричал:

— Война, говорю тебе, война! Одевай детей, спускайтесь вниз.

(Многих тогда ввели в заблуждение зарево на небе, огненные вспышки от замыканий на столбах электропередач и подземный гуд, похожий на гул летящих бомбардировщиков.)

Раздетые, обезумевшие и заплаканные жители окрестных домов высыпали вниз, во двор. Многие были завернуты в простыни, блуждали, как тени в Дантовом «Аду».

Я столкнулась со своим одноклассником по имени Гамлет Цой, который с радостным возбуждением предрек, что экзамены — вот увидишь! — в этом году отменят.

А через час на своей колымаге приехал мой дядька. В багажнике были лопата, лом и грабли — он приехал нас откапывать. Его саманный домишко на Кашгарке растрясло довольно забавным и удачным образом: одна стена дома целиком выпала на улицу, явив всем желающим бесплатный уличный театр. Отдельно и, как принято сейчас говорить, — концептуально — стоял унитаз «The best Niagara», тот, что дядька приволок когда-то из заброшенных британских казарм.

Так что несколько недель — пока их не переселили во временное жилище на окраине Ташкента — всей семьей они спали, ели, ругались как бы на сцене, в естественных трехстенных декорациях, на ночь завешиваемых простыней.

Сейчас уж заодно я вспоминаю семейные предания о том, как дядька строил свой дом, для чего было продано все, даже один сапог, другого отыскать не удалось; сапог продали одноногому инвалиду, тому, что много лет потом на Алайском базаре торговал судьбой из корзинки, с пепельно-синим вороном на плече по имени Илья Иванович.

* * *

И все то беззаботное беспризорное лето мы спали во дворе и шлялись где попало, меж раскладушек, надувных матрацев и строительных палаток, которыми был покрыт город. И как любой город, подвергшийся нападению стихии, он был беззащитен. В Ташкент вновь стало стекаться ворье со всей страны, а также странные существа с самыми причудливыми маниями и безумствами.

Мы свободно подворовывали дыни и арбузы с ближайшей бахчи на окраине Чиланзара... Можно было даже съесть украденный арбуз тут же, не слишком далеко отойдя от места преступления. На краю поля неряшливой глинистой горкой, поросшей травой и маками, лежали развалины саманного дома. Там мы и разбивали арбуз, выедая его неровные куски до зеленой корки.

И однажды, когда мы со Светкой сидели вот так, доглатывая самые вкусные, прозрачно-розовые на просвет ломти дыни, истекающие приторным соком, со стороны дороги показалась толстая тетка, в шароварах из хан-атласа и в пестром платке, повязанном на голове на пиратский манер. Подойдя ближе, она присела на камень неподалеку, возможно, передохнуть...

Мы не обратили на тетку внимания, продолжая спорить о чем-то интересном...

— Эй... дывчата... — хриплым мужским голосом позвала тетка... — Ви как зовут? Я — Маруся...

— Здрасьте, — рассеянно отозвались мы, скользнув по тетке незаинтересованным взглядом и возвратившись к обсуждению...

Она умолкла на какое-то время, и опять позвала вкрадчивым сальным голосом:

— Дывчатки... Дывча-атки...

Мы обернулись. В руке, чуть ниже толстого живота, в прорехе шаровар она держала какой-то розовый, неровного мясного цвета, сверток. Несколько долгих секунд... — одна... две... три... — ушло на осознание — что это за сверток... Мы сверзились с камня и понеслись ветром над землей по направлению к дому. И вслед нам несся яростный узбекский мат, запахи глины, сухой травы, спелых дынь, и казалось, что земля подкидывает нас, как веселый дядюшка подкидывает на коленке племянницу-шалунью.

Я всем телом помню тошнотворно-качельное колыхание земли: до сих пор любая неустойчивость под ногами обдает меня волной вестибулярного ужаса.

А однажды, когда мы играли в парке, весь мир дрогнул, еще, еще раз, вдруг подпрыгнули и сникли деревья, и шагах в тридцати от нас образовалась в земле глубокая корявая трещина, шириной сантиметров в семьдесят, — изнанка земли, прошитая изнутри корнями, — через которую мы немедленно затеяли прыгать...

Невероятно, что между тем летом, когда босыми ногами я взрывала пухлые борозды серой пыли от снесенных экскаваторами саманных кибиток, и тем днем, когда впервые приложила к груди своего новорожденного сына, прошло всего-то семь лет...

Помню, как через неделю после выписки из роддома я стояла на остановке автобуса, искоса поглядывая на незнакомого парня, сидящего на скамье и бездумно скручивающего в трубочку проездной билет, и думала — неужели и у моего сына когда-нибудь будут такие же красивые крупные руки с сильными длинными пальцами?..

Это было тридцать лет назад.

У моего сына сорок седьмой размер ноги и под два метра

росту, а между тем тот парень так и сидит в ожидании автобуса, рассеянно скручивая в пальцах проездной билет...

* * *

Почему меня преследуют эти картины, запаянные в целлофан исчезнувших минут, как таблетки сульфадимезина времен моего детства?..

Во имя чего, что мне хотят показать? И может быть, прав был рабби Нахман из Брацлава, утверждая, что Бог дал человеку все, кроме времени?

* * *

И тем не менее.

Во времена моего детства на гастроли в Ташкент приехала знаменитая Има Сумак — перуанская дива, женщина-гора с топорным лицом гиганта-транссексуала. Чудовищный диапазон голоса Имы Сумак — пять кругосветных октав — вмещал в себя рокот джунглей, подземный гул возмущенных недр, шум водопада, рев леопардов, визг диких кабанов и пронзительное пение диковинных птиц экватора. Ее голос ошеломлял. Она брала предельную высоту звукового барьера, которую, казалось, уже не мог преодолеть слух сидящей в зале публики. И когда эта, иглой летящая, нота протыкала шквал аплодисментов, Има Сумак замирала, вздымала огромную, как кузнечные мехи, грудь и вдруг брала еще одну, последнюю, более высокую ноту... а за ней — в обморочной тишине зала — почти бесшумную, сверхзвуковую, потустороннюю...

Я очень боялась ее пения. Вечером, когда из распахнутых окон доносилась эта невероятная голосовая жизнь джунглей (все тогда словно помешались на ее пластинках), боялась пересекать наш темный двор.

И это можно понять, думаю я сейчас. Такое запредельное мастерство должно либо устрашать, либо омывать водопадом счастья.

Куда она делась, легендарная Има Сумак? Куда делся мой Робертино Лоретти, мой ангел, в серебряном плаще из небесной «Джяма-а-а-йки-и-и!», во славу которого однажды в третьем классе я перепрыгнула широкий арык, одолела прыжком с разбега, — что до сих пор ощущаю подвигом, выше которого в жизни не поднялась?

(Естественно, силомер, которым я оцениваю это и другие мои свершения, помещается где-то в сокрытой области чувств и усилий, вовсе не очевидной и нереальной для других, нормальных, людей.)

Я двигаюсь впотьмах с вытянутыми руками по огромной свалке моей памяти, пытаясь нащупать любимые, затерянные во времени, родные моему сердцу, вещи...

«The best Niagara»! — зову я шепотом неизбывной нежности, — зе бест Ниагара...

* * *

Персонажи моего детства толпятся за кулисами памяти, требуя выхода на сцену. А я даже не знаю — кого из них выпустить первым, кто более всех достоин возглавить этот парад полусумасшедших родственников, соседей, знакомых и просто диковинных людей, застрявших в послевоенном Ташкенте.

Позволю-ка я Маргоше первой прошвырнуться по авансцене развинченной жалкой походкой.

Маргоша-блядь, по кличке Стовосьмая, жила на чердаках. Каждый вечер спускалась во двор и тащилась в Сквер. Часам к семи к «шестиграннику» стекались студенты, стиляги и алкаши.

Маргоша задирала юбку, и за этот непритязательный аттракцион ей давали вина — самыми популярными были «Ок мусалас», «Хасилот», «Баян-Ширей», — все ценностью в пределах рубля. После чего она присоединялась к толковому обсуждению матча, проигранного вчера «Пахтакором».

А за Маргошей-блядью пойдет — живее, живее! — диссидент Роберто Фрунсо, в своем — и в жару и в холод — резиновом плаще до пят. Он носил кепку «бакиночку», тогда многие ее носили — короткий черный пластиковый козырек, поверх него — плетеная косичка. По ночам он слушал «Би-Би-Си», «Голос Америки»... Просыпаясь часов в двенадцать, шел в Публичную библиотеку и прочитывал там все газеты... Потом направлялся в Парк Тельмана, где в «Яме» — знаменитой пивнухе, действительно расположенной в естественном природном овраге, — собирались алкаши, криминалы, студенты, прогуливавшие лекции, — и там громогласно проводил политинформацию. Кто пивка наливал ему, кто кусочек воблы давал пососать, кто отсыпал в ковш ладони соленого миндаля.

Однажды он принес в «Яму» послание Бен-Гуриона Кнессету. Читал наизусть, стоя на скамейке с протянутой страстно рукой... Алкаши взирали на него с немым изумлением.

Потом прошел слух, что в Ташкент приезжает Барри Голдуотер. Роберто стал откармливать петуха. Привязал во дворе за веревочку, кормил пшеном, — откормил огромного петушину с переливчатым гребнем, — намек Барри Голдуотеру, чтобы тот пустил «красного петуха» Советскому Союзу.

Наконец какая-то добрая душа пристроила его работать на «Текстилькомбинат». В первый же день — дело происходило осенью — рабочих согнали на собрание. На повестке дня был только один, извечный колониальный вопрос: отправка людей на хлопковые поля.

Он встал на скамейку, в резиновом плаще до пят, — как Ленин на броневик, — и гаркнул луженой своей, натренированной на «политинформациях», глоткой:

— «Не дождетесь, гады, чтобы Роберто Фрунсо гнул спину на советских плантациях!»

Летними вечерами в парке ОДО перед киносеансом крутили документальные фильмы, — «Волочаевские дни», например... Роберто Фрунсо появлялся на заключительных словах песни — «И на тихом океане свой закончили поход», — и победно выкрикивал: «Ничего, большевички, скоро ваш поход мы остановим!»

А чего стоит тот изумительный случай на районном конкурсе песенных коллективов, приуроченном к столетию вождя, когда, после особенно потрясающего исполнения нашим школьным хором козырной «Песни о Ленине» — (Ленину слааааааааааава!!! Партии слааааааааааааааава! Слава в векаааааааааах...) — Роберто Фрунсо выскочил на сцену в своем прорезиненном плаще и, ко всеобщему ужасу, торжественным теноровым речитативом прокричал в направлении жюри: «Как-то Надя! хохмы ради! Ильичу! давала сзади!»...

И что? Да ничего, просто вывели из зала... Возможно, он и отсидел 15 суток за хулиганство в общественном месте, подкормился маленько...

Как могло случиться, что этот полусумасшедший человек годами и даже десятилетиями свободно разгуливал по улицам и говорил что бог на душу положит? Ташкент, Ташкент... теплый климат, щедрое солнце, растопляющее страх...

Зато у входа в парк дружинники и милиция отлавливали стиляг. Стилягу ловили, двое его держали, третий выбривал отросшие патлы.

Самым известным стилягой был Хасик Коган — высокие каблуки, голубые брюки, огромный кок. Нес он свой кок бережно, чтоб не упал. Всех, кто ехал в Москву, просил привезти бриолин. На танцплощадке не танцевал никогда, осторожно и горделиво прохаживался, — боялся кок растрясти.

* * *

Куда делся Хасик, кто скажет мне — куда делся Хасик Коган?!

А дирижер, дирижер, обитавший в Сквере, — сумасшедший старик в коротких штанах и черном драповом пальто! Он дирижировал невидимым оркестром яростно и нежно. Форте!! Дольчиссимо... модера-а-а-то... И первые скрипки: форте!!!

Говорили, что он пережил Варшавское гетто, потерял там близких, всю семью, девочек-близнецов. Спятил... И с тех пор дирижирует и дирижирует Девятой симфонией Бетховена. Форте!! Фортиссимо!! — безостановочное движение на четыре четвертых... Обнимитесь, миллионы!.. Странная фигура моего детства, черный ворон...

А великанша, знаменитая баскетболистка, — имени не помню, — городское чудо! Ташкентцы относились к ней со смешанным чувством: гордости, ужаса и брезгливости. Очень уж была страшна... Росту, если память не изменяет, метра два с приличным гаком — то ли восемь, то ли аж двенадцать сантиметров. Огромный костистый Гулливер. И особенно пугало большое ее, странное лицо, широкое, но с множеством углов и плоскостей. Ребята говорили, что японцы заключили с ней контракт на покупку ее скелета в музей. В этом месте рассказа кто-нибудь из детей с ужасом спрашивал: — Как скелета? Прямо сейчас? — и очередной переносчик дикой легенды снисходительно отвечал: — Да нет, потом, когда умрет...

Я ездила с ней в трамвае номер три. Каждый раз пугалась и косила глаза, одновременно делая вид, что смотрю в окно, и абсолютно ни на что вокруг не обращаю внимания. Замуж она вышла, говорили — «за нормального человека». Потом я стала встречать ее с девочкой — тоже «нормальной», даже симпатичной, беленькой, кудрявой.

Однажды стала свидетелем мерзкой сцены в том же третьем трамвае. Баскетболистка сидела с девочкой на коленях. Рядом, уцепившись поднятой рукой за перекладину, болтался, как тряпичный, пьяный мужичок, и что-то говорил, не склоняясь к ее огромной голове, а чуть припадая к уху. Немыслимое страдание было написано на ее ужасном лице, глаза полны слез. Я придвинулась поближе, и когда трамвай остановился, услышала обрывок фразы:

— Я, конечно, тебя уважаю, да, ты нам славу приносишь... Но женщина, слышь, такой быть не должна-а-а...

А соседская бабка Фира, безумная старуха, спятившая на ревности! Она ревновала своего восьмидесятилетнего мужа Зюню Хаскелевича, кроткого полуслепого старичка в застиранной обвисшей пижаме. На весь двор разносился ежедневный вопль:

— Опять?! Опять принялся за свои развратные штучки?!

Она не оставляла несчастного старика ни на минуту в покое. Когда тот ковылял к дощатой будке в конце двора и задерживался там по причине вялого старческого желудка, она кричала ему: «Уже оторвись от своих шикс, бесстыдник, что ты себе думаешь!!»

А истопник в котельной нашего двора! Мы, малышня, ссыпались к нему по высоким ступеням в подвал, в котельную. Он выдавал каждому листки, выдранные из тетрадки, и мы в них рисовали. Я носила очки в круглой железной оправе, и он называл меня «профессор кислых щей». Потом, много лет спустя, уже после его смерти, мы узнали, что дядя Володя, Владимир Кириллович, был известным московским художником, профессором Суриковского института, отсидел свой срок по пятьдесят восьмой, в лагере под Бегаватом, и доживал у нас во дворе, на Червякова, 19, в комнатке рядом с котельной, где работал посменно...

Недавно я опять надела очки, которые забросила в юности... Сижу, рассеянно рисую на листочках своих записных книжек... Не слишком уже молодая тетка. Профессор кислых щей...

* * *

Солнце — вот что нас спаяло, слепило, смешало, как глину, из которой уже каждый формовал свою судьбу сам. Нас вспоило и обнимало солнце, его жгучие поцелуи отпечатывались на наших облупленных физиономиях. Все мы были — дети солнца. Бесконечное ташкентское лето...

«В апреле я влезал в трусы и снимал их в октябре, — вспоминал недавно мой старый друг, режиссер Семен Плоткин, — все мое детство я помню себя в черных сатиновых трусах. Если б надо было соорудить памятник моему детству, я повесил бы на стену черные сатиновые трусы и написал: «История моего детства»...

Сенька, а помнишь, мы играли в тени тутовника в ташкентскую игру, «в ашички» — (тяжесть вываренных в кастрюле, отполированных ладонями мослов удобно укладывается в памяти моей руки), — и ты, как всегда, мухлевал, потому что хотел выиграть у меня замечательную, великую марку: Сталин и Мао пожимают друг другу руки, а за ними реют советские и китайские знамена.

(Мы уже знали, что марка уникальна, потому что на ней — разоблаченный злодей Сталин, но еще не знали, что она уникальна вдвойне: неразоблаченный злодей Мао Цзе-дун был жив-здоров, а культурная революция только на подходе.)

Вдруг в арке двора появилась мама, у нее было странное торжественное выражение лица. Она подошла к нам и сказала:

— Знаете, дети, что сегодня произошло? Сегодня человек полетел в космос!

Семен, ты выронил все выигранные у меня ашички и застыл по стойке смирно. Я это помню. Ты стоял по стойке смирно, рядом лежал на боку твой самодельный самокат на ворованных с авиационного завода подшипниках, где-то в ужасающей высоте, героически матерясь, одиноко летел в космосе первый человек, и в эти же минуты как раз переезжали Либерманы из сорок третьей. Они переезжали, а внук их Сашка, в знак протеста, вышел на балкон и пилил на скрипке, которую обычно брал в руки со скандалом. Он стоял в просторных сатиновых трусах и пилил, пилил, пилил — так не хотел переезжать! Уже был подогнан грузовик, и старый их дед тащил черный радиоприемник, а бабка кричала ему на идиш: «Что его брать, когда по нему только узбеков и слышно?!»

Я делала вид, что не понимаю этих старых евреев, так же, как поступала с собственной бабкой, когда ко мне приходили одноклассники:

— Мамеле, почему этот мальчик полез на крышу?

— Чинить антенну, ба...

— Он еврей?

— Нет, ба!!!

— Все равно, я не хочу, чтоб он разбился!

...Бог мой, почему все это мне хочется вспоминать под музыку, вроде музыки Нино Рота к «Амаркорду»? Помнишь эти, сто раз перевиданные, кадры, где зимним вечером мальчики танцуют танго на террасе заколоченного на зиму, заснеженного «Гранд-Отеля» под давно замершие звуки сладострастного летнего дня?

И ответь, Сенька, друг мой, — существует ли сегодня вещь, более далекая от нашей жизни, чем дурацкие полеты человека в дурацкий космос?..

* * *

...И целая эпоха в моей жизни: Иссык-Куль... Огромное синее озеро в груди Тянь-Шаня. Поселки вдоль берега, привычные названия детства: Чолпон-Ата, Рыбачье, Ананьевское...

Мы облюбовали Чолпон-Ата. Мой отец, в то время студент художественного училища, оказался там на практике. Он был потрясен красотой и дешевизной горного края киргизов. Написал мне письмо крупными буквами:

«Диночка! Здесь море синее-синее, белый песочек...» — мне было четыре года, я уже умела читать. Много болела...

Словом, велел матери приезжать.

Так я впервые оказалась на берегу этого, и вправду синего, безбрежного, окаймленного многослойными грядами снежноголовых, а ниже — пепельно-синих, и вдоль воды — карминно-бурых гор, — красивейшего из озер мира.

Чуть ли не в первый вечер я потерялась в поселке, — вернее, просто ускользнула от взрослых... Уже тогда я норовила оторваться от провожатых. Родители заносили чемоданы в дом, устраивались в комнате, снятой у тети Насти, я же вышла со двора и просто пошла и пошла... отправилась самостоятельно гулять по главной улице, вдоль которой выстроились все достопримечательности поселка — сельмаг, аптека, клуб, школа, сельсовет, баня... Это была длинная сельская улица, обсаженная тополями, по ней можно было идти долго, интересно и очень далеко... Я забрела бог знает куда. Как и где меня нашли обезумевшие от поисков родители, не помню, — кажется, на школьной волейбольной площадке, — но то чувство упоительного странничества, вольности, отчужденности и безотносительности ко всему миру, которое сопровождает меня всю жизнь, везде, где бы в своих путешествиях я ни оказалась, — было в тот раз испытано, вероятно, впервые, если я запомнила его так остро и потрясенно.

Впрочем, в семье хранится фотография, свидетельствующая о более ранней попытке к бегству. На ней я, двухлетняя, в большой мужской шляпе, почти поглотившей всю мою лысую, обритую в недавнем тифу, голову, вольно и решительно (одна нога занесена для шага, другая уже в пути) иду — как точно говорит моя мама, иронически посматривая на это фото, — *восвояси*... Поодаль, перед рядами сидящей на скамейках публики, стоит мужчина в белой рубашке и широких брюках, протягивая вперед руку и разевая рот, — дело происходит на импровизированном концерте эстрадной песни, на танцплощадке дома отдыха «Брич-Мулла», в горах Чимгана... Вызвался дядечка спеть, говорит мама... Действительно, приятный, хотя и невеликий тенор... Вдруг ты скользнула с моих коленей, схватила со скамейки его шляпу, надела на свою ушастую тыкву и двинулась в путь. Я не стала тебя останавливать, хотела посмотреть — насколько далеко уйдешь. Потом пришлось-таки остановить... Пыталась выяснить у тебя — зачем в таком серьезном походе нужна явно чужая и явно мужская шляпа... — ты не отвечала. Все хохотали, видишь, это видно и на фото... а кто-то сделал снимок, в общем, уникальный, — в то время совсем не у каждого в руках был фотоаппарат...

Хозяйку нашу звали Настей, и это — целая череда летних месяцев. На маленьком местном базарчике мама покупала кур, и тетя Настя рубила им головы. Она это делала очень буднично: зажимала курицу между колен и тюкала по голове топором. Одна из таких, уже посвященных в суп, вырвалась у нее из рук и гоняла по двору без головы, но с двуглавым фонтанчиком крови, пульсирующим из шеи, и вот это произвело на меня одно из самых неприятных впечатлений в жизни. Не от жалости — я никогда не испытывала никаких сантиментов по отношению к этим созданиям. Но было что-то кощунственное в этой движущейся незавершенности... — умри уже, умри!

Затем их ощипывали и потрошили. В наваристом бульоне плавали обнаруженные в курице недояички — желтые, вкусные, мучнистые на раскус шарики разной величины.

* * *

Почти каждое лето (мы редкий год изменяли Иссык-Кулю, а изменив, с удвоенной любовью возвращались туда на будущий год), мы уходили в большой поход, в горы. Инициатором подобных утех всегда была моя неугомонная мама. Среди мужчин компании обязательно находился кто-то, кто в студенческом возрасте ходил в турпоходы, умел ставить палатку, разжигать костер и варить суп из тушенки. Собирались несколько дней, выступали с торжественностью федеральных войск, вышедших из форта на тропу индейцев: несколько женщин со старшими детьми, пожилой преподаватель физкультуры Игорь Яковлевич, студент на каникулах Саша и Ирма Степановна, энтузиастка...

Однако, как это ни смешно, но альпийские луга я увидела впервые именно в этих походах.

И блеск и грохот высокого и узкого, кинжалом вонзившегося в озерцо, водопада, объятого дымящейся водяной пылью, и толстого сома под скользкой корягой в ручье... А помнишь ты, ироничная старая дура, как с вечера вы поставили палатку, а утром ты первая вышла и замерла: весь склон горы перед тобой пламенел алым, и только что взошедшее солнце накаляло этот цвет до нестерпимого радостного вопля, который зрел-зрел, и вдруг вырвался на волю из твоей вечно ангинной глотки?.. И это маковое поле, и горы с альпийскими лугами, и цветы, высотой с тебя, десятилетнюю, это и есть, — ироничная старая дура, — это и есть счастье твоей жизни...

Интересно — куда подевались все эти люди...

Вот Ирма Степановна, энтузиастка... Женщина лет пятидесяти, наша ежегодная соседка по тети Настиному двору... Мне вспоминается один эпизод, на пляже... Она купила сметану в баночке и тщательно намазала лицо, оставив только подглазные круги. Получилась довольно устрашающая маска. Круговыми движениями пальцев она вколачивала сметану в дряблые щеки и шею. Мне было лет двенадцать, и я с любопытством следила за ее руками, совершающими плавные танцующие движения по коже лба. При этом она щебетала, не умолкая...

Вероятно, ее уже нет на свете...

Страшная досада и обида, вполне эгоистическая, поражает меня, когда вдруг узнаю, что умер кто-то, кого я знала, кто имел к моей жизни весьма косвенное, случайное, мимолетное отношение.

Неважно: этот человек, пусть на мгновение, был частью, хотя б и незначительной частью моей жизни. И вот он умер, его уже нет и никогда не будет. Исчезла вероятность того, что снова когда-нибудь он проскользнет в массовке моей жизни. Как же так! — вопиет все внутри меня, — ах, меня обобрали, отняли без моего ведома мое, — значит, мое имущество, моя жизнь — тает? Кто возместит мне убыток?!

Я вижу так ясно ее перед собой! Я завороженно слежу за танцующими по коже, скользящими в сметане пальцами... Над ее головой стоит облако, накапливая в брюхе опаловый дым небес. Купальник ее синий, в белый горох...

Куда подевалась вся моя жизнь?..

...И к чему с такой нелепой нежностью я перебираю эту добычу детской памяти?

Я ныряльщик, спасатель... Уходит под воду океана времен мой город, со всеми моими людьми, деревьями, улицами, домами... — так корабль погружается в пучину, со всеми своими пассажирами; и только мне одной дано извлечь из глубины несколько эпизодов минувшей жизни, несколько лиц, несколько сценок, предметов... Увы, мои силы не беспредельны. Я ныряю и ныряю, с каждым разом погружаясь все глубже... Все холоднее и опаснее воды моей памяти, — однако снова и снова я стараюсь достичь самого дна — искатель черного жемчуга... Там, в глубине, над моей головой борются течения, относят меня в сторону потоки... и видимость становится все хуже и хуже...

Зажмурив глаза, я хватаю все, что под руку подвернется, не выбирая и не сортируя улов, а просто ныряя и ныряя из последних сил, все тяжелее всплывая на поверхность с очередным обломком мимолетной сладостной Атлантиды: еще лицо, еще сценка; вот — блеск виноградных листьев на беседке во дворе моего дяди, вот — красная с золотом бархатная жилетка упавшего с неимоверной высоты канатоходца на празднике Навруз, — она соскользнула с его плеч, когда, как куклу, его поднимали и взваливали на носилки, и увезли на «скорой помощи», а жилетка осталась лежать на земле и никто не осмелился к ней подойти... А вот белый шар бульдонежа на столе учительницы и шелковый черный фартук на выпускном моем экзамене по фортепиано, и даже — о драгоценность смехотворно малого улова! — патефонная игла, которую точит о дно перевернутой голубой пиалы моя, давно истаявшая, детская рука...

И нет мне дела до хронологии этого повествования, ибо не существует хронологии в том океане, куда навеки погружаются города...

20

Сначала: музыка разливанная, качельная, карусельная, потом доски сцены метут бархатным подолом, мелким топотком перебирают носочками балетных туфель, и опять ввысь, ввысь, и улетают к верхушке сверкающей ели, и там замирают: Чайковский.

Потом — петушиным воплем — побудка горна. И:

— В эфире — «Пионерская зорька»!

— Верка!!! Тебя, холеру, утюгом огладить, что ли?!

Девочка молча садится на постели, еще не открывая глаз. Если глаза закрыты, можно представить, что матери нет, а голос ее просто снится. Но главное, вот эдак не пересидеть. Подскочит, завернет ухо конвертиком, проволочет к умывальнику,

ткнет носом в кран пребольно. Однажды до крови расколош-
матила.

Поэтому Вера поднимается и шлепает к умывальнику сама.
Мать и вправду гладит. Так что утюг — вполне весомая дейст-
вительность...

Пока лохматая зубная щетка мятно и колко елозит во рту,
радио отчеканивает радостные итоги сбора макулатуры и металлолома. Школа такая-то заняла первое место...

— Ты сегодня довести меня хочешь, а?!

Никто ничего не хочет. Все желания съеживаются и замирают, потому что впереди проклятый школьный день. Математи-
ка, русский, география, узбекский, труд, пение.

Желания оживают и распускаются только по дороге домой.
Если не садиться в трамвай, а идти пешком через Сквер, мимо дурацкой, как клубень картошки, отсеченной башки Карла
Маркса на высокой мраморной колонне, мимо длинных ска-
меек, на которых поодиночке и по двое-трое сидят «стовось-
мые», перекинув ногу на ногу так, чтобы видна была цифра,
нарисованная на подошве туфли, — (долго Вера считала, что
это номер размера обуви, который забыли стереть, и только
недавно Сергей снисходительно объяснил ей, что это — цена,
за которую «стовосьмая» пойдет... — Куда пойдет? — уточнила Вера. Ее обстоятельное воображение всегда требовало
примет места и событий. — Куда-куда! — возмутился ее ту-
постью Сергей. — Вот куда! — и показал на пальцах: указа-
тельный правой ныряет в свернутую трубкой ладонь левой.
Теперь понятно.), — так вот, если идти домой пешком, разглядывая жизнь вокруг себя, то хочется сразу всего и много:
погадать у цыганки («Эй, девочка! Все-скажу-не-утаю-тай-
ной-ты-рождена-большая-дорога-ждет-красота-будет-твоя-
карта»); полизать эскимо (сверху — ломкий слой шоколада,
внутри, как только откусишь, — сливочно-кристаллические
разломы; потом подробно облизывать плоскую, плохо остру-
ганную щепку, способную занозить язык); погладить перелив-
чато-синюю спинку Ильи Ивановича («Давай-давай, топай

отсюда, шалава! Ишь, все за бесплатно птицу помацать норовят!»).

Кроме того, на Сквере, через который пролегают дороги по всему земному шару, можно увидеть много интересных людей. Часто тут бегает сумасшедший в черном драповом пальто, машет руками, как мельница... Еще один, в кепке-бакинке, размашистым шагом напролом пересекает клумбы, шуршит прорезиненным плащом до пят, выкрикивая дикие, негазетные лозунги...

А однажды, возвращаясь из школы и размышляя над личностью Маруси, Вера наткнулась на...

...но тут надо объяснить:

Маруся (если ее принять за женщину, а все принимали ее за кого угодно, но официально считали женщиной) была тем драконом, который не давал опоздавшим ученикам после звонка войти в класс.

Маруся была узбечкой, и считалось, что она женщина, но если призадуматься, то женского у нее было только имя, да и то не узбекское.

Это был мужик в женских шальварах из хан-атласа, в калошах на босу ногу, всегда в телогрейке и с косынкой на голове, повязанной на пиратский манер, как у Билли Бонса из «Острова сокровищ». У Маруси было крупное мужское лицо с вертикальными морщинами вдоль щек и свинцовым взглядом. Ее боялись все ученики — от писклявых первоклашек до курякдесятиклассников. С учениками Маруся сообщалась при помощи двух неизменных фраз — вопроса и ответа, которые можно было считать переговорной частью. После чего следовало уже рукоприкладство. Если опоздавший вбегал в двери школы после звонка, Маруся вставала из своего угла, мужской, блатной походкой направлялась к вошедшему и коротко, хрипло спрашивала: «Куда пирёшься?» Ответ ученика, в чем бы он ни заключался, ее не интересовал. «Иды взад, жды звонка». Не дай бог, если новенький (а на это мог решиться только неискушенный человек) пытался прошмыгнуть незамеченным или проигнорировать стража. Маруся настигала свою жертву в секунду и, грубо волоча за собой, вцепившись в ухо или в воротник формы, вышвыривала нарушителя на улицу.

Это был прирожденный и вдохновенный вышибала. Годами, с утра и до закрытия школы, сидела она за обшарпанным столом в закутке холла, никогда не дремля, не читая, ни на минуту не отвлекаясь от наблюдения, даже прикуривая как-то машинально, на ощупь нашаривая сигарету в пачке... Курила и следила за входящими-выходящими своим тяжелым свинцовым взглядом. Кажется, ее и учителя побаивались...

Однажды Верка опоздала и, вместо того чтобы, не показываясь на глаза Марусе, просто обождать за дверьми школы звонка или, на худой конец, и вовсе отправиться куда-нибудь, хоть и в зоопарк, расположенный совсем недалеко от школы... она, из-за хлынувшего дождя, решилась войти...

«Куда пирёшься?!» — На этот раз Маруся возникла не из своего угла, что было неожиданностью, а откуда-то сзади... Девочка обернулась и уперлась взглядом в большое нечистое лицо... Никогда еще она не видела Марусю так близко... Она стояла и молча изучала лохматые брови, крупный, сально блестящий нос с тремя спускающимися по хребту бородавками... редкие жесткие усы над морщинистой губой...

Возможно, другой ребенок испугался бы до икоты, но Верка была человеком пуганным, битым-хлестанным... Ее было трудно напугать тумаками. А подробно изученная топография Марусиной морды обещала в дальнейшем так много интересных размышлений. Поэтому она продолжала зачарованно разглядывать этого льва в пиратской косыночке.

— Ти немой, аннанниссссски? — прорычала Маруся.

Вера кивнула. Она и в дальнейшем, в жизни, случалось, давала втянуть себя в рискованные ситуации.

Тогда Маруся сгребла ее в охапку и куда-то понесла, сопя и рыча себе под нос. Верины руки были плотно прижаты к бокам, она даже не могла отпихнуться. Все произошло так ошеломительно быстро и дико, что она не крикнула, не испугалась, не удивилась... Марусины железные лапы беспрестанно елозили по ее телу. Втолкнув Веру в туалет, она прижала ее к холодному кафелю стены, сорвала с девочки куртку и вдруг стала, ужасно сопя и матерясь по-узбекски, ощупывать, обшаривать и мять ее тело. Казалось, что этот дикий и странный обыск доставлял ей яростное наслаждение. Несколько секунд Вера не могла понять — что Марусе нужно; запах, исходивший от той, — запах кислого молока от волос, чеснока и застарелой табачной вони был ужасен. Это и привело девочку в чувство: брезгливое бешенство обдало ее волной какой-то пружинной силы. Она вывинтилась из жестких рук, нырнула под Марусино брюхо, так, что та, потеряв равновесие, упала на колени, и, схватив жестяное ведро с надписью «школа №...», с силой опустила его на Марусину спину. И тогда испугалась и дико заорала, продолжая бить и бить ведром об эту жирную спину и голову.

И только на улице, под дождем, поняла, что бежит в сторону Сквера без портфеля, без куртки, плача и поминутно оглядываясь...

Интересно, что она не рассказала о происшествии никому — ни в школе, ни, разумеется, матери, ни даже Сереге, — а уж кто и мог объяснить происшедшее, так только он. Но Вера молчала, предпочитая хранить этот случай на особой полочке в голове, время от времени доставая его и разглядывая со всех сторон...

...Так вот, когда однажды Вера шла из школы, размышляя над тем, кто же такое на самом деле существо — Маруся... взгляд ее вдруг упал на чьи-то гигантские ноги, повернутые к ней пятками, плавные такие лыжи... Она медленно поднимала голову... жилистые загорелые бревна ног не кончались... Вера вскрикнула и, как ужаленная, отпрыгнула в сторону: спиной к ней стояла гигантского роста женщина... Со своей высоты она даже не слышала — что за лилипут пискнул там, внизу... Вероятно, ждала какую-нибудь машину — стояла, посматривая то на дорогу, то на часы, поднося к глазам огромную лопасть руки... Девочка перевела дух, и тут до нее дошло, что перед ней звезда ташкентского баскетбола, знаменитая женщина-гигант Рая Салимова... Одета была просто, в хлопчатобумажное платье выше колен и теннисные тапочки...

Вера вспомнила, что Серега объяснял — в чем ценность игрока такого роста: «Она просто подходит и ложит мяч в корзину!!! — кричал он, вытаращив глаза. — Усекла?! Высотища-то — два метра, хренадцать сантиметров!!!»

Вера осторожно обошла Гулливера, задирая голову и прикидывая — кто кого победит в честном поединке: Маруся или баскетболистка...

...Вот портфель — плоский, как голос, докладывающий о сборе металлолома. Сейчас в него последуют тетради, изрисованные вдоль и поперек, несмотря на регулярную материну порку; учебники, истрепанные до тряпичного состояния, деревянный изгрызенный пенал с изгрызенными карандашами и резинками; мятые и рваные, изрисованные розовые промокашки...

А там, в приемнике, уже кто-то марширует под замедленный ревматический аккомпанемент, ставит ноги на ширину плеч и возвращается в исходное положение: «На зарядку, по порядку, на зарядку, по порядку становись!»

Вера однажды пробовала маршировать под эту музыку, получилось как в замедленной съемке. Она почему-то *сквозь музыку* видела аккомпаниаторшу за роялем: старушку с круглой спиной и жировым горбиком ниже затылка. Растопырив пухлые пальчики, та не в такт тарабанила, цепляя по пути соседние клавиши... Между прочим, однажды Вера столкнулась с ней в дверях «Гастронома» и даже не удивилась, что узнала. Она вообще мало чему удивлялась по-настоящему.

Буквально лет через семь она под руку будет волочь эту старушку через дорогу, в попытке нагнать одинокий гроб с телом дорогого им обеим человека.

— «А теперь переходим к водным процедурам!»

Каким количеством муторных казенных слов загромождена жизнь! Почему не сказать — «примите душ»? И что это за водные процедуры такие? Вообще — слово «процедура» в Верином воображении имело стойкий больничный смысл.

Затем тот же голос проводил утреннюю гимнастику на узбекском языке.

Она торопливо заглатывала куски «хлеб-с-сыром», потому что уже вовсю разорялся хор Всесоюзного Центрального радио. Начинали выть высоченными истеричными голосами: «Мир! Нам нужен мир!.. Мир, чтоб смеяться (и вдруг резко и очень высоко): — Смеяться!!! Мир — чтоб трудиться! (новый прыжок сверлящей боли): — Трудиться!!! Мир, чтоб любить и дружить...»

Ну почему, почему, когда ты еще, собственно, не проснулась, и мать все рычит-бурчит и норовит достать обжигающей своей лапой то затылок, то задницу, то спину... — почему с утра они поют такие песни, да еще такими сдавленными бутылочными голосами, словно и сами не верят в то, о чем поют?..

— Значит, так, — говорит мать. — Я отлучусь по делу дня на два, чтоб все тут было подбрито!

Веру, как всегда, обдало внутри радостным жаром, но она и глаз не подняла, равнодушно наклонила голову. «Подбрито!» — стыдно кому пересказать... У матери вообще были такие выраженьица — закачаешься. Это означало: «чтобы все было в порядке полнейшем». Как обычно, Вера внесла в свой тайный список и это безобразное слово. Она уже года три вела такой вот собственный счет словам, которые никогда, ни при каких обстоятельствах произносить было нельзя. Так она исподволь готовилась к будущему отделению от материка под названием МАТЬ. Так беглый каторжник готовится к побегу, запасаясь сухарями; так матрос, бегущий с корабля, мысленно прочерчивает маршрут. Когда-нибудь, думала девочка, когда-нибудь она пройдет мимо этой чужой женщины, не оглянувшись...

Вообще-то, если мать говорит — на два дня, может выпасть и счастливейшая неделя. А однажды она месяц где-то пропадала. Явилась как ни в чем не бывало — похудевшая и крикливая. Может, ее где-то там держали под замком, не выпускали, прятали? Эх, заперли бы ее на подольше... Одно время Вера даже раздумывала над неким письмом — просьбой насчет того, чтобы мать подержали где-нибудь взаперти, но не могла придумать — за что, и главное — куда бы и кому такое письмо послать.

* * *

В дни материных отлучек Вера кормилась как и где придется, ведь денег мать не оставляла никогда. Правда, перед отъездом закупала несколько кило баранок, сушила сухари в духовке, словно заключенному передачу готовила (и они вкуснейшими у нее выходили — посыпанные солью и сахаром), и оставляла шмат сала и кило сыра. На этом девочка жила. Иногда забегала к дяде Вале, и там всегда что-нибудь находилось, уж яичницей тебя накормят в любом случае. Сама себе часто готовила замечательное блюдо «мурцовку» — Серега научил: много жареного лука, залитого кипятком с мукой; такой отличный суп, чреватый, однако, долгой изжогой...

Еще она бродила по базарным рядам и помогала хозяйкам поднести кошелки до трамвая, за что ей давали яблоко или огурец какой-нибудь, а то и пять, иногда десять копеек...

Несмотря на неприязнь к любой толпе, базар она любила: там каждый занят своим делом, каждый знает чего хочет и ни минуты не бросает на ветер.

...Если долго ходить вдоль рядов и смотреть на еду, узбеки угощают. Узбеки добрые. Отрезают липкий жгут-косицу от бруса сушеной дыни или гроздку винограда оторвут и протянут: «Ай, чиройли кизимкя!..»

С некоторыми обитателями Алайского она уже была хорошо знакома. Слева от главных ворот сидел мастер Хикмат, чинил расколотую фаянсовую посуду. Вера стояла рядом минут по двадцать, смотрела, как с помощью ручного привода в виде древнего лука и сверлышка, вокруг которого петелькой обернута тетива, он сверлит в черепке дырочки, а затем скрепками их соединяет. Чашки, блюдца, чайники возрождались к новой жизни, в этом были и справедливость, и доброта...

В сторонке у забора сидела на складной холщовой табуретке старуха — продавала нитки, гребешки, мотки бельевой резинки, а также всякий причудливый хлам, который все же находил свой спрос и был предметом постоянной Веркиной тревоги: среди старых открыток она давно приглядела себе две: на одной, блекло-серой, неуловимо нежной, испуганной по настроению, мчалась карета с невидимой и загадочной девушкой внутри. Почему девушкой? Тонкая рука высовывалась из распахнутой дверцы, то ли пытаясь остановить карету, то ли подавая кому-то знак...

На другой открытке сидел волоокий красавец со свисающей с кресла кистью прекрасной руки... Верка боялась, что кто-то опередит ее и купит эти старые открытки, и тогда все пропало. (Что же пропало? — удивлялась она самой себе, и не могла ответить. Желания, почти все ее желания, в то время были настолько сильны, что смириться с любой потерей, любым *недостижением желания* было невыносимо...)

Каждое утро блеклая, с измученным лицом женщина приводила и усаживала под старым дубом, изобильно плодоносящим патронами крупных желудей, своего слепого и одноногого, вечно пьяного мужа. На плече его сидела птица-ворон, Илья Иванович, гадатель, источник благосостояния семьи. Мужик с утра был уже выпимши, но при нем всегда находилась бутылка, и в течение дня он на ощупь наливал себе водки в граненый грязный стакан, опрокидывал его, и с новой, возрожденной силой, сипло кричал:

— Кто в судьбу свою заглядывать желает —
Па-адхади, Илья Иванович гадает!

или:

— Тебе счастье или горе ожидают?
Па-адхади, Илья Иванович гадает!

Были в его поэтическом арсенале еще несколько версий, сменявших друг друга в течение дня.

В полуденное время инвалид засыпал, открыв рот и опершись спиной о ствол дуба. Его храп перекрывал даже зазывные вопли торговцев дынями. В эти минуты Илья Иванович, привязанный шпагатом за лапку к единственной, в пыльном хромовом сапоге, ноге хозяина, бродил вокруг ствола по убитой растрескавшейся земле и клевал лакированные панцири желудей, удивленно отпрыгивая, если какой-нибудь высоко подскакивал от удара клювом.

Если кто доверчивый и рисковый все же подходил, не жалея десяти копеек, ворон нырял клювом в корзинку со скатанными в трубочку записками и доставал одну — там какое-нибудь счастье обязательно обещалось: «сакровище пиратов», например, «каварная любовь прекрасной половины» — это на всякий случай, для любого пола...

Довольно часто своей судьбой интересовался айсор Кокнар из сапожной будки по соседству. Разворачивал бумажку, внимательно вчитывался в прорицание, шевелил губами, качал головой, говорил: «Я так и знал!»... Он был, кстати, дядькой Веркиного одноклассника Генки Гамзанянца; однажды хулиганы раскачали его будку вместе с ним, вопящим изнутри, и опрокинули ее набок...

Вечером жена слепого забирала его домой — пьяненького, с вороном на плече, — убогого предсказателя базарной фортуны...

Вере нестерпимо хотелось узнать свою судьбу — например, не выпадет ли такого счастья, чтоб мать куда-нибудь навеки запропала?.. Однако для гадания Ильи Ивановича нужны были десять копеек, деньги немалые, на дороге не валяются... Нет, пусть уж судьба улыбается пока таинственно и призывно...

Масса лавочек, будок, навесов, палаток, тележек занимает все окрестные к Алайскому улицы и переулки аж до Бородинской, до Алексея Толстого, до Крылова... Отовсюду, под крики перевозчиков товаров: «Пошт, пошт!!!» — «поберегись!», — несется узбекская музыка, монотонная и одновременно сложновитиеватая, с горловым надрывным похныкиванием... Под своими навесами, прямо на виду у толпы, работают ремесленники: жестянщики, кузнецы, плотники, гончары. Чего только не найдешь в этих будках — развешанные на дверях медные кумганы, подносы, кружки... В глубине лавок — штабеля разновеликих сундуков, препоясанных цветными медными и жестяными поясами, свежеструганные люльки-бешики для младенцев, ведра-тазы любых размеров... Дощатые заборы захлестнуты цветастыми волнами сюзане и ковров...

Через каждые сто-двести метров восходит над жаровнями синий, нестерпимо благоуханный дым от шашлыков... Вообще на Алайском видимо-невидимо забегаловок, харчевен и шашлычных, да просто столиков на одной ноге, под открытым небом, где можно перекусить и даже, кому захочется, — выпить красного винца.

...Часто Верка забредала в конец базара, где под брезентовым навесом один парень готовил вкуснейший лагман. Огромный, бритый наголо, великолепно сложенный, — стоял, голый по пояс, и хлестал себя по спине и груди длинными веревками растянутого теста.

Брезгливые кричали ему:

— Эй, что делаешь?!

Он весело отвечал:

— Слоистей будет!

Тридцать лет спустя картина «Лагманщик на Алайском базаре», где он, сверкая улыбкой на почти черном лице, все еще стоит, и будет всегда стоять, хлеща себя по могучей спине веревками растянутого теста, — продана за 34 000 долларов на аукционе в Ницце. В борьбу за ее обладание вступят адвокат из Лиона, генеральный менеджер сети отелей «Холидей Инн» и некий бизнесмен из Чикаго, собственно, и взвинтивший последнюю цену до невероятного предела, после чего никто, кроме него, на это небольшое полотно уже не претендовал.

Тут же, под навесом, стояли три шатких фанерных стола, покрытых кусками истертой клеенки, с разнокалиберными стульями немыслимой ветхости. Однако никогда они не пустовали. Два раза Верке тут налили почти полную касу божественно жирного и густого лагмана, что остался на дне гигантской кастрюли... Она, однако, не злоупотребляла: раза три отказывалась, говорила, что сыта, глотала слюнки...

21

Да... базары моего детства... — Шейхантаурский, Фархадский, Госпитальный, Туркменский... И самый главный, легендарный и грандиозный — Алайский!

Кто только на нем не торговал!

Поволжские немки из высланных — в белейших фартуках — предлагали хозяйкам попробовать свежий творог, сливки и сметану.

Сморщенные пожилые кореянки пересыпали в вощеных ладонях жемчуга желтоватого или белоснежного риса.

Красавцы все как один — турки-месхетинцы — артистически взвешивали первую черешню, загребая ее растопыренной большой ладонью; сквозь пальцы свисали на прутках алые или желтые двойни-тройни...

Издалека душно благоухали прессованные кубы багряных и желтых сушеных дынь...

Россыпью полудрагоценных каменьев сверкали ряды сухофруктов: черный, янтарный, красноватый изюм, тусклое золото урючин, антрацитовые слитки чернослива...

А оранжево-глянцевые кулаки первой хурмы, а горы багровых, с маленькой сухой короной, гранатов, и один обязательно расколот на погляд: из-под молочной пленки капельками крови выглядывают плотно притертые друг к другу зерна... А бледно-желтые плешивые, с островками замши на каменных боках, плоды айвы! А тяжелые влажные кирпичи халвы — золотистой кунжутной, охристой маковой, урючной... да и бог еще знает — какой!

А как умели торговать узбеки! Это был талант от Бога — расписать товар вот так же, как художник расписывал ляганы и пиалы.

— Па-адхади наро-од, свой огоро-о-од! — выпевали, выкрикивали тенора, баритоны, басы, высвистывали фистулой слабые стариковские глотки, — от прилавков, с высоты арбузной горы, с перекладины арбы, полной длинных, как пироги, покрытых серебристой сеточкой мирзачульских дынь. — Паллявина сахар, паллявина мьё-од!

К каждой покупательнице, в зависимости от возраста, обращались либо «дочкя», либо «сыстра», либо «мамашя». Те тоже не уступали в умении торговаться. В этом многоголосом торге роли были расписаны каждому наперед. Тут вариантов несколько. Либо говорили: «Уступи, много возьму!», либо делали вид, что уходят, ожидая оклика и готовясь к нему... Либо, втихаря отсыпав часть денег в карман, искренне выворачивали перед хозяином товара кошелек: «Вот все мои деньги. Хочешь — бери!» Хотя самый действенный способ был — обратиться к нему по-узбекски: тут он точно не выдерживал, душа смягчалась, цена падала...

* * *

О, упоительные и изощренные поединки восточного торга!

* * *

Совсем недавно на улице Виа Долороза, в огромном антикварном магазине, похожем на пещеру Али-Бабы, куда после экскурсии завела меня и моих друзей-американцев гид Марина, я вступила в единоборство с самим хозяином, высокомерным Селимом.

Перед тем как войти, Марина рассказала, как в самый разгар очередных арабских беспорядков, когда толпа, вооруженная ножами и камнями, катилась гулом с Масличной горы по Виа Долороза, Селим спас ее, вместе с группой туристов из России, — спрятал в своей пещере: запер двери лавки, перекинув на них средневековый железный засов...

Здесь, среди гор разнообразно изысканного хлама, мне пришло в голову показать настоящий класс восточного торга своим американским друзьям из Балтимора, приехавшим отпраздновать совершеннолетие сына у Западной стены.

...Это было похоже на борьбу палванов моего детства, когда богатыри засучивают рукава и подворачивают штаны на мощных икрах... разминаются в сторонке от ковра, переступая с ноги на ногу, массируя бицепсы... Селим не подозревал — с кем имеет дело, и вначале отвечал мне, снисходительно улыбаясь, — о эта обходительность торговцев Восточного Иерусалима... Мне неважно было — вокруг чего справить торг. Я выбрала небольшую серебряную вазочку ручной работы.

— А сколько стоит эта, к примеру? — лениво осведомилась я, небрежно покручивая в пальцах изделие.

Главным в этом вопросе является слово «к примеру». Оно сразу ставит под сомнение исходную цену товара.

— Это — настоящая ручная работа, госпожа, позапрошлый век, сирийский мастер, редкая вещь!

— Я спросила тебя о цене... — тон по-прежнему непроницаемый.

— Посмотри, какая тонкая вязь — видишь? Павлиний хвост... растения, тонкие листики, какие узоры... Многодневная кропотливая работа...

— Ну-ну?

— Это — вещь дорогая, но лично тебе я спущу цену, ты, я вижу, настоящий ценитель, разбираешься...

Он еще не видит — насколько я разбираюсь и на сколько ему придется спустить цену.

— Короче?

— Это стоит четыреста двадцать пять долларов, но тебе я уступлю за триста семьдесят пять, госпожа!

Тут особенно трогательны эти хвостики: двадцать пять, пять, пятнадцать... К реальной цене, и вообще к реальности, эти цифры не имеют никакого отношения.

— Спасибо! — прочувствованно говорю я. — Действительно, ценная вещь.

После чего аккуратно ставлю вазочку на полку и поворачиваюсь к ней спиной.

— Подожди! — вскидывается он. — Я вижу, ты серьезный покупатель. Назови свою цену.

Но я ухожу все дальше вдоль полок, скользя рассеянным взглядом по сводчатому потолку, с которого гигантскими виноградными гроздьями свисает добрая дюжина старинных бронзовых люстр.

— Погоди же, госпожа! Мы только начали интересный разговор! Назови свою цену!

— Нет, — бросаю я, полуобернувшись, — это ты назови сейчас настоящую цену такой маленькой вазочки.

— Сядь, — говорит он, — сядь, выпей кофе... И твоим друзьям сейчас сварят кофе...

Немедленно двое юношей (сыновья — племянники?) исчезают, чтобы сварить кофе. Нас усаживают на плетеные, с мягкими подушками, диваны вдоль стены, перед которыми на полу расстелены ковры, а по бокам стоят высокие медные и серебряные кальяны.

— Смотри, — говорит он, — вещь действительно изысканная, и ты видишь это сама. Я готов сделать тебе изрядную скидку. Но я не готов разориться!

Разорение Селиму вообще-то не грозит. Сотни квадратных метров этой пещеры заняты коврами, кальянами, вазами, старинной резной мебелью иранской тонкой работы, инкрустированной пластинками перламутра и слоновой кости; мраморными фрагментами с раскопок, крылатыми ангелами, золотыми и серебряными распятиями, печатками, кольцами, браслетами, древними монетами и всевозможными сокровищами земли и ее недр, особенно — недр, так как по большей части товар ему поставляют опытные и изощренные в своем мастерстве грабители древних могил... Ежеминутно в лавку заходят очередные покупатели, делают шаг другой в это зачарованное пространство, спускаются на три ступени вниз или поднимаются на пять ступеней вверх и — пропадают часа на полтора... По магазину снуют юноши-продавцы, мужские ипостаси райских гурий, призванные не дать уйти без покупки заблудившемуся в пещере...

Нами же — из уважения — занимается сам хозяин, которого связывает с Мариной многолетнее знакомство...

Нам приносят кофе, о котором не мог бы сказать худого слова ни один ценитель этого напитка ни в одном уголке земного шара. Мои друзья интересуются по-русски — что будет стоить это гостеприимство, я отвечаю им — ничего. Это — Восток. Сидите, пейте, забудьте на пять минут о своей Америке и следите за нашими руками...

А наши с Селимом руки действительно говорят сейчас более выразительно и откровенно, чем наши голоса. За всем этим танцем обольщения покупателя он как бы забывает назвать настоящую цену... А я не тороплю события. Я хвалю кофе, мы перебрасываемся несколькими фразами о ситуации с туризмом в этом году... Руки взлетают почти симметрично, его ладони свободны, движения их плавны, они словно подгребают к себе воду, по которой плывет выгода; мои ладони прикрыты, попеременно заняты чашкой кофе, и — отгоняя мух, — отгребают от себя притязания...

— К сожалению, — наконец замечает он сокрушенно, — тот поставщик, сириец, который добывал мне товар, в прошлом месяце умер... Больше таких вазочек у меня не будет.

Я цокаю языком, качаю головой и выразительно смотрю на часы, приподнимаясь из кресла.

— Ладно, давай совершим сделку! — восклицает хозяин. — Триста сорок пять долларов будет достойной ценой этой редчайшей вещи!

Я согласно киваю...

— Пятьдесят пять долларов, — говорю я негромко, — будет достойной ценой этой безделице. Для цветов она мала, для зубочисток — велика. Так, вазочка для двух карандашей.

Он фыркает, воздевает руки, откидывается в кресле, взывает к сочувствию моих, ни бельмеса не смыслящих в иврите, американцев...

Тут мои приятели начинают выяснять — что происходит и о чем мы так увлеченно говорим с хозяином лавки на иврите? Выяснив суть вопроса, они бормочут, что я веду себя неприлично. Они шокированы. За эти двадцать минут они успели уже кротко и бесхитростно купить себе по браслету, или по шкатулке, или еще какую-нибудь туристическую дребедень, которую изготовляют не на Малой Арнаутской, но тут, за углом, все на той же Виа Долороза...

— Я думал, ты — серьезный человек, понимающий красоту вещи... — удрученно говорит Селим. — Ты же просто развлекаешься...

— Ничуть, — возражаю я. — Я собралась купить эту, бесполезную в доме, вещицу. Она торчит здесь три года, вон как запылилась... Могу даже поднять цену до шестидесяти.

— Положи хотя бы триста! — вспыхивает он. — Нельзя в грош не ставить человеческий труд!

— О'кей, — я делаю паузу, допиваю кофе... с улыбкой возвращаю пустую чашку юному хозяйскому племяннику, вздыхаю и говорю. — Я понимаю, у тебя проблемы... ты должен платить за товар... оборот сейчас не тот... туристов мало... Я бы подняла цену до семидесяти долларов — замечательная цена за действительно тонкую работу, за эту вазочку, конечно, не позапрошлого века, куда там, но лет двадцать назад ее-таки сработал способный паренек. Беда только в том, что она мне совсем не нужна, и ты мне сейчас помог это осознать. Спасибо тебе...

Я поднимаюсь, мои американские приятели тоже растерянно поднимаются, понимая, что гостевание в гигантской, набитой обольстительным старьем, пещере подошло к концу...

— Так ты что, так и не купила эту жестянку? — спрашивает меня глава семьи. — Давай я куплю ее, а то неудобно...

— Заткнись... — цежу я сквозь улыбку... — Не мешай мне...

— Хорошо! — решительно объявляет хозяин пещеры, глава разбойной банды. Его глаза уже отметили движение заскучавших американцев, накупивших все свои сувениры и сейчас готовых тронуться по Виа Долороза дальше, уводя меня с собой... — Хорошо. Я вижу, ты и впрямь прикипела к этой вещи. Знаешь что? Я хочу сделать тебе невозможный подарок. Бери ее за сто пятьдесят долларов и празднуй неделю такую удачу!

Я ахаю, качаю головой, всплескиваю руками... Беру в руки и вновь разглядываю выдолбленные кропотливым резцом глазки на павлиньем хвосте, опоясывающем серебряное брюшко маленького рукотворного шедевра...

— Да-а-а... — вздыхаю я.. — Жаль, надо идти... Мы не договорили... Но мои друзья, видишь, торопятся...

Еще бы, конечно, он видит, что американцы уже высачива-
ются из дверей на улицу...

— Знаешь что? — говорю я, открывая сумку и доставая
оттуда расческу, чтобы неторопливо провести ею по волосам... — давай я тебе сделаю невозможный подарок? Вот тебе восемьдесят долларов, это все, что у меня есть, и празднуй
такую удачу целый месяц.

— Ну, ты идешь? — зовут меня с улицы.

— Эх!!! Восемьдесят пять!!! — кричит он в азарте, делая
знак племяннику, чтобы хватал, разменял, бежал давать сдачи,
заворачивал, провожал...

И сам выводит меня из пещеры, с резных обшарпанных дверей которой свисают платки и тканые галабии, и крошечные,
гроздьями, тамбурины, и распятия на любой вкус и для любых
конфессий... И минуты три еще смотрит, как в солнечном ма-
реве улицы я догоняю своих спутников и в сердцах выговари-
ваю за нетерпение, за то, что не дали мне выторговать еще
пять долларов, — немалые, между прочим, деньги... И над всеми лавками Виа Долороза восходит воплями, причитаниями,
уговорами, проклятьями, восклицаниями, смехом и воркова-
нием гомон восточного торга...

* * *

Однажды, прокрутившись на базаре часа три, Верка зара-
ботала почти целый рубль и немедленно ринулась к старухе-
старьевщице... Та сидела на своем брезентовом складном стуле (позже, когда Вера стала выезжать на этюды, она купила
себе такой в художественном салоне), гоняла мух и, подпирая
обеими ладонями свой толстый живот, лениво оглядывала базарную площадь перед собой.

Тут Верка выяснила, что одну из двух вожделенных открыток кто-то уже увел. Она перевернула и перетрясла всю жес-
тяную коробку со старыми открытками: дамы с вуалями на берегу «Средиземнаго» моря, Ницца на горах... полуголая

девушка у Бахчисарайского фонтана, предлагающая изгиб обольстительного бедра в дымчатых шальварах... пытаясь как можно точнее описать старухе — что ищет... пока наконец та не припомнила, что утром открытку с каретой купила какая-то девочка: «А я и не посмотрела на нее... вот, как ты... все вы похожи...»

Вторая, с волооким высоколобым красавцем, безвольно свесившим прекрасную кисть руки с плетеного кресла, была на месте...

На грязно-желтом, с жирными пятнами, обороте написано: «Валентин Серов. Портрет художника Исаака Левитана»...

...Словно ей вручена была повестка с указанием личности для безошибочного опознания: вот такой он должен быть, не пропусти! И она не пропустила. Приволокла его домой со Сквера, как раз в тот день, когда уехала мать.

Его била проститутка, пинала ногами; разбегалась для силы и пинала попеременно то правой, то левой ногой под дых. Он лежал на земле, за дощатым киоском летнего кафе, закрывая голову руками и тихонько смеясь, а может, икая от побоев.

Кто-то издали крикнул:

— Маргоша, брось его! Вон милиция!!!

Она пнула еще разок, для утверждения своей победы, и, оглядываясь по сторонам, потрусила к выходу из Сквера.

Что-то было непривычное во всей его фигуре, несоответствующее сцене... Девочка осторожно подошла к пьяному... Он лежал вниз лицом, не шевелясь... Она постояла над ним с минуту, потянула за грязный пиджак на плечах, тяжело перевернула на спину. Пьяный лежал себе и улыбался... Через всю правую скулу шла кровоточащая ссадина, лоб и подбородок в грязи... Взгляд его упирался в небо, как будто высматривал что-то безнадежно и безвозвратно далекое...

Этого взгляда она не забудет во всю свою жизнь... и впоследствии он станет смотреть со многих ее холстов на публику — так же отрешенно, сквозь прозрачные воды времени, словно уже видал такое, что по самую завязку насытило его любопытство к этому прекрасному миру.

Почему она осталась при нем? Он был очень похож на того человека с открытки, с бархатным волооким взглядом испанского аристократа. Исхудалые кисти раскинутых рук, с обломанными черными ногтями, были так же изумительно вылеплены...

Прошло минут десять, он не шевелился... Стал накрапывать дождик. Тогда она придумала, как отвезти его домой. Подложила ему портфель под голову и помчалась к Сергею, изо всех сил надеясь, что он дома, — тот уже вкалывал на стройке, ухаживал за красивой крепенькой, усатенькой девушкой по имени Наташа, и разъезжал на трофейном, купленном у старика майора, мотоцикле с коляской. И Серега-таки оказался дома, но после смены, уставший как собака. К тому же он расставлял «клеша» на выходных брюках, целился ниткой в ушко иголки, мигая покрасневшими от цементной пыли веками.

— Мышастый, иди на фиг, еще алкашей ты не подбирала!

Она умолила, выплакала... немедленно сочинила историю с испанским художником, брошенным изменной женой... — «Мышастый, что ты мелешь, какой испанской женой?!» — «Ты не знаешь, ее зовут Кармен!» — с детства ей ничего не стоило вертеть Серегой как хочется, сочинив самые невероятные истории (сказывалась хламная куча жадно проглоченных книжек), — и не было случая, чтобы простодушный друг ей не поверил.

...Вместе они взвалили пьяного, затолкали в коляску, совершенно бессознательного и бледного, с болтающейся головой, и Верка привычно уселась позади Сергея, обхватила его живот.

Минут сорок с мучениями волокли они пьяного на четвертый этаж. Он выскальзывал, норовил лечь на ступени, безвольно повисал на руках; Серега пыхтел, грубо подпихивал его коленом и бурчал:

— Вот охота ж тебе всякую шваль подбирать!.. Совсем чокнулась? Ну, куда ты его денешь... потом?

Наконец втащили в квартиру и свалили на топчан...

Пьяный проспал весь вечер, всю ночь и целое утро. Не чувствовал, как Вера мокрой тряпкой обтерла ему лицо и смазала ссадину йодом.

Когда проспался, сел на топчане, покачался с закрытыми глазами, наконец открыл их и внимательно огляделся...

Косые солнечные квадраты от окна лежали на пестрых половиках, которые мать сшивала из обрезков разных материй. Они были веселыми, шебутными, и сотворяли праздник в доме, особенно когда в окна валило солнце. И занавески были ею сшиты роскошные, из дешевого ситчика, с такими-сякими оборками... На стене напротив висело старинное зеркало в бронзовой раме, которое мать купила когда-то на толкучке. Она вообще была неравнодушна к красивым вещам и если уж тратила деньги (всегда со страшным скрипом — жаба давила, скручивало пальцы, держащие кошелек!), то это были вещи отборные, редкие, великолепного качества.

Много лет спустя Вера смотрелась в такое же зеркало — даже узор на золоченой раме был тот же! — в венецианском палаццо Д'Оро, припоминая то давнее, погибшее, неизвестно как попавшее на ташкентскую толкучку... еще и еще раз удивляясь городу, в котором выросла... И не порт ведь, не корабли-каравеллы причаливали... Откуда намывало все те колониальные диковины на азиатский сухой брег?

Несколько минут он оглядывал все это, потом спросил самого себя:

— Что за царские чертоги?

Девочка молча принесла ему воды в стакане и сказала:

— Дядя, вы тут можете еще немного побыть, но я люблю, чтобы тихо.

Он жадно выпил всю воду и спросил:

— Дитя, а водки во дворце не найдется?

— Нет, — ответила она сухо и ушла в кухню.

Минут через пять он приплелся туда, — необыкновенно изящный человек небольшого роста, движения мягкие, какое-то расшатанное благородство в походке...

— А рассолу? — спросил он.

— Патиссоны, — буркнула она, не оборачиваясь. Решала примеры по алгебре за кухонным столом. — В холодильнике.

Он бесшумно открыл холодильник. Уже не спрашивая, порылся в ящике кухонной тумбочки, отыскал консервный нож, так же ловко, бесшумно открыл банку и схрупал почти все патиссоны.

— Жизнь приобретает очертания... — проговорил он.

— Если вы будете много разговаривать, — сказала она, не оборачиваясь, — вы уйдете прямо сейчас.

И он умолк и промолчал целое воскресенье. Но сразу же вымылся, побрился материной безопасной бритвой, отчистил свой пиджак... В ванной обнаружил бак с грязным бельем и кусок хозяйственного мыла, — все выстирал, развесил на балконе, а вечером перегладил и выложил в шкафу идеальной стопкой.

Вечером же нажарил картошки, и они так же молча поели... Вера читала «Двадцать лет спустя», тыча вслепую вилкой в кусочки жареного сала на тарелке.

— Можно поговорить? — наконец вежливо спросил гость, когда обе тарелки были им вымыты и вытерты до блеска...

Она кивнула, но от книги не оторвалась.

— Вы в который раз читаете эту книгу?

— В пятый, — сказала она.

— Это хорошо... — отозвался он. — Если три года подряд читать одну и ту же книгу, вырабатывается чувство языка...

Она промолчала...

— Я тут мельком заглянул в вашу тетрадь, извините, — продолжал он. — Все примеры решены неверно.

— Как?! — всполошилась она. — Завтра контрольная. Что же делать?

— Перерешать, — предложил он. — Я — Миша Лифшиц.

— Вера.

— Очень рад. А скажите, Вера, как я попал под этот гостеприимный кров?

— Вы валялись на Сквере, — буркнула она.

— Увы, это вполне вероятно...

— Вас пинала ногами какая-то тетка...

— ...и это возможно, хотя ничего подобного не упомню... И что же?

— Ну, и я подобрала вас! — огрызнулась она. Ей надоел этот его придурошный тон.

— Но не на плечах же своих вы меня несли сюда со Сквера?

— ...на мотоцикле.

— Ах, вот как!

Он задумался... И решил, видимо, повременить с дальнейшим выяснением обстоятельств.

Оставшийся вечер был посвящен алгебре.

22

Когда, три месяца спустя, явилась мать, их жизнь была уже налажена.

Дядя Миша за это время один раз запил на пять дней, но был тих, как голубь. Вынырнув из алкогольного забытья, кротко стирал, готовил и выглаживал Верке форму. Успеваемость ее дико выросла. Он объяснил ей, наконец, крепко и надежно, азы алгебры, научил писать сочинения по очень простой, как сам говорил — «советской», схеме. Но после написания такого сочинения объяснял смысл и суть рассказа или повести, и тогда получалось, вроде как все наоборот, и писатель, оказывается, совсем другое, чем в учебнике, имел в виду, когда писал, но только в школе это повторять не нужно. «Вообще, поменьше там высказывайся, — советовал, — а то пойдешь по моим стопам».

Разговаривал дядя Миша совсем другим, чем мать, чем все знакомые и соседи, языком. Никогда не сквернословил. Сначала Верке казалось, что он выпендривается, потом, когда стала понимать многие слова, она незаметно переняла его опрятную, округлую манеру выражаться, и всегда переходила на этот, «дядимишин», язык, когда встречала — а она их определяла за версту — таких же людей, людей его покроя.

Когда он читал наизусть Пушкина и Лермонтова, это оказывались совсем другие стихи, хотя строчки были те же, что в учебнике; еще читал каких-то Баратынского, Гумилева, Кузмина и пару-тройку других, имена которых для нее проявились во всем величии позже, — читал, останавливаясь посреди стихотворения и бормоча: «...как грустно восходя, краснеет запоздалый луны недовершенный круг... луны недовершенный круг... Боже, что стало с памятью... водка проклятая...»

Числился он на должности лаборанта в институте хлопководства СоюзНИХИ, на станции защиты растений, куда его приняли в память о матери, известном энтомологе, одном из основателей этого института. И тут надо оценить мужество завлабораторией Саиддина Мурхабовича, который не только взял подозрительного Мишу Лифшица на работу после его реабилитации в пятьдесят шестом, но и терпеливо пережидал все его запои...

Однако не с этого началась Мишина неказистая судьба, а гораздо раньше, гораздо раньше...

Он любил говорить: «Из очень многих белых колонизаторов я один родился здесь добровольно!» До известной степени это, конечно, была фигура речи, однако правдой было и то, что дед его, военный врач из кантонистов, явился в эти края в составе русской армии генерала Кауфмана и обосновался тут обстоятельно и с любовью. Настолько пригрела его Азия, что и жену свою, киевлянку, наследницу большого ювелирного магазина «Исаак Диамант & Гавриил Диамант», он приволок сюда же, на новую, приветливую, усаженную молодыми чинарами, улицу Романовскую, где к тому времени успел выстроить особняк, одноэтажный, но просторный, колонны на каменном крыльце, высокие потолки с лепниной... Единственная его дочь родилась еще в этом особняке, а вот единственный внук — дед к тому времени, даром что врач, скончался от холеры, — рос уже на Тезиковке, в комнате с буржуйкой, керосиновой лампой и примусом, которую снимали, избавленные от дедовского особняка, Мишины родители.

Впрочем, жизнь все равно была прекрасна: соседи тут очень разные жили — слева возчик Непальцев, во дворе стояла его телега, а в конюшне вздыхали и фыркали два тяжеловоза — Моня и Бурый; справа квартировала интеллигентного вида женщина, о месте работы которой взрослые говорили шепотом. Позже пришлось догадаться, что она была сотрудником НКВД, и вот она-то... Но нет, еще не тогда... Аж до девяти Мишиных лет жизнь все-таки была прекрасна: папа брал его в экспедиции в Голодную степь, Ургенч, Кызыл-Кумы... Целый месяц накануне папиного ареста они прожили в кишлаке Гайрат под Шахризябом.

Собственно, папу и взяли прямо оттуда, из палаточного лагеря геологов... И когда Мишу отправили домой, в Ташкент, выяснилось, что и возвращаться-то некуда: накануне ночью арестовали маму. Дело в том, что родители оказались шпионами, а Миша и не догадывался об этом, и очень их сильно любил. Когда за мальчиком явились из детприемника, он исчез — скорее от жгучего стыда, чем от страха, и до самой зимы толокся в таборе беспризорников на берегу Салара, куда горожане старались не появляться.

Но однажды там все же появилась молодая отважная женщина с ящичком пробирок, и Миша узнал в ней мамину подругу и сослуживицу Евгению Николаевну, тетю Женю, хохотушку, затейницу, певунью... Той понадобились вши для опытов. Она достала из сумки клеенку, расстелила на земле, вывалила на нее хлеба, помидоров и картошки, и объяснила ребятам — что ей нужно. В одном из оборванцев, послушно подставившем ей свалявшиеся кудри, она и узнала мальчика, которому дарила когда-то игрушки и твердые глянцевые книжки-складни про Макса и Морица, на немецком языке.

«Мишенька!!!» — вскрикнула Евгения Николаевна и разрыдалась...

Они так и возвращались в город, с недособранным урожаем вшей, поскольку досособирать их тетя Женя свободно могла уже дома, и все — с Мишиной головы. И целую зиму — целых четыре месяца! — мальчик провел в тепле и блаженстве, правда, без учебы, так как тетя Женя в школу боялась его посылать и все пыталась придумать — как выпутаться из положения... А о том, что Миша живет у нее, знали только они двое, и еще Адыл Нигматович, друг тети Жени, который приходил к ней на ночь два раза в неделю и, несмотря на то, что был третьим секретарем горкома комсомола, тоже почему-то осторожничал: прежде чем выйти утром на улицу, выглядывал из окна, прячась за шторой.

Кончилось все в одночасье и страшно: вечером тетя Женя, оставив Мише сковороду горячей картошки на столе, куда-то ушла, предупредив, что вернется поздно и чтобы Миша не ждал, а ложился спать... Он и лег... Но часа через три в дверь позвонили. На пороге стоял обросший щетиной маленький скучный человек. Он тускло посмотрел на мальчика воспаленными глазками и сказал:

— Отец или дядя... или брат... кто-нибудь из мужчин есть?

Миша тихо сказал:

— Я из мужчин...

Тот усмехнулся:

— Ну, тогда поехали... Помочь надо...

— Куда? — встревожился мальчик. — Я не могу, мне тетя Женя...

— Вот с ней и надо... разобраться... — оборвал мужчина, повернулся и стал спускаться по лестнице. А Миша мигом оделся, запер дверь на ключ и бросился следом.

Шли не очень долго, минут двадцать, свернули на улицу Балыкчинскую, вошли в калитку одного из домов и тихо (дядька ступал бесшумно и все время взмахивал рукой позади себя, чтобы, мол, Миша не топал ногами), отворили дверь на террасу. Из темного дома навстречу им выскочила заплаканная пожилая женщина с керосиновой лампой, сказала:

— Там она... Я уже в одеяла завернула... Господи, а это кто? Ребенок?! А как же...

— Ничего, вместе-дружно... — оборвал дядька. — Я тоже, знаешь, не чемпион по поднятию тяжестей...

— А где тетя Женя? — звонко спросил Миша...

— Тихо! — сказала женщина. — С ней несчастье... Кровью истекла... Ты, мальчик, когда привезете ее домой, вызови «скорую»... А там как повезет... Скажешь, что пришла мамка поздно, неизвестно откуда, легла на кровать и...

В дальней по коридору комнате на необычной высокой кушетке лежал какой-то длинный продолговатый сверток в одеялах.

— Где же тетя Женя?! — тихо спросил мальчик.

— Да вот же... — женщина кивнула на сверток...

— Зачем вы голову ей закрыли?! — крикнул Миша, — она ж дышать не может! — и кинулся разрывать одеяла.

Дядька треснул его по рукам и взрыкнул:

— Ты что, парень, ненормальный? Она мертвая уже, понял? Померла... Ждите, сейчас машину приведу...

И дальше Миша был как в ледяном огне. Минут двадцать они втроем вытаскивали очень тяжелую тетю Женю, дядька пыхтел, скрипел:

— Я тебя предупреждал... хорошим не кончится... Сто раз пронесет, а на сто первый накроют...

— Ой, не говори, я сама дрожу... не знаю, как это получилось... Горе какое, а?

— Скажи еще удача, что машина обкомовская под рукой... а то как бы?

Мише велели сесть в глубине машины, и поверху, на колени, положили придавивший его сверток. Он ничего не чувствовал, кроме ледяного огня внутри... сидел, держа на коленях голову мертвой тети Жени...

А дальше уже все происходило как бы и без его участия. Соседи, услышавшие рокот редкого в те годы автомобиля, странную возню в подъезде, насторожились и вызвали милицию, и очередное дело о криминальном аборте пошло по инстанциям.

Самое странное, что за тот месяц, пока шли допросы свидетелей, и на похоронах тети Жени, и потом, на суде... ни разу не появился Адыл Нигматович, словно его и не было в их жизни.

А Мишу, как и положено, забрали в детприемник...

И дальше, тем не менее, уже начиналась полоса дикого везения: директором этого заведения оказался Владимир Борисович, хмурый и немногословный человек, на вид совсем не добрый.

Заполняя на мальчика бумаги, он спросил:

— А родители у тебя где?

Миша сказал:

— Они шпионы... враги народа...

Это было тяжело выговорить. Он, конечно, понимал, что сын за отца не ответчик, но все равно было стыдно и больно, что отец — шпион. Чего ему не хватало, отцу — сколько отличных друзей у него было, и как любили его! Александр Николаевич Волков, художник, его портрет написал, и картины дарил... А отец в это время... шпионил?!

256

Владимир Борисович помолчал и сказал:

— Знаешь, ты сейчас пойдешь к ребятам, я советую тебе не говорить, что родители шпионы. Лучше скажи, что умерли.

И этим запомнился на всю жизнь, ибо снял страшную тяжесть с сердца мальчика.

И правда, когда Миша оказался среди ребят — его сразу привели в столовую, было обеденное время, — и за столом один из пацанов, бритый наголо, с точечками зеленки по всему лицу и голове, даже на ушах была россыпь зеленых точек, спросил: «А родители твои где?» — он соврал в первый раз в жизни. Ответил:

— Умерли...

— От чего умерли? — спросил тот.

Миша подумал и сказал:

— Мать болела-болела... и умерла.

— А отец?

— А отец... с горя умер, — неохотно проговорил он.

И дальше полоса везения все длилась, все ширилась... потому что в детском доме, куда Мишу определили в пятый класс, аккомпаниатором хора оказалась Клара Нухимовна, тогда еще женщина нестарая, хотя и невидная — толстенькая, с рыжими кудельками по всей голове, с хроническим насморком и в сильных очках, тарабанившая по клавишам в самых разных детских заведениях...

Вот так они встретились и припали друг к другу... Сначала Клара Нухимовна, с разрешения директора детдома, забирала Мишу к себе только по воскресеньям и праздникам, потом, в старших классах, добилась усыновления.

И с тех пор уже Миша не был один, — даже потом, когда студентом химфака его в 49-м взяли по статье 58-10, за антисоветскую агитацию, и семь лет до 56-го он помогал стране ударным трудом на цементом заводе в лагере под Бегаватом, — он все-таки помнил, что Клара болеет за него душой, шлет посылки и ждет его домой, такого, каков есть — разбитого и временами сильно пьяного.

Она называла его «бедоносцем» и говорила, что крест судьбы каждому изготовляют по росту еще до рождения. А вот Мише этот крест достался непомерно тяжелым, сколоченным не для одного человека, а для всего поколения.

Словом, он никогда уже не был один, до самого конца, до того дня, вернее утра, когда соседский пацан принес Вере краткую записку: «Миша отмучился» — нацарапанную старческой лапкой этой святой женщины...

* * *

Они как-то сразу и сильно привязались друг к другу: Вера никогда не знала отца, дядя Миша никогда не знал отцовства.

...Он был единственным человеком, который называл ее — Веруня...

И город, такой привычный город с его появлением приоткрыл совсем другие свои двери, за которыми...

В первую же субботу они с дядей Мишей отправились «гулять» — кстати, именно он приучил ее не шляться где попало, а намечать маршрут и извлекать из этого маршрута все мыслимые возможности, — он затащил ее, несмотря на сопротивление, в исторический музей. Она и раньше видела это здание, с присевшими на колеса двумя огромными крепостными пушками из красной меди, но не верила, что старые кособокие вазы, склеенные из пыльных черепков, тусклые медные железяки и черно-белые фотографии на стенах могут содержать в себе столько захватывающих приключений людей и царств, рассказанных дядей Мишей только за одну неспешную прогулку по пустым залам музея. Древние Самарканд, Бухара и Хива, таинственное золото Согдианы, молодой честолюбивый полководец Александр Македонский и его поход на Среднюю Азию... — все это новое, рассказанное им так, словно сам он сидел на осле в армейском обозе или менял стекла в телескопе древней обсерватории... — совершенно поразило ее воображение...

— Откуда ты все это знаешь?! — спрашивала она требовательно, пытаясь дознаться — уж не обманка ли все это, не бред ли, сочиненный в его пьяной голове... Но дядя Миша, во-первых, был в этот день «чист как слеза», во-вторых, голос его обладал такой спокойной убедительной властью, что она, как ни топорщилась, верила сразу всему! Например, когда, рассказывая о распаде империи Македонского, он добавил, что это — «удел всех империй, даже столь могучей, как наша...» — она не фыркнула сразу от такой глупости, а только спросила: «Это что, империя — наша Советская страна? Ты совсем чокнулся?» — за что получила немедленно, прямо в кафе-мороженом, где они уселись после музея, заказав (она — впервые в жизни!) крем-брюле в широких стеклянных ладьях на тонких ножках, — целую лекцию о том, что можно назвать империей, и что такое колонии, и как они завоевываются, как контролируются, как отпадают от *метро... метро-полии...* В процессе лекции на горизонте появилась и, обозначившись надутыми парусами, вплыла в окно забегаловки каравелла Колумба; конкистадоры обменивали бусы на слитки золота; пыхали огнем первые пушки (не такие, Верунь, как вот те, перед музеем; я потом тебе расскажу, как придумали огнестрельное оружие, но это надо с китайцев начинать)... и, наконец, с отборными отрядами русской армии появился здесь генерал Кауфман, расселся станом — в Тур-ке-стане, — проложил улицы, назвал их именами русских писателей и поэтов... даже оставил, среди прочего, название станции в Янги-юле — Кауфманская...

— Значит, мы — колония? — уточнила она. И он спокойно ответил:

— Еще какая! С плантациями, туземцами, белыми колонизаторами, которые забавным образом и сами стали рабами, и прочим таким, о чем я тебе когда-нибудь расскажу подробней.

И будь уверена, что всему этому придет конец. Как и всем империям...

От Клары Нухимовны, которая со смиренным недоумением наблюдала новый поворот в Мишиной жизни, он вещи пока не приносил, но в воскресенье притащил шахматную доску, расставил фигуры и сказал:

— Веруня, оторвись от Атоса, он уже отдал тебе все лучшее, что имел за душой; и учти, среди порядочных людей все же не принято вешать женщин на деревьях, даже если у них случайно обнажилось плечо с клеймом воровки... Иди-ка сюда, я укажу тебе дверь в другие, пленительные сны... Вот это — король. Молчи! Все объясню... А это — королева...

...Словом, дядя Миша оказался хорошим шахматистом, его в лагере выучил играть какой-то *зека* (еще одно новое слово!) — мастер по шахматам, выдающийся человек, для которого один лагерный умелец вырезал изумительной красоты доску с фигурами... А уж дядя Миша выучил Веру нескольким дебютам... и они довольно часто играли, переговариваясь шепотом, особенно когда в доме воцарялась всегда взвинченная, всегда «представляющая» мать...

...так что однажды, в Германии, Вера немало удивила одного из гостей Дитера, кандидата, между прочим, в мастера... который, посмеиваясь, присел за шахматную доску напротив этой неулыбчивой странной женщины, и через сорок, раздражающих его, минут вынужден был согласиться на ничью.

А главное, при дяде Мише обнаружилась целая компания чудаковатых людей, — совсем не похожих на тех, кто жил вокруг Веры и матери, — которые явно любили его и уважали, несмотря на то, что он не всегда являлся к ним трезвым. Эти люди и друг на друга не были похожи, каждый — наособицу, каждый —

обладатель какой-нибудь заковыристой судьбы, которую дядя Миша пересказывал Вере, в разумных пределах, по пути домой.

Например, однажды они навестили смешную старушку Зинаиду Антоновну, ученицу какого-то там знаменитого композитора... У нее стоял рояль, который Вера видела впервые в жизни... И вдруг дядя Миша сел за него и стал играть! Да так резво, так рассыпчато! Вера онемела: побежали по сердцу ручейки-ручейки, и душа зашлась от восторга...

Это стало любимым: Шопен, «Фантазия-экспромт». И потом, когда ставила пластинку, или гораздо позже — диск, всегда вспоминала, как это играл он — оскальзываясь на клавишах, ляпая не ту ноту, но в такой вольно-раздольной истоме... Как ему шла эта музыка!

Старушка засмеялась и сказала: «Вот и руки у него ужасно поставлены, так, что смотреть страшно... Непонятно — чем он играет!»

«Кларина выучка!» — отозвался, продолжая играть, дядя Миша. Она сказала: «Твоя Клара — самоучка и шарлатанка. Хотя и святая женщина...»

Во дворе у нее росло огромное тутовое дерево с черно-синими сладчайшими плодами. Вере разрешено было залезть наверх и набрать полную кружку, так что дня два после этого визита она с ухмылкой разглядывала в зеркале свой черный язык.

У Зинаиды Антоновны выпивали, а пробкой в бутылке была фигурка серебряного ангела, грустно сложившего крылья... И когда уходили, она поцеловала дядю Мишу в лоб, перекрестила и сказала: «Ну, Бог тебя сохрани... Приходите еще, дети, посидим под ангелом...»

Назад они шли пешком, чтобы проветриться — дядя Миша прилично наклюкался.

Вера обнимала его за талию, а он бормотал: «Зинаида Антоновна, да... Смольный институт... Вера, Смольный институт... это тебе не Алайский базар...»

Останавливаясь возле вино-водочных магазинов, спрашивал виновато:

— Верунь?..

— Нет!!! — зверски вытаращив глаза, отрезала она, и медленно они плелись дальше.

Другой «дядимишин» старик — высокий, прямой, строгое длинное лицо, — Евгений Петрович Сегеди, жил на маленькой улочке в районе Шейхантаура, недалеко от старой киностудии. Была у него Данка, восточно-европейская овчарка, которая каждый вечер выходила к трамвайной остановке встречать хозяина, когда тот возвращался из театрально-художественного института, где служил лаборантом на театральной кафедре. Старик Сегеди заваривал особенный чай, по-китайски, поскольку половину жизни прожил в Китае. Вера поначалу даже самого его считала китайцем — возможно, из-за узких, в набрякших веках, глаз, а может, из-за фамилии: ну чем не китаец — Се Ге Ди. Но дядя Миша объяснил, что Евгений Петрович никакой не китаец, а венгерский граф, последний граф Сегеди, что его прапрапрадед заложил поселение еще в восьмисотом году, но когда в середине девятнадцатого века по Европе прокатилась волна революций, тогдашний граф Сегеди, прадед Евгения Петровича, бежал с семьей в Россию, где русский царь Николай Первый не только принял беженцев, но и одарил их имением то ли в Орловской, то ли в Тульской губернии, а в имении — три тысячи душ крепостных. Ну а в Китай уже Евгений Петрович бежал самолично от русской революции («Обрати внимание, Веруня, любая революция приносит не только освобождение, но и смерть, голод и горе») и прожил в Китае долго, пока к власти там не пришел Мао Цзе-дун.

— ...дядь Миш, но ведь Мао Цзе-дун — наш друг?

Он страдальчески морщится:

— Ну... да, Веруня... это — для школы... Но, конечно же, — нет, Веруня... какой он тебе друг? Бандит, негодяй, узурпатор... Так что теперь доживает Евгений Петрович здесь, где тепло и фрукты, со своей Данкой... И еще тут есть целая колония «китайцев», и у них, Веруня, надо бы тебе поучиться прекрасному строю русской речи. Обрати внимание, как красиво говорит Евгений Петрович: простые, удивительно пластичные фразы. Потом я тебе объясню — что такое «пластично»... А кстати, поселение Сегеди теперь — большой город Венгрии. И та советская дивизия, которая взяла во время войны этот город, так и названа — Сегединская гвардейская дивизия...

Однажды, когда дядя Миша с Евгением Петровичем что-то горячо обсуждали за чаем, а она заскучала, старик выдал ей толстый альбом, полный старых фотографий, над которым она впоследствии провела не один зачарованный час. Так вот, одну из фотографий она рассматривала особенно часто: молодой Евгений Петрович снялся «на карточку» в Японии. В полный рост, на белом коне, и сам одет во все белое, — даже сапоги и цилиндр, перчатки, сюртук и брюки, даже седло на коне — и то белое!..

Уже в темноте Вера с дядей Мишей выходили из каморки в узбекском дворе, которую снимал граф Сегеди, и со стороны базара и темной мечети доносились душные запахи угасшего дня, смешанные с запахами дождя или палых листьев... Вера молча шла и думала о странной избирательности того ветра, который переносит человеческие жизни с места на место... И никогда не могла до конца додумать этой мысли...

А Сегеди, граф Евгений Петрович Сегеди, умрет через несколько лет от сердечного приступа, прямо на работе, в деканате. Его и хоронить будут из института, соберется огромная толпа студентов, педагогов, каких-то странных людей с нездешними лицами...

И Данка, любимый его пес, так и будет много месяцев подряд каждый день выходить на трамвайную остановку — встречать хозяина... пока не исчезнет.

В один из первых дней начала их жизни дядя Миша повез Веру к вокзалу, на Червякова, 19, там обитал какой-то особенный Владимир Кириллович, художник, про которого дядя Миша всю дорогу рассказывал восторженным тоном, а тот оказался истопником в ватнике, довольно затрапезного вида... Они вошли через арку в огромный двор, по ступеням спустились в котельную... Вокруг струганого длинного стола, похожего на верстак, в котельной сидели и рисовали разнокалиберные дети...

— Принес, сынок? — радостно воскликнул истопник, обнимая дядю Мишу. Вера подумала, что он спрашивает про Верины рисунки, которые дядя Миша отобрал, чтобы показать — как он говорил — мастеру. Но выяснилось, что истопник имел в виду выпивку. Дядя Миша вытащил из накладного кармана пиджака то, что он называл «чекушкой», дети были выметены из подвала в три минуты, Вера тоже отправлена гулять... И когда час спустя она вернулась, оба были уже *хорошие*... и болтали какие-то глупости, почти на иностранном языке... горячась и все время вспоминая какого-то Плотина, наверное, еще одного ихнего алкаша... Впрочем, ее рисунки рассматривали внимательно.

Истопник кивал и хвалил, подчеркивал что-то ногтем... Веру усадили за стол-верстак, подсунули хлеб с вареной колбасой, налили горячего чаю, и Владимир Кириллович долго объяснял ей, как строится *перспектива*... Она даже заснула с устатку... Они уговорились приходить к нему на уроки, хотя бы раз в неделю, за дальностью, но именно в это время жизнь подпрыгнула, зашаталась, грохнула и развалилась:

Ташкентское землетрясение.

23

За райские те три месяца, что они прожили без матери, город успел сотрястись в корчах вздыбленной земли, а Вера успела заболеть скарлатиной, попасть в больницу и выздороветь...

* * *

...Она скакала верхом на коне, в высокой-высокой зеленой траве... голова обвязана желтой косынкой, вокруг огромные горы, и самая главная, белоснежная, выгнутая парусом... плывет сбоку, сопровождая ход коня... А навстречу ей выскакивает дядя Миша, но он маленький, маленький мальчик, бежит, размахивает руками, кричит: «Веруня, вставай, побежали!»... А куда — побежали, когда она на коне, и сама куда хочешь поскачет... Вот только наклонится и возьмет дядю Мишу-маленького на руки...

— Слышишь, вставай, Веруня, живо!

Она открыла глаза и одновременно вскочила, и так, во сне, с открытыми глазами, они побежали, держась за руки, к двери, оба босые... А очнулась она уже на улице, дрожа и перетаптываясь в холодной траве, куда он оттащил ее — подальше от подъездов, из которых во двор вываливались с криками раздетые соседи...

И еще дважды дом подпрыгнул, очень страшно...

— Ничего-ничего... Это просто землетрясение... — бормотал дядя Миша, прижимая локтем ее голову к своей груди в майке, так что трудно было дышать... — Подожди, я принесу тебе обувь, — но Вера вцепилась в него, не пустила...

Так что когда на другой день у нее поднялась температура, они сначала решили, что она все же простудилась, — с голыми-то ногами на росной траве... И дня два она горела огнем, пока дядя Миша не струсил и не вызвал «скорую»...

* * *

...Больница находилась в Старом городе, в двухэтажном мрачноватом здании, окруженном большим запущенным парком, в котором росли старые плодовые деревья: орешины, груши и яблони, но встречались и платаны, и даже дубы. Когда-то парк был ухожен и приветлив, сейчас никто за ним не смотрел — повсюду между деревьями разрослись кусты самовольной неряшливой мальвы, белой, розовой и бордовой, сообщая нечто вульгарное и веселое этому благородному саду. Изящная деревянная беседка в глубине зеленой чащи совсем обветшала...

Больничные палаты — некогда большие залы с высокими потолками — поделены были фанерными перегородками, доходящими почти до потолка. В каждом таком отсеке стояло по две кровати. На соседней койке лежала девочка лет четырнадцати, Нурия, дунганка... Вера впервые слышала о такой нации, и временами исподтишка рассматривала ее красивое, чуть припухлое лицо, с раскосыми черными глазами. Была она нетороплива и уже по-взрослому плавна в движениях, и страшно смущалась на ежеутреннем осмотре, когда палаты обходил врач, молодой узбек, в своем белоснежном халате и высокой крахмальной шапочке похожий на принца из восточной сказки. Он присаживался боком на кровать, говорил с девочками ласково, руки его были мягкими, теплыми. Он прослушивал легкие, для чего надо было задирать рубашку. Вера-то ничего, не особенно стеснялась, хотя грудь у нее уже набухала и побаливала, а вот Нурия становилась пунцовой, лоб ее обсыпали бисеринки пота, глаза наполнялись слезами, и после осмотра она еще с полчаса лежала, уткнувшись лицом в подушку и тихо плакала, словно ее кто-то страшно обидел...

Город все потряхивало, и уже дважды на рассвете детей, закутанных в одеяла, выводили в парк — пережидать толчки... Деревья под серым небом стояли мрачным сказочным лесом, и казалось, что главная опасность придет вовсе не из-под земли, а оттуда, из чащи...

Дядя Миша являлся исправно через день, трезвый и чистенький, оживленный, словно обрадованный, что он кому-то нужен; втерся в доверие к главврачу Сильве Валентиновне, обаял медсестру Анжелу, молодую полную армянку, хохотушку, и выпросил, чтобы Вере, когда спадет температура, разрешили выходить гулять... И вскоре они с дядей Мишей гуляли по парку и сидели в беседке, под трухлявой крышей, ронявшей на полусгнивший деревянный пол снопы веселого оранжевого света... Смотри на блики, сказала она ему, видишь, сколько в них оттенков? Там есть и синий, и зеленый, и красный...

Она могла часами рассматривать *вещество цвета* на любой поверхности.

— ...и фиолетовый... — пробормотала себе...

— Веруня, — сказал он однажды задумчиво, — нужен английский.

— Кому? — спросила Вера. С прошлого года она проходила этот мерзкий мяукающий ситдаунплиз, который выучить было невозможно и незачем. И вообще, он что, с ума сошел — тут каждый день трясется земля, и дома приплясывают как пьяные...

— Тебе, — ответил он. — Когда-нибудь очень пригодится, и вообще, когда-нибудь, когда все мы станем свободными, будет просто неприличным не знать языков.

Она внимательно присмотрелась к нему... Свободными? Да что он, словно не вышел еще из лагеря... Вроде как трезвый... Обычно, когда он начинал нести такую вот ахинею, она подозревала, что он где-то уже *добыл и наклюкался*.

— Будем учить, — сказал он. — Мы с тобой каждый день будем запоминать одну фразу, хорошо?

Одну, подумала она, это еще ничего. Лишь бы он приходил, и никуда не делся, и в запой не ушел в этом каждодневном трясучем ужасе.

— I'm happy, Vera, that I have met you in my life...

По его высокому лбу метались солнечные зайчики. И вся беседка, с дощатой прохудившейся крышей, была исхлестана мечущимся сквозь листву деревьев разноцветным солнцем.

— Я счастлив, Вера, что повстречал вас в своей жизни... — проговорил он. — Повтори...

*Впоследствии она повторяла в разных интервью: ми-
ровоззрение мое сформировали трое мужчин, которые
встретились мне в жизни в разное время: алкоголик-от-
чим, рано погибший друг, и еще один человек, с которым
мы до сих пор о многом не доспорили...*

...Сюда, со второго этажа больницы, иногда слабо доносил-
ся детский плач...

Вера спросила как-то Анжелу — а кто там, на втором этаже, содержится? Анжела округлила глаза и велела никогда
больше об этом не спрашивать. Ни-ког-да!

— Почему? — спросила девочка.

— По кочану! — ответила медсестра. То, что та не рассмеялась, не прыснула — она была страшно смешлива, — Веру на-
сторожило еще больше.

На другой день она повстречала в парке главврача Сильву
Валентиновну. Похоже, что та просто гуляла, без всякой цели.
Это Веру удивило — в ее представлении врач всегда куда-то
должен бежать, торопиться. А тут главврач явно прогуливае-
ся, да еще с букетиком листвы, тщательно подобранной по
цвету.

Всем пациентам старше десяти лет Сильва Валентиновна
говорила почему-то «вы». И сейчас она приветливо окликнула девочку: «Гуляете, Верочка? Скоро выпишем...» — подобрала, наклонившись, крупный блестящий желудь на черен-
ке, с крепко нахлобученной на голову коричневой пузырчатой
кепкой.

— Нравится? — спросила она. Вера кивнула, машинально
взяла протянутый Сильвой Валентиновной желудь, и некоторое время смотрела ей вслед....

Догнала ее и пошла рядом...

— Сильва Валентиновна, — спросила она, — а кто там
плачет на втором этаже?

Главврач остановилась, внимательно посмотрела на Веру,
сказала просто и грустно:

— Я могу вам, Вера, сказать, но прошу, чтобы никто больше об этом не знал... Вообще-то наша больница — для детей с врожденными дефектами... Ведь не все рождаются здоровыми, нормальными, вот, как вы... Многие из них безнадежны... и живут здесь все время, пока... Понимаете, не все родители могут держать такого ребенка дома...

— И они... умирают? — спросила Вера, глядя на нее во все глаза...

— Рано или поздно... Никто из них не жилец... А многие показались бы вам просто страшными... Так что прошу вас держать это в тайне...

Вот еще! В тайне... Надо было немедленно придумать, как пробраться туда, на второй этаж! Этим же вечером она подговорила Надьку, десятилетнюю дочь уборщицы, которая в каникулы болталась по коридорам больницы, помогая матери таскать ведра и швабру, осуществить экспедицию на второй этаж. Надька, оказывается, всю эту тайну знала давно, бывала там, наверху, когда мать убирала...

— Да ничо там такого страшного нету, — сказала она. — Особенно если привыкнуть... Пойдем по другой, черной лестнице... Завтра после обхода, когда врачи и сестры чай пьют... Там даже и дверь не запирается...

Всю ночь Вера ворочалась, представляя завтрашний поход наверх, — к чудовищам... уродам...

На рассвете ей приснилось, что она долго поднимается по темным лестницам, карабкается и карабкается по бесконечным, очень высоким ступеням и наконец подходит к резным, как в мечети Шейхантаура, дверям, которые вдруг распахиваются резко, вот как мать распахивает дверь квартиры, когда возвращается после отъезда; и точно: навстречу ей вдруг вышла торжествующая мать.

— Доигралась? — спросила она, и принялась наотмашь лупить Верку куда попадала.

Тут набежали откуда-то врачи, медсестры, стали оттаскивать мать, а Сильва Валентиновна качала головой: «Я же вас, Вера, просила, просила... Это наша главная пациентка. Думаете, она куда из дома-то пропадает? Вот здесь мы ее и держим, видите, какая она страшная... Она-то самый ужасный урод и есть...»

Проснулась перед обходом и даже на завтрак не пошла, продолжая думать о своем многозначительном сне.

А Надька не обманула. Промелькнула в коридоре, махнула рукой и независимой такой походочкой отправилась в сторону туалета, за которым оказалась стеклянная дверь на запасную лестницу. Тут Надька оглянулась по сторонам, дернула подбородком и тихонько потянула дверь на себя, — та открылась...

Вера бесшумно поднималась за Надькой совсем недолго, не как во сне, и почти сразу они оказались на лестничной площадке с клетчатым, серо-коричневым, кафельным полом, перед еще одной стеклянной дверью, за которой Вера увидела девочку лет семи — славную, аккуратно причесанную; она сидела за детским столиком, уже маловатым для нее, и ела манную кашу... И никаким уродом она не была, совсем наоборот... Вера уже хотела спросить Надьку, а что, мол, такая милая девочка здесь делает, как та набрала полную ложку каши, задрала босую ногу на стол и принялась ее кормить...

— Что... — хриплым шепотом спросила Вера... — Что она делает?

— Она слепая, — сказала Надька, — и мозги не в порядке... Ну, это не очень интересно. Пошли, что-то покажу!

Они открыли дверь и мимо девочки, продолжающей увлеченно вымазывать кашей ступню своей ноги, прошли в огромную, довольно светлую палату с множеством детского размера коек, огороженных веревочными барьерами. В койках слабо шевелились... Это были дети, дети... многие из них лежали голышом и почти не двигались... Все они были похожи: головы, как арбуз, и тоненькие паучьи ручки-ножки...

— Во, смотри... — сказала Надька... — это такая палата... Тут они все с одинаковой болезнью.

— А... почему они голые? — спросила Вера.

— А ты думай своей головой, почему! Кто ж на них настирается, а? Пушкин будет на них стирать? Или ты?

Они стали обходить кроватки одну за другой, переговариваясь шепотом... Странно, дети не плакали... Некоторые даже улыбались... Несколько было слепых, с закатанными белками...

И запах... Никогда в жизни Вере не встречался больше такой запах... не медицинский, не запах мочи или несвежего тела, нет... Кисловатый, тяжелый... Не человеческий...

— Пошли, что покажу, — потянула ее Надька в угол палаты. — Только не завизжи...

Вера подошла к кроватке, всмотрелась и... остолбенела. Это была девочка... Та же огромная голова с мутно смотрящими в потолок глазами, то же беспомощное тельце с неразвитыми ручками... а между тонких, с желтыми вялыми складочками, ножек, где должна быть девчоночья щелочка... их было две!

Вера стояла, не в силах пошевелиться, не в силах двинуться с места... стояла и смотрела, не отрываясь, на две эти щелочки невероятные, не могущие быть в природе; словно какой-то нерадивый, бездарный ангел неправильно составил это несчастное тельце, да так и выбросил его, забыв умертвить...

Ей не было страшно... Но жалость, протестующая жалость навалилась на нее, сдавила горло, не давала отойти от кроватки.

— Ну, ты сто лет тут будешь у каждого стоять? — Надька тянула ее в следующую, смежную с этой, палату... — Пойдем, я тебе такой цирк сейчас покажу, закачаешься!

Они вошли в соседнюю палату, и с порога в глаза бросилась на третьей у окна койке огромная, раздувшаяся голова небывалых размеров. У нее было осмысленное лицо и красивые, загнутые вверх ресницы... Надька подошла поближе и сказала:

— Диля, привет!

И вдруг голова ответила:

— Привет!

— Мы тут гуляем... вот, в гости к тебе пришли... как дела?

— Нормально, — ответила голова, и красивые ресницы несколько раз моргнули.

— Ее вот Верой зовут... — продолжала Надька, кивнув в сторону совершенно окаменелой Веры. — Я говорю, что ты умеешь петь «Наманганские яблочки», она не верит. Будешь?

— Буду... — прошелестела голова и вдруг тоненько затянула: «В Намангане яб-лоч-ки зреют, а-а-роматные... на меня не смотришь ты-и, а-неприятно мне-е!»

Этого Вера уже не вынесла... Она сорвалась с места и опрометью бросилась назад. Одним махом миновала две палаты, девочку, всю уже обмазанную манной кашей, сверзилась с лестницы, промчалась к своей койке и забилась под одеяло, где и пролежала до вечера, накрытая с головой, не отзываясь на оклики Анжелы, тычки Надьки, и только мыча, что хочет полежать одна...

Она не могла бы объяснить — что испытывала. На ее детскую душу обрушилась вся несправедливость даже не мира, а того, что миру предшествует. У нее не было слов осмыслить это; об этом невозможно было никому рассказать, невозможно! В то же время она явственно ощущала: то, что она видела сегодня, было наказанием за какую-то вину. Но кого и за что наказывали? Почему эти странные беспомощные существа пришли в мир и живут здесь, вызывая только жалость и стыд? Чей гнев расплющил их тела и раздул их головы?!.

В конце концов она заснула, и словно в обмороке пролежала так до вечера. Проснувшись, откинула с головы одеяло и села...

В палате было темно, лишь под дверью теплилась желтая полоска света, докатившегося из дальнего конца коридора, где был пост медсестер.

Дунганку Нурию выписали вчера, и темнота в палате была просторной, ненаселенной, зудящей комариной песней... Впрочем, издалека, откуда-то из-за забора больницы, слабо доносилась иная музыка... И слышался в ней какой-то милый привет, вроде приглашения пройтись...

Вдруг Вере захотелось, чтобы эта музыка вошла сюда... Она вскочила, приблизилась к окну и распахнула обе трухлявые створки...

Неподвижные пики старых туй уходили ввысь... Над ними дышало, перемигивалось, клубилось огромными звездами, искрило тлеющими метеоритами и хвостами мелких комет пылкое азиатское небо; неподвижная алюминиевая луна висела прямо напротив окна, гипнотизируя девочку, а из-за ограды парка, из окон какого-то дома через дорогу, неслась музыка, рожденная этой ночью, звездным небом, циклопической луной и одуряющими, мощно встающими над парком, запахами деревьев, травы и кустов...

Низкий мужской голос напевал-проговаривал беззаботную песню, и целая картина возникала от слияния его хрипловатого тембра, ритмично раскованной музыки и незнакомых слов чужого языка... Как будто беззаботный бродяга, пританцовывая и напевая, идет себе по улице, и беспечность, и радость, и печаль переполняют его, как шампанское; он останавливается на минутку, чтобы отчебучить несколько смешных па, и устремляется дальше пружинным веселым шагом... Вдруг совершенно человеческим голосом заговорила труба, отчетливо повторяя ту мелодию, которую сейчас напевал хрипловатый бас, а следом мягко, иронично передразнил ее саксофон... И так они безмятежно переговаривались в полном согласии со звездами, деревьями в парке и прочим, вольным, независимым и таким обаятельным миром...

Спазм счастливого волнения перехватил вдруг Верино горло.

Она взялась за решетку окна, подтянулась на руках, уперлась коленками в подоконник, прижалась к решетке щекой и, не шевелясь, слушала в ночной тишине проигрыш далекой трубы, фортепиано и саксофона, потешно вторящих хриплому басу, так свободно, смешно и печально поющему о жизни...

Все слилось в этой песне: ее болезнь, выздоровление, наступающее взросление души и внезапно открывшийся новый мир новых людей — как будто они с дядей Мишей идут и идут себе, куда душа пожелает, *уже свободные*... Идут в те края, где не будет ни матери, ни его запоев, ни тех лет, про которые он не хотел вспоминать... а только улица, ласковое звездное небо и легкий ветерок под хриплый голос саксофона...

Как жаль, подумала девочка, как жаль, что не понять слов этой песни, наверняка таких же смешных и нежных, как музыка...

Может и правда, подумала она, может и правда, он не так уж и сбрендил насчет этого самого языка?..

— I'm happy, Vera, that I have met you in my life, — прошептала она... — Ай'м хэппи, Вера... Ай'м хэппи...

Выписали ее в жаркий день середины июня. За ней пришел дядя Миша, забрал из тумбочки все Веркино барахло, преподнес Сильве Валентиновне коробку конфет «Зерафшан», и ждал внизу, пока Верка переоденется в свое. Но она еще пошла попрощаться с Анжелой.

— Слышь, Вер... — спросила та, проводив взглядом дядю Мишу, идущего по коридору к выходу с кошелками в руках. — А эт кто, папаня твой?

— Нет... — помолчав, ответила Вера.

— А кто?

Она подумала и сказала:

— Никто... — и все внутри ее воспротивилось этому, не согласилось, возмутилось... Очень захотелось придумать для дяди Миши какое-то обозначение в ее жизни, чтобы он кем-то стал для нее, кем-то назвался...

За воротами больницы, на площади, трубил гигантским карнаем, рассыпался дойрой какой-то узбекский праздник. Повсюду торговали фунтиками миндаля, воздушной колкой ватой, тающей во рту сладким облачком, соленым куртом, твердо-меловой на раскус парвардой, жареной кукурузой... Высоко над землей по канату, натянутому меж высоченных деревянных козел, шел канатоходец с шестом. Он был в черных бархатных панталонах, заправленных в мягкие сапожки, и в красной, с золотым кантом, бархатной жилетке. Шел в небе, покачивая длинным своим шестом, присаживался на корточки на канате, переворачивался, сделал сальто... и ступни его ловких, вкрадчиво скользящих ног снизу казались гибкими, как ладони...

— Ну, пошли? — сказал дядя Миша, обнял ее за плечи и повел к трамваю. Она вспомнила, что назвала его «никем», предала, а ведь он уже стал самым родным на свете человеком!.. И опять подумала, что надо как-то дядю Мишу назвать, обозначить... Может, братом? Или дядей...

Впрочем, слишком долго об этом переживать ей не пришлось, потому что вскоре после того, как ее выписали из больницы, внезапно — как всегда — возвратилась мать...

* * *

В дом она всегда всегда так, как будто ее там ждала засада: не то милиция, не то какие-то ее подельники... Резко поворачивала ключ в замке, ногой пинала входную дверь так, что та отлетала, ударившись о стенку коридора. И еще несколько мгновений стояла на пороге, напряженно вслушиваясь, вглядываясь внутрь квартиры.

Вернулась она вечером. Вера с дядей Мишей ужинали на кухне. Нельзя сказать, что ее совсем уж не ждали. Ждали, да еще как: лишний день, проведенный на свободе, для Веры был незаслуженным счастьем, дядя Миша, уже три месяца появлявшийся у Клары гостем, тоже отлично понимал, что бытовать ему здесь, *в семье*, осталось недолго.

* * *

Катя вошла в квартиру, заволокла и бросила в коридоре тюки и баулы (способна была поднимать неимоверные тяжести), и быстрым резким шагом направилась туда, где горел свет, — на кухню.

И остановилась в дверях. За столом сидела Верка, кудлатая, худющая, ужасно выросшая, а напротив нее сидел Володя, двоюродный Катин брат, сын тети Наташи, тот, что умер еще в блокаду. Впрочем, через минуту она поняла, что не Володя, конечно, но очень похож. Наверное, тоже грузин — тетя Наташа была замужем за грузином, директором какого-то издательства, дядей Ладо, исчезнувшим в тридцать восьмом прямо из своего кабинета...

Она молча стояла, смотрела... Да... Взгляд Володин... глубокий и кроткий... Володя был так же аристократически красив.

— Это еще что за чучело? — хмуро спросила она.

Дядя Миша поднялся, отставил стул, церемонно поклонился.

— Здравствуйте, Катерина Семеновна! Меня зовут Миша Лифшиц. Не хотите ли, во-первых, с дороги поужинать?

— Это он меня в моем доме ужинать приглашает... — проговорила Катя как бы самой себе.

Миша улыбнулся и сказал:

— Дом, безусловно, ваш, но картошку жарил я.

Вера сидела, пригнув голову, словно ожидая удара.

Мать расстегнула пропыленную кофту, сняла, бросила ее на стул и ушла в ванную... Через минуту оттуда послышался шум воды... Может, обойдется, подумала Вера, и тотчас оборвала себя: что, что — обойдется?! С какой это стати мать позволит оставить здесь чужого, да еще бродягу, алкаша? Конечно же выгонит. Вот вымоется сейчас, и выставит за дверь... Хорошо еще, если без рук...

Дядя Миша поймал ее взгляд и подмигнул: ничего, Верунь, не тушуйся...

Они не сказали друг другу ни слова.

Мать вышла из ванной, и сразу стало заметно, как она вымотана, похудела и угрюма. То ли из-за висящих вдоль щек прядей мокрых волос, то ли потому, что с бледного лица была смыта естественная пудра — дорожная пыль и загар, только выглядела она как затравленная волчица...

Дядя Миша молча поставил перед ней полную тарелку, и она так же молча и быстро все уплела. Картошка была божественной, он добавлял туда *зиру* и еще какую-то травку, чего не делал никто.

— Ты что, повар? — спросила она.

— Нет, я химик...

— А-а... который на скамейке?

— Что — на скамейке?

— Мам! — умоляюще проговорила Вера. Она наизусть знала все перлы материного фольклора.

— А то... — усмехнулась Катя, не обращая внимания на дочь. — Частушку такую не знаешь? Сидит химик на скамейке...

— мам!!!

— ...точит хером три копейки... А ты заткнись, сволочь, когда мать в своем доме говорит что желает... Значит так: сидит химик на скамейке, точит хером три копейки. Хочет сделать три рубля — не выходит ни...

— ...я знаком с этой частушкой.

— Ну, и что ты здесь у меня делаешь, химик? Химичишь?

Дядя Миша поднялся и, опираясь на спинку стула, сказал:

— Вы совершенно правы, Катерина Семеновна. Мое пребывание в вашем доме выглядит по меньшей мере странно. Я, понимаете, больной, пьющий человек, временами не отвечаю за себя... и эта милосердная девочка, ваша дочь, однажды просто подобрала на улице пьянчужку. Вот так я оказался у вас... И я, конечно, должен уйти, и я сейчас уйду...

Катя грела ладони о чашку с горячим чаем, который он для нее заварил, старалась не смотреть на него.

Она боялась себя, боялась признаться себе в том смятении, которое ее охватило. То, как этот человек говорил, его мягкие, исполненные сдержанной грации, движения, это лицо, поразившее ее с порога... Она пыталась и не могла сладить со своим, изголодавшимся по мужчине, естеством, над которым привыкла властвовать долгие годы, со злобой и остервенением затаптывая все желания, назло себе и всей своей жизни...

Все эти годы ей приходилось иметь дело с таким отребьем, что вся ее природная брезгливость восставала, не давая переступить черту... А тут вдруг живое, властное, вырвалось на волю, и с такой неукротимой истомной силой клокочет в глубине тела, как будто она и не устала как пес, добираясь черт-те откуда целую неделю!..

— Ладно трендеть! — оборвала она его... — Оратор... Ночь уже!.. Эта, значит, ми-ло-серд-ная... а я, значит, цепная собака... Выгоню человека на улицу... Вот что. Пусть эта милосердная расстелет раскладушку у меня, там... А ты ложись в маленькой, на топчане. Ты ведь там спал? Устала я... Завтра разберемся.

Она не смотрела на дочь. Вообще все трое они не смотрели друг на друга... словно чего-то боялись или стыдились... словно покорно прислушивались к распоряжениям некоего режиссера, расставляющего сейчас мизансцену для будущей их жизни...

* * *

...Дождавшись, когда дочь уснет, Катя бесшумно подняла́сь, юркнула босиком в коридор, оттуда в соседнюю комнату и, подойдя к топчану, быстро откинула одеяло, легла к нему, к его горячему телу... Он не спал... Сразу обхватил ее, прижал к себе...

— Постой! — хрипло сказала она и схватила его за горло. — Говори как на духу, падла: ты мне девку здесь не испортил?!

И по тому, как он отшатнулся от нее, она все поняла, и у нее хватило ума произнести слово, от которого она давно уже отвыкла, и даже не думала, что помнит:

— Прости... — прерывисто шепнула она... — Ну, прости... мой хороший...

Вера лежала на своей раскладушке, боясь шевельнуться и скрипнуть пружиной... Конечно, она не спала, и слышала, как мать выскользнула из комнаты и чуть ли не сразу там застонала, забилась, словно мучительными рывками толкала какую-то тяжелую вещь...

Наверное, это было хорошо... конечно, хорошо — ведь теперь она не выгонит дядю Мишу из дому... Вот все и разрешилось... и дядю Мишу теперь можно будет называть перед всеми как надо — отчим. От-чим...

Вера лежала и радовалась, она сильно радовалась, отирая ладонью катящиеся по скуле злые слезы...

24

Сквер Революции!.. скверреволюции... просто — Сквер, на Сквере, вокруг Сквера... Пойдем на Сквер?.. А вы пройдите Сквером, напрямик, и там уже рукой подать...

А ведь небольшой, в сущности, был парчок... Правда, чинары, посаженные еще при мятежном князе-коммерсанте Николае Константиновиче Романове, чей сказочно-нездешний, с башенками, шпилями и медальонами дворец из желтого кирпича при мне был резиденцией пионеров, — вымахали гренадерской верстой, и были статны, как невесты в узбекском народном эпосе... Да, ну и сирень весной... Зернистая, благоуханная, влажная звездчатая сирень, темно-фиолетовая и белая, какой нигде я больше не встречала...

Среди всей этой девственной радости обновленной природы по песчаным и асфальтированным дорожкам Сквера туда-сюда фланировали проститутки.

* * *

Впервые я столкнулась с ними лет в двенадцать, как раз в год знаменитого Ташкентского землетрясения, замечательного советского хеппенинга, в результате которого на месте Ташкента — обаятельного и человечного города — возник мраморный халифат всех времен и народов. Сквер, впрочем, остался прежним — в те годы его осенял основоположник марксизма, вернее, его голова, посаженная на высоченный столп... Карл-столпник — сзади его грива и как бы относимая ветром в сторону разбойная борода должны были символизировать горящий факел — многие годы озарял парады разношерстных ташкентских блядей.

С компанией дворовой ребятни мы вырвались из нашего района в центр, приехали зайцами на трамвае. Мы — это я, Светка и еще двое-трое мальков, над которыми мы верховодили.

Разумеется, дома мне разрешалось гулять только по нашей округе.

Разумеется, этот строгий наказ ни разу не был соблюден.

Налопавшись мороженого, с липкими от сладкой ваты физиономиями и руками, усталые от «городских» впечатлений, мы шли через Сквер к остановке своего трамвая, который соединял центр с жилмассивом Чиланзар. Сумерки засветили бордовыми огоньками цветы «ночной красавицы» вдоль дорожки; фонари еще не зажглись, а вершины чинар вообще сияли ослепительным солнечным блеском. Но цветы и самшитовые кусты, заполонившие парк, уже издавали тот особенный млеющий запах, который изливается только в сумерках, и по мере погружения сада во тьму затопляет округу до самого неба.

И тут, неизвестно как и когда материализовавшись, навстречу нам выплыли *они*. Сначала я подумала — вот идут три грации. «Три грации» — это была наша семейная присказка. Когда мама видела сразу трех, сошедшихся в совместном действии, дебелых дам, даже если это была она сама с двумя подругами, она шутливо называла группу «тремя грациями». Но с этими толстухами было совсем другое... Вот в чем дело: глядя на них не хотелось шутить. Наоборот, чем-то опасным, нехорошим и невеселым веяло от трех пышных, неторопливо шествующих матрон. При первом взгляде на них возникало ощущение, что они движутся под музыку, потом я поняла почему: они нарочито отмахивали в сторону то одно бедро, то другое, иногда вразнобой, но чаще попадая в такт, и тогда впечатление звучащего только для них, не слишком пристойного канкана вновь приходило на ум.

А еще они напоминали упряжку цирковых кобыл, неторопливо пущенных наездником по кругу... Самой толстой была средняя, коренная, с густой черной гривой и густо подведенными глазами, с устрашающе обтянутой грудью, под которой тремя крутыми перетянутыми волнами спускался живот. Она переступала, неподвижно неся верхнюю, величавую часть туловища, независимо от нижней, пружинящей и отбацывающей каждый шаг в каком-то верховом нетерпении. Рыжая приземистая пристяжная справа (она действительно шла под руку со средней), беспрестанно проводила языком по верхней губе, медленно и нарочито, словно должна была этим подать кому-то особый знак. Третья была не столь жирной, как эти две, —

в ее теле еще сохранились некоторые пропорции женской фигуры, — но все же увесистой, в очень короткой узкой юбке, из-за чего она переступала мелкими шажками, чуть отставая. Иногда слегка подскакивала и прибавляла шагу, чтобы нагнать товарок, что усиливало неуловимо цирковое впечатление от этой упряжки.

Они занимали всю ширину дорожки. К тому же в хвосте у них плелись двое пьяных узбеков, один из которых вдруг остановился и, пошарив в карманах, отошел к телефонной будке — звонить. Но войдя внутрь, словно забыл, зачем туда вошел, расстегнул ширинку и стал задумчиво поливать пол будки.

Мы со Светкой, переглянувшись, взяли за руки малышню и посторонились к обочине. Упряжка кобыл медленно прошествовала мимо, и средняя, коренная, черноволосая, вытянув губы трубочкой, прогудела:

— Ой, смотрите ка-а-кие де-е-вочки! Ну прямо целки-невидимки!

Не сговариваясь, мы бросились бежать, подгоняемые взрывом хохота и вполне разбойным свистом...

...Другую сцену я видела уже будучи студенткой консерватории, и тогда впервые задумалась о пространстве, в котором каждый из нас пребывает.

Я стояла на остановке, ждала свой троллейбус. Накрапывал дождик, и все, кто находился там, зашли под пластиковый навес. Может быть, потому группа не сразу привлекла к себе внимание.

Это были три женщины, если, конечно, существа эти можно было определить по половому признаку. Испитые, скрюченные, тощие, с лицами, изборожденными морщинами так, как только руки прачки бывают изборождены после горячей стирки... Одна из них, очевидно, была за старшую. Сидела на пне поодаль от остановки, широко расставив ноги, выставив напоказ давно уже бесцветные грязные рейтузы, и, опершись на палку с грозным видом боярыни Морозовой, глядела перед собой неукротимым взглядом. За ее спиной, раболепно и жалко улыбаясь, поддакивая и кивая, стояла другая, в платочке.

Третья была — бунтарь: высохшая, с красным испитым лицом, с неуверенной походкой алкоголички; размахивая руками, она что-то нервно доказывала «боярыне Морозовой». При этом плакала пропитым сиплым голосом. Старуха сидела невозмутимо, по-прежнему грозно уставившись перед собой... Исчерпав все доводы, бунтарша сникла, перестала размахивать руками перед старшей и сделала вид, что уходит. Но после нескольких решительных, шатающихся шагов в сторону, остановилась, заплакала еще пуще и вскоре вернулась обратно... Старуха все так же сидела, хмуро погруженная в свои мысли, чуть колыша посох...

Люди на остановке многозначительно переглядывались и качали головами. Начало семидесятых — время для большинства советских людей довольно благополучное... Откуда взялись эти изгои, куда ехали, почему сбились в стаю?..

Подошел троллейбус, я вошла, села и, пока он не тронулся, через стекло смотрела на дикую троицу... И вдруг увидела детей, которых не заметила раньше... И за несколько секунд, пока стоял троллейбус, их лица и весь вид отпечатались в моей памяти так ясно, что и сегодня я могу без особого труда вызвать перед собой ту картину. Четверо мальчишек в возрасте от шести до десяти лет, чумазые, в отрепьях, тесной группкой жались под деревом, подталкивая друг друга локтями, смеясь, играя... По всему заметно было, что они имеют отношение к этим опустившимся женщинам и, видимо, передвигаются вместе с ними... Мальчики смеялись, толкались, и в то же время бросали затравленные взгляды на своих хозяек...

Я сидела, совершенно сраженная увиденным.... Кто были эти женщины, эти дети, кем приходились друг другу? На что они жили, куда направлялись?.. Страшная жалость к оборванным, туповато лыбившимся «сявкам», и сегодня сжимает мое сердце, словно и в эту минуту они все жмутся под деревом, бросая исподлобья взгляды на своих отверженных спутниц...

* * *

Время от времени, после особо тяжелых и длительных запоев, Клара Нухимовна по блату укладывала дядю Мишу в психушку (главврачом там работала дочь ее подруги) — лечить от алкоголизма.

Весь период лечения он бывал вялым, говорил мало, много спал... Вечерами неспешно прогуливался — в оранжевой фланелевой пижаме — по двору больницы. И Вера, навещая его одна (мать никогда не приходила, стыдилась самого этого места, а может, суеверно не хотела никоим образом соприкасаться с сумасшествием в любом его проявлении), прохаживалась вместе с ним...

Однажды он сказал:

— А знаешь, Веруня, здесь неплохо, правда... Здесь медсестра Анюта, например... очень славная девушка... Мы с ней калякаем о том о сем...

В психушке он, трезвый и тихий, писал то ли воспоминания, то ли дневники, то ли какие-то свои соображения о жизни — почему-то называя эти записи странным словом «эссе», что напоминало Вере какую-нибудь уксусную эссенцию, и иногда читал ей отрывки там же, на скамейке, среди медленно гуляющих психов... Что-то о военном детстве, кажется... Она ласково слушала, не особенно вдаваясь, просто всматриваясь в его лицо... Запоминала *на будущее*...

Почему уже тогда — да и всегда, всю жизнь! — она скапливала самое главное на какое-то мифическое будущее, в некий невидимый свой короб — запасник, где берегла каждое лицо, поворот головы, улыбку, прищур, дорогие слова, сказанные родным голосом?

Она подозревала в этом какую-то свою ущербность, неумение жить сейчас, радостно встречая каждую минуту... Однако именно из этого, драгоценного компоста памяти, произрастала ее настоящая жизнь, создаваемая красками на холсте — ее картины.

Расставаясь, в том последнем их разговоре, Дитер с горечью назовет ее инструментом по изготовлению полотен... Правда, замечательных полотен, — добавит он, — но остаток собственной жизни я хотел бы унести нетронутым, подальше от твоей творческой мясорубки...

Много лет спустя Вера страшно жалела, что мать, едва дядя Миша возвращался из психушки, выбрасывала эти, вырванные из копеечных блокнотов, листки, испещренные таким крохотным круглым почерком, такими ровными летящими строчками, словно принадлежали они каллиграфу с кристально твердой рукой, а не горькому пьянице.

Она словно бы ревновала его к внутренней его, недоступной для нее, жизни, постичь которую и завладеть которой ей так и не было дано.

А от записей все же остались разрозненные три листка, найденные Лёней в модной о ту пору книге Маркеса «Сто лет одиночества», которую он брал у Веры — почитать. Эти листки он прочел, легко разбирая бисерный почерк, удивляясь и сожалея об остальных, канувших в никуда, и вспоминая теплый осенний день, заваленный желтой листвой, и свои целодневные хлопоты, связанные с похоронами автора этих строк, — в сущности, едва знакомого ему человека...

После больницы дядя Миша держался, бывало, по многу недель, — однажды полгода не пил! — это было счастьем. Они занялись ненавистной ей физкультурой — для чего в спортивном отделе универмага приобретены были гантели, — и по утрам стали бегать трусцой на школьной спортплощадке за домом... Он нагонял Веру, хлопал по спине ладонью, кричал: «Дыши глубже, глиста!» Она лягалась...

Кстати, два лета подряд дядя Миша брал Веру с собой на полевые работы в пригородный кишлак Кибрай, по дороге на Брич-Муллу, куда небольшая группа сотрудников института из года в год ездила проводить опыты по борьбе с плодожоркой, и жили все у одной семьи — у Нурмата и Лизакат. Хозяева на лето переселялись в сад, а гости занимали саманные постройки во дворе... По саду носилась целая армия разнокалиберных детей, и все лето младшие, пятилетние близнецы Джура и Рустам, бегали совершенно голыми...

...Жили дружно, весело, купались в хаузе и быстрой мутной речке Боз-Су... На воздухе дядя Миша оживал, не пил целыми неделями, становился артистичным, остроумным и как-то особенно, по летнему, красивым — загорелым; вырезал себе и Верке узорные трости, и с тростью этой, да в соломенной шляпе на голове, был совершенный испанский гранд...

Вера спала на балхане, обычно долго не засыпала, рассматривая звезды и пытаясь представить — что это такое — Вселенная? И хотя дядя Миша подробно рассказывал ей о созвездиях и объяснял все о скорости света и различии звезд и планет, она все-таки не могла ни постичь, ни соразмерить свою жизнь с этим холодным, прекрасным и ужасным сиянием. Так, лежа на толстом слое нескольких расстеленных одеял и по обыкновению медленно погружаясь в бездонный ужас непостижимых звездных пространств, она вдруг услышала осторожные шаткие шаги, с грозной мерностью поднимающиеся по ветхой лестнице балханы... Топ... топ... топ... — словно примеривался кто-то зловещий... Над верхней ступенью показалось страшное, бледное... бородатое... Ужас, продирающий насквозь хребет, исторг хриплый вой из горла девочки. И бородатое чудовище прянуло назад, замекало, застучало копытами... Тьфу!!! — это была хозяйская коза... А во двор уже выскакивали разбуженные ее воплем дяди Мишины коллеги, и он сам мигом взлетел по шатким ступеням на балхану, где, обняв колени, на курпачах сидела рыдающая и истерично хохочущая Вера...

А однажды в августе они на целую неделю оказались в Шахимардане, поселке, известном тем, что там когда-то забросали камнями певца народных чаяний Хамзу Хаким-заде Ниязи. Его жизнь Вера проходила по школьной программе. А однажды на конкурсе школьных хоров (ей не удалось сбежать из зала, в дверях стояла неусыпным стражем Маруся) она слышала исполнение лучшим хоровым коллективом — спецмузшколы Успенского — песни «Хой, ишчилар!», на стихи вот этого самого бедняги. Дядя Миша бормотал: «Библейская казнь, побиение камнями»... но когда она его растормошила для объяснений, он, как всегда в таких случаях, долго рассказывал не только о библейских казнях, но и с самого начала, — Вера не запомнила всю эту вереницу людей с простыми именами продавцов газводы: Исаак, Яков, Сара, Ривка, Лия...

В маленьком дощатом кинотеатре Шахимардана все лето шли два фильма: «Цветок в пыли» и «Рама и Шама»... Два этих, намалеваных местным художником, плаката каждый день киномеханик перевешивал: один на место другого. А когда дядя Миша спросил — зачем он это делает, ведь фильмы-то все равно одни и те же, узбек подмигнул и сказал: «Йок, фильма тожи, народ разний!»

Народ, действительно, там клубился самый разный: все знали, что именно в Шахимардане происходит ежегодная ярмарка невест. Туда съезжались лучшие невесты со всей округи. Шли они по улице, шеренгой, группками, взяв друг друга под руки, а навстречу двигались женихи, жадно невест рассматривающие.

При желании можно было сфотографироваться на «Лестнице в цветах»: просунуть голову в гирлянду искусственных цветов и запечатлеться... Они тоже снялись — две лукавые загорелые физиономии в венчиках бумажных маргариток и астр, — едва ли не единственная ее фотография, на которой она смеется.

* * *

Как раз в это время Вере исполнилось четырнадцать. Она сильно вытянулась, давно переросла мать и почти догнала дядю Мишу (он вымерял клеенчатым сантиметром косяк с отметинами ее роста). Ее отношения с матерью не то чтобы улучшились, но вошли в какое-то равновесие: та по-прежнему покрикивала надсадно, но руки старалась уже не распускать, особенно при Мише.

Да и здоровье у Кати как-то стало портиться: весной и следующей зимой, как раз после длительных отлучек, после поездов да тяжелых тюков, случились у нее выкидыши. Случились и случились... поди пойми ее — хотела она этих детей или вздохнула с облегчением...

Два весеннее-летних сезона подряд ездила она проводницей на поездах дальнего следования — это давало хороший навар, во Владивостоке отлично шли помидоры твердого юсуповского сорта, ну а сами помидоры были отличной декорацией к главному, из-за чего она тарахтела день и ночь по рельсам, чаи разносила всяким шляпам-тюбетейкам-косынкам, — ибо сама лично должна была проследить налаживание только-только завязанных связей с дальневосточными ребятами...

А запись в трудовой книжке о работе на Октябрьской железной дороге сослужила ей неожиданную службу гораздо позже, когда перед пенсией она наладилась — для стажа — потарахтеть еще чуток. Тогда, кажется, ей и встретился тот дядька в полупустом купейном, куда она наметила втиснуть свои тюки под нижние полки. Он позволил, и она благодарно предложила ему чаю. Когда принесла, то, глядя на табличку с ее фамилией, он спросил:

— Скажите, а Вера Щеглова не ваша ли дочь?

— А в чем дело? — настороженно спросила Катя. Если б не его такая купейная любезность с тюками, послала бы подальше.

— Значит, ваша? — обрадовался он. — Она у меня училась в вечерней школе, я преподавал черчение... Это была лучшая моя ученица за все годы. Золотая рука! Прирожденный чертежник!

— Вам сколько сахару? — спросила Катя хмуро.

— Две, спасибо... А скажите, чем она сейчас занята?

— Да черт ее знает! Шляется где-то...

Он заметно огорчился...

— Жаль... Кристальной точности рука! А шрифты как писала! Могла бы стать первоклассным чертежником... — и, вынув ложку из стакана, сокрушенно покачал головой. — Могла бы стать чертежником!

* * *

Однажды она спросила дочь невпопад:

— А ну-ка, отвечай — что это там за сестра?

— ...где? — Вера в полном недоумении подняла на нее глаза от книги.

Совсем спятила на этих книжках, дылда! Прежде еще понятные читала, про мушкетеров, или там Ходжу Насреддина, а сейчас Катя пробовала заглянуть — мать честная! — одна, хоть и по-русски, а ни черта не понятно, а вторая — та вообще на иностранном языке. Пробовала добиться — не запрещенные ли книжки, этого еще не хватало! Мишкина небось работа... Верка только ухмыльнулась... Ты что, говорит, это просто Агата Кристи, да еще специально облегченный вариант, для школьников... Облегченный, не облегченный... только ясно, что скоро с родной дочерью невозможно будет на одном языке говорить...

— Смотри на мать, когда тебя спрашивают!

Вера отложила книгу:

— Ну?

— Я те понукаю!

Дочь вздохнула.

— Мам. Чего ты хочешь?

— В психушке там... Какая-то душевная... разговорчивая, мол... Кто такая?

У Веры оборвалось сердце. Закружилось что-то. Как будто опрокинулось ведро, залившее холодной водой все внутри.

— Да что ты придумала!

— ...он же сам рассказывал — душевная какая-то сестричка, заботливая... легкая рука...

— Ну и что?

— А то, что Файка, из пятой квартиры, вроде видала его с какой-то в городе...

— Да она спутала его с кем-то!

Мать усмехнулась задумчиво:

— Его спу-утаешь...

И принялась затачивать ножницы...

Вера молча следила за точными мерными движениями ее руки... Отчего-то именно это мерное движение вызывало холодок в груди, хотя она отдавала отчет в том, что та еще и «представляет».

— Все это чепуха, сплетни! — проговорила она резко. — Дура твоя Файка! Человек, бывает, встречает кого-то на улице случайно...

— ...ну-ну... — отозвалась мать... — А то у меня-то рука не легкая...

Интересно, что самому отчиму мать не сказала ни слова. И это тоже обеспокоило дочь.

Вечером, когда к матери заявился тот, ненавидимый ими обоими старик, с подслеповатыми воспаленными глазками, и мать ушла с ним в маленькую комнату — шептаться и править торг, Вера наклонилась к сидящему за починкой утюга дяде Мише и быстрым шепотом проговорила:

— Будь осторожен!

Она ожидала, что он удивится, станет расспрашивать... Но он как-то легко взглянул на нее и сказал:

— Я знаю! Она ко мне хвоста приставила...

Вера так и осталась стоять с полуоткрытым ртом.

— Что... ко... кого?

Он хохотнул и мотнул головой в сторону маленькой комнаты:

— А вот, из этих... — и улыбнулся так же, как улыбался тогда, на Сквере, когда Маргоша-блядь разбегалась и била его ногой под дых, разбегалась и била...

* * *

Довольно часто она задавалась вопросом о взаимозависимости алкоголя и особой душевной легкости, которую еще зовут беспечностью. То ли человек от этой легкости погружается в омут пьянства, то ли постоянное чувство сдвинутого опьянением мира вызывает непреходящую невесомость души...

Никогда дядя Миша не выглядел обеспокоенным ни большими, ни малыми заботами жизни. Он парил над ней, как персонаж с картины художника Шагала парит над крышами домов и сараев, над зелеными козами и бородатыми земляками, присевшими по нужде под забором...

Весной мать собралась в очередной свой сибирский заплыв, или куда там она на сей раз лыжи навострила... Ни разу не оставила адреса, зацепки хотя бы какой... и случись с ней что-нибудь плохое на глухом полустанке, в толкучке большого города, на длинных перегонах дальних поездов... никто бы и не знал — где она сгинула.

Уезжала, как проваливалась под лед — ни открытки, ни письма, ни звонка хотя бы: что вы, и как там дома? Дядя Миша говорил в такие дни и недели, что Катя — очень нечеловечный человек... Но даже друг другу они с Верой не признавались, что оба с ее отъездом как бы отрясают звенящий тонус, завышенный звук разговора и постоянное напряжение, постоянное «представление», которые воцарялись в доме, когда она появлялась.

А какая весна в том году разразилась упоительная: сирень бесстыжая перла сквозь заборы, завалила букетами подоконники, дрожала полными сырыми грудями среди зеленых кустов, и белые и фиолетовые гроздки там и тут выглядывали из петлиц пиджаков и даже за тюбетейками девочек-узбечек...

* * *

...Вера возвращалась из школы днем, шла пешком, разморенная, до прохладного подъезда добрела с мечтой завалиться чуток вздремнуть...

Когда поднялась до второго этажа, дверь справа распахнулась, соседка Фая схватила Веру за рукав и втянула в прихожую. Она громко сопела и блестела потным лбом...

— Верка! Слуша-ай! Она его убьет, беда собачья, надо милицию звать!

Вера отшатнулась к стене и даже ничего спрашивать не стала, хотя бестолковость Файки была известна всем соседям.

— Когда? — спросила она, с ослабевшими вмиг ногами.

— Утром еще приехала!.. Стала ходить по всем, спрашивать — как, мол, тут Миша, ночевал или нет, тудой-сюдой... Приводил кого или нет...

— Кого?! Кого он мог приводить?! — крикнула Вера.

— Ой, не спрашивай... На вид она, знаешь, совсем самашедши вернулась... Или под балдой... Ну и вот... Потом смотрю, заперлась дома... А через час, слышу, спускается... гляжу в глазок — а она с ножом, Ве-е-ерка-а-а! — Файка завыла и затрясла руками, как будто обожглась... — И улыбается, как чокнутая, и нож так, пальцем, пробует... Ве-ерка, она пошла выследить его...

— Где, куда?! — пролепетала девочка.

— Ой, не знаю, беда собачья!.. вроде в сторону «Гастронома» пошла... А ведь Миша когда с работы приходит, а? Подстерегает она его, Верка!

Дальше девочка слушать не стала, выбежала и, как была, — с тяжелым портфелем, помчалась к «Гастроному»... Там все было тихо, и вообще, закрыто на обеденный перерыв... Трое алкашей сидели на лавочке, ждали открытия. Дяди Миши среди них не было, да и не могло быть — он сейчас был в хорошем периоде, ходил на работу, а вчера они смотрели в театре Горького классную пьесу «Трамвай «Желание», и проговорили за полночь, обсуждая актеров... Дядя Миша рассказывал о жизни самого Теннеси Уильямса, драматурга, который писал эту пьесу, и вообще о том, что мужчина может любить мужчину, и это — (не делай большие глаза, ради бога, вырастешь, поймешь!) — тоже любовь...

Вера еще покрутилась между домами, побегала по переулкам, заглянула во дворы и, совсем измученная, повернула обратно...

На углу их дома и проезжей части тротуара стояла группка взбудораженных и растерянных соседей... Один из мужчин, в пижамной куртке, игрушечным пластмассовым совком черпал песок в детской песочнице неподалеку и аккуратно присыпал какую-то темную лужу на асфальте...

— Правильно, Гоша... — сказала какая-то женщина... — Хорошо придумал, молодец... А то сейчас дети пойдут из школы... не годится им это видеть...

Не спрашивая, даже близко не подходя, вдруг подробно и ясно Вера все поняла — и про лужу, от которой шли темные следы человеческих ног и протекторов шин, и про «скорую», которая уже уехала... Она шатнулась, обежала дом вокруг, поднялась, задыхаясь, на четвертый этаж и вошла в квартиру... Сердце колотилось везде — в горле, в висках, в глубине живота... Что делать и куда еще бежать, кому рассказывать, захлебываясь икающим сердцем, о пропитанном кровью песке из детской песочницы, — Вера не знала... Несколько минут она, не останавливаясь, не в силах остановиться, бегала по квартире, трогая занавески, стулья, свой никчемный портфель на столе... Куда-то еще надо было бежать... где взрослые, умные хорошие люди, которые помогут... Но куда?

Вдруг она услышала шорох в платяном шкафу... Звуки были похожи на те, с какими кошка устраивается на ночлег. Вера оцепенела, остановилась... Прошло несколько бесконечных, дурманящих сознание минут... В шкафу опять завозились... Ощущение страшного сна, какой приснился ей года три назад, в больнице, овладело девочкой совершенно. Настолько, что она точно знала — кого увидит, если подойдет и распахнет дверцы шкафа... Острое желание бежать отсюда и не возвращаться никогда боролось с не менее острым желанием — и даже велением! — подойти и открыть дверцы шкафа... Минуты бежали... время повисло и колыхалось, как занавеска на ветру...

Наконец, тяжело волоча ноги, Вера потянулась, подтянула себя в угол, к шкафу...

Щелк! Рывок! Ее глаза уперлись в ряд костюмов, рубашек, платьев и кофт... Медленно раздвинула она шелестящий, шерстяной, шелковый, фланелевый занавес... Внизу, свернувшись клубком, на каком-то тюке полулежала *артистка*... Она снизу вверх смотрела на дочь, хихикая и прижимая палец к губам...

Девочка аккуратно и плотно прикрыла дверцы шкафа и свалилась на пол без сознания...

* * *

...Файка потом уверяла, что Вера постучала к ней, сказала — вызови милицию, она там, в шкафу...

Ничего этого Вера не помнила.

Помнила лишь троллейбус, в котором до ночи ездила по одному и тому же кольцу, до самого последнего рейса... Уверенная, что дядя Миша убит, она не могла представить, как вернется туда, к этому шкафу, в котором уютным клубочком свернулась хихикающая мать, проклятая убийца, не пожалевшая ничьей — и своей, в том числе, — жизни...

Водитель объявлял остановки, и пока он не сообщил, что троллейбус идет в парк, Вера все глядела в темное окно, на проносящиеся огни фонарей, на свое неподвижное лицо с провалами глаз и на смутное отражение какого-то высокого человека, сидящего позади нее... Он наклонился к ее уху и прошептал:

— Девушка! Вы мечта всей моей жизни! Я езжу за вами повсюду, пишу о вас стихи, посвящаю свои грезы... Вот, я написал о вас стихотворение...

Не оборачиваясь назад, Вера видела в окне плетеную кожаную косичку на кепке-бакиночке, боком сидящей на его плешивой голове, видела, как достал он клеенчатую тетрадь и прочел ей в ухо, завывая:

— Ш-Шаганэ ты моя, Ш-Шаганэ!..

В последнюю минуту выскочив из троллейбуса, поздно ночью она все же доплелась до дома...

Поднялась в квартиру, толкнула едва прикрытую входную дверь...

Повсюду горел свет...

Платяной шкаф был распахнут, внутренности его, как кишки, вывалены на пол и валялись по всей комнате, стулья перевернуты... В трех неравных осколках лежавшего на полу венецианского зеркала троекратно отражалась трехрожковая люстра, косо повисшая на шнуре... По всему видать было, что мать дешево не сдалась...

Только на кухонном столе распластанная библиотечная книга «Царь Эдип» так и лежала серым дерматиновым хребтом кверху, будто силясь подняться с карачек...

Вера подняла опрокинутый стул, села на него и долго так сидела — среди разбросанной одежды, разлетевшихся книг и осколков старинного зеркала, — примеряясь к одиночеству, тишине и звенящей пустоте вокруг...

| Часть третья |

На миг она прижала ладонь к щечке чайника. И это пошло в «Ardis», все пошло в «Ardis», моя бедная, мертвая любовь.

Набоков. Смотри на арлекинов!

26

Однажды в юности я видела, как через дорогу торопливо семенит гроб на двенадцати ногах. Как сороконожка.

Я возвращалась домой из школы, — из моей каторжной школы для одаренных детей.

Шла себе, как обычно, глазея по сторонам, то есть не видя ни черта: это моя основная особенность с младых ногтей. Двуединый способ освоения действительности — взгляд на мир и осмысление полученной информации — редко у меня соединяются. Взгляд мой частенько подбирает мельчайшие детали, до которых не снизойдет ни один нормальный человек, осмысление же в этот момент может быть занято совсем иными вещами.

Так вот, на известном перекрестке Осакинской и Пушкинской, где я пережидала красный свет, как мул пережидает внезапную остановку любящего покрутить с каждой юбкой хозяина, навстречу мне через дорогу торопливо двинулся гроб. И сразу на противоположной стороне «Похоронным маршем» ухнули спохватившиеся духовые, а гроб припустил еще шибче, словно пытался убежать от преследования.

Небольшое охвостье процессии осталось на той стороне, пережидать, когда зажжется зеленый; гроб побежал дальше по своим делам, вздымая золото листвы ногами в стоптанных штиблетах, — в том году необыкновенно долго стояла теплая, желто-малиновая осень под ослепительной эмалью бирюзовых небес...

За эти полторы минуты я сочинила рассказ, вернее, он вспыхнул в моем мозгу светлым и очень смешным сиянием, источая чистую радость. В эти же минуты я стояла, с ужасом на лице, парализованная невероятной картиной: одинокий гроб, как на переправе, плывущий мне навстречу...

Интересно, что месяца через два, когда я внезапно решила закинуть бутылку в необъятный океан советской литературы, я не стала посылать этот рассказ, про убегающий гроб, а послала другой, невинный. Его и напечатали. Это был тот редкий случай, когда параллельные способы освоения мною действительности пересеклись. Пошли я в «Юность» гробовой рассказ, неизвестно еще — писала ли бы я сейчас этот роман...

Самое интересное, что в группке людей, ожидающих на противоположной стороне, когда зажжется зеленый, я увидела Клару Нухимовну, аккомпаниатора нашего школьного хора. Она размахивала руками, кричала что-то вслед убегающему гробу (это выглядело, как рукоплескания)... но из-за оркестра — трех лабухов, вломивших мрачный шопеновский китч с внезапным энтузиазмом, — ее не было слышно.

Наконец светофор сменил гнев на милость, пешеходы ринулись навстречу друг другу, и на несколько коротких мгновений два потока смешались.

Тут, в водовороте, я поздоровалась с Кларой Нухимовной, столкнулась плечом с высокой девушкой, извинилась — та не ответила, устремляясь вслед духовикам, опять заглохшим, одновременно поддерживая под руку Клару Нухимовну, вернее, волоча ее за собой...

И только чуть позже, садясь в свой троллейбус, я сообразила, что знаю ее...

* * *

Лёня, помимо всевозможных скучных достоинств, львиная доля которых Вере была неизвестна, ибо непостижима, обладал замечательным качеством: он являлся тогда, когда был необходим до зарезу, и приносил то, в чем была неотложная нужда. Например, однажды появился в разгар борьбы с лопнувшей батареей и бросился на амбразуру, ступая в лужу на полу в своих умопомрачительных мокасинах.

— Хорошо, что у меня разводной ключ оказался так кстати! — удовлетворенно заметил он, когда уже подтерли пол и поставили чайник на газ.

Между прочим, борьба с батареей происходила в одиннадцать вечера. Спрашивается — куда это он направлялся так поздно, да еще с разводным ключом?

Да нет, все просто: у них с мамой давно в подвале что-то там подтекает, и он наконец решил заняться этим всерьез. Ключ захватил на работе... А поздно... Ну-у... он проходил неподалеку, знает, что Вера — «сова», и решил заглянуть на чаёк...

Вера смеялась: Лёня, вы как с неба сваливаетесь!

Он серьезно отвечал: а как вы думали... у каждого из нас есть свой ангел-хранитель...

Так он появился тем ранним осенним утром, когда от Клары Нухимовны прибежал, ни свет ни заря, соседский мальчик с запиской: «Миша отмучился», и Вера заметалась по комнате, лохматая со сна, босая, напяливая свитер на ночную рубашку, хватаясь дрожащими руками за сумку, за брюки... не понимая — что же делать дальше...

И тут позвонили в дверь. Она уже знала — кто это.

— Вера, ничего, что так рано?.. Я на минутку, бегу на работу... — он протягивал банку, почти полную темной маслянистой жидкостью. — Вы говорили насчет морилки для рам, а я знаю парня в одной мастерской, и вот... Почему вы стоите босая?

— Дядя Миша умер... — растерянно проговорила она... — вот, записка от Клары... Она там ждет, бедная... Я побегу и... Лёня... что в таких случаях делают?

— Хоронят, — просто ответил он. Поставил банку на пол в прихожей. — Одевайтесь, я жду вас внизу. Пяти минут хватит?

И эти пять минут, им заданные, словно кто нажал на кнопку секундомера, выстроили весь день по невидимому ранжиру.

Когда она спустилась и он открыл дверцу такси, неизвестно — как и где им перехваченного, и главное, нанятого на весь день, а это совсем было натуральным чудом! — у него в голове уже был составлен план действий.

Так что дальше на ней оказалась только Клара Нухимовна, промакивающая глаза и слезливый нос трепещущим платочком и повествующая о том, каким нежным мальчиком был Мишенька... — а гроб, машину, место на кладбище, оркестрик из трех знакомых студентов консерватории и прочую загробную бухгалтерию... как бы махом единым осуществил все тот же долговязый ангел-хранитель, — невозмутимый, с несколько даже рассеянным выражением близоруких глаз...

И все, как говорила потом умиленная Клара Нухимовна, «прошло без сучка, без задоринки», если не считать нелепой попытки дяди Миши убежать от провожающих на том долгом светофоре, на углу Осакинской и Пушкинской. (Кларин переулок был в который раз перерыт, и «рафик» к дому подъехать не мог, ждал всю процессию на Пушкинской.)

Да, вот это была картинка! Вера отрешенно смотрела на ускользающий гроб, Клара горестно вслед вопила, ребята не слышали и, озабоченные лишь тем, чтоб поспевать в ногу, устремлялись все дальше...

Это волнообразное движение безмятежно плывущего гроба она вспоминала лет через двадцать пять: так вели ее аркады Падуи, передавая из дуги в дугу, перекатывая под собой волнообразным светом неба... И решение композиции картины «Убегающий узник», — на которой утлая лодочка плоского гроба на разъезжающихся ногах, в стоптанных штиблетах шестерых пьяниц, устремляется куда-то за раму картины и вдаль... — навеяли как раз эти аркады, а не что-нибудь конкретное из прошлого, но дело не в этом...

За столом на поминках в доме Клары Нухимовны сидело несколько человек: пятеро сотрудников института хлопководства (две супружеские пары, дружившие с дядей Мишей еще на химфаке, и штатный фотограф Дима, жизнь и талант которого, как говорил отчим, «сожрала плодожорка»), Вера с Лёней, и совсем уже старенький спившийся Владимир Кириллович...

Он поднял стакан за помин души замеча... и расплакался, повторяя, что такой души человека, каким был Мишка, сынок его названный, больше нет и не будет... Клара Нухимовна всхрапнула носом, затрясла головой с седенькой свалявшейся завивкой...

А Вера не плакала... Она вообще больше не чувствовала, что дядя Миша умер. Дядя Миша больше не умер, как и Стасик. И если б надо было что-то объяснить на эту тему, то она вряд ли смогла бы произнести нечто путное... Вот только ее рука и глаза знали, как дядя Миша будет дальше жить... А смерть... смерть, со всеми своими тягостными неудобствами, уже прошла, и была настолько неинтересна ей, что еще много месяцев спустя после похорон она приходила к дяде Мише, лишь у калитки вспоминая, что ни во флигеле, ни на гамаке его больше нет...

Владимир Кириллович, успокоившись и отерев подбородок от слез, спросил Веру — правда ли, что та серьезно занимается живописью, и даже — кто-то рассказывал ему — выставлялась на весеннем вернисаже в Доме художников с интересной работой, приглашал встретиться, поговорить... Вера представила их встречу в котельной, *чекушку* на длинном столе-верстаке... Уже тогда в ней проявилась эта жестокая осо-бенность — ускользать от *неживого*...

Сказала, что придет обязательно...

Когда все разошлись и остались только Вера с Лёней, Клара Нухимовна ушла к себе в спальню и сразу же вернулась, сжимая что-то в пухлом кулачке.

— Вот, — сказала она... — От Миши осталась одна вещица, Верочка. Я думаю, он хотел, чтоб она принадлежала вам, но как-то забыл... Вы ведь помните его состояние в последние годы...

И разжала ладонь, на которой лежал тускло-серый миниатюрный кулон-часики, обсыпанный по кайме циферблата мелкими стекляшками, на такой же серой, наверное металлической, цепочке...

— Не знаю уж, чего это стоит, думаю, для него это было просто памятью, маминой вещью... Правда, они не ходят... К сожалению, я ничего в этом не понимаю, знаю только, что Миша в детстве очень это берег, только за последние годы совсем забыл... Вот, лежит у меня в хохломской шкатулке уже много лет...

Вера взяла кулон в руки... Должно быть, старая вещь... вряд ли ценная, но есть в ней какое-то непритязательное изящество...

— Да я ведь тоже ничего в этом не смыслю... — она пожала плечами. — И вряд ли дорогое украшение могло у него сохраниться. В военное-то время? Когда он, беспризорный, жил под мостом, на Саларе? Или потом, когда он вышел из лагеря и год болтался без работы?.. Он бы пропил обязательно...

— ...Вот, представьте себе, в детстве, когда была опасность, Мишенька носил его за щекой, он мне рассказывал... И факт, что никто у ребенка не сумел отнять... Вернее, не догадался. А когда он сюда, ко мне, пришел впервые, то сразу и отдал. Пусть, говорит, тетя Клара, это будет у вас...

Лёня взял в руки часики, повертел, снял очки и близко поднес к глазам...

— Здесь вроде есть какое-то клеймо. Надо показать специалисту... Я знаю одного человека, когда-то он занимался часовым промыслом... Договорюсь...

И опустил кулон в карман пиджака.

Когда, уже поздно вечером, после поминок, Лёня проводил ее до дома и они вошли в подъезд, Вера вдруг вспомнила, что утром-то он зашел к ней по пути на работу!

— Боже, — сказала она, — а ведь вы сегодня потеряли рабочий день! У вас будут неприятности, Лёня! В конце концов вас выгонят из-за меня.

— Не выгонят, — успокоил он, — я отзвонил... К тому же я им там нужен до зарезу. Без меня они никуда...

И пока поднимались на четвертый этаж, и уже в квартире, пока она варила кофе, он рассказывал что-то о создании искусственного интеллекта какого-то там поколения... что-то о великих электронных горизонтах будущего, о том, что когда-нибудь любой человек сможет связаться с другим человеком в любой точке земного шара... Нет-нет, Верочка, не обычным телефонным образом... — Увлекся... Наверное, ему показалось, что она слушает (она никогда не вслушивалась ни во что из того, что не касалось сути ее жизни), а может, просто хотел ее развлечь... отвлечь... — в то время еще не догадываясь, что ее постоянно и интенсивно действующее воображение всегда безотказно и развлекает, и отвлекает ее, и ограждает от любых извержений мира.

...Она сняла джезву с огня, разлила по чашкам кофе...

— Как странно... — проговорила она, медленно доставая из пачки сигарету... — Не могу отвязаться от мысли, что если б тогда, на Сквере, я не подобрала его... он до сих пор был бы жив...

— Или не был... — вставил Лёня, пододвигая ей блюдце...

— А я?.. я без него уж точно оставалась бы дворовой маугли, и... вообще не знаю, где была бы сейчас...

— Да все тут же и была бы, — вздохнув, проговорил Лёня... Вера, Вера... ничего вы о себе не понимаете...

Он поднялся с табурета, того еще, что подарили ей в детском садике «мишки-мышки», вошел в комнату, включил там свет... Потревоженный рыжий Сократус выгнул спину и молча деятельно принялся когтить мягкий валик старого топчана, и без того измочаленный за последние годы.

Сократус! Твоя, исполненная дворового блеска, жизнь ловеласа и сибарита оборвалась два года спустя тем же способом, каким она оборвалась у твоего знаменитого тезки — ты был отравлен, но не цикутой, а, скорее всего, какой-нибудь коммунальной отравой, какую рассыпали убийцы из санэпидемстанции по всем помойкам и подворотням... С тех пор ты обрел бессмертие в картинах хозяйки, появляясь в них ненароком, на задних планах, под ногами людей, на стульях и диванах, оседлав какую-нибудь кошечку — все такой же: преисполненный достоинства, с платиновыми зализами на боках, с пушистыми бакенбардами инспектора по особо важным делам, — о, Сократус, Сократус!..

Несколько минут в комнате было тихо, потом раздался Лёнин голос:

— Почему бы вам не купить приличную мебель, Вера? В конце концов, человеку свойственно стремиться к минимальному уюту... Я денег — и голосом подчеркнул: о-дол-жу! если уж не хотите так взять...

Она отозвалась из кухни:

— А зачем?

Он показался в дверях:

— Что — зачем?

— Стасику это было бы все равно... И дядя Миша никогда...

Он с досадой дернулся — ответить, но промолчал. Вернее, решил обойти тему с другого боку:

— Вы, Верочка, вообще выбрасываете когда-нибудь на помойку барахло? Вот этот синий бант, экспонат трогательной истории детства, давно просится на...

— Это талисман, я же вам рассказывала... Я тогда, во дворе, мысленно приказала девочке отдать мне сумку и бант, и она отдала. Меня это потрясло... легкость совершения насилия потрясла. С тех пор берегу в назидание... Там еще была сумочка, мать отняла. Оставьте, пожалуйста, и не приставайте, хотя бы сегодня, с идеями преобразования моей жизни...

Лёня вернулся в комнату, и некоторое время было слышно, как он ходит, отворачивая от стен картины, ставя то одну, то другую на мольберт... Комната представляла собой склад холстов и подрамников с островком топчана, шкафом у стены и четырьмя квадратными метрами перед мольбертом.

Он уже знал метод ее работы — над несколькими вещами одновременно, этапами: сначала холст покрывался красочной массой, тем самым создавался как бы дополнительный грунт; намечался основной цветовой аккорд, после чего картина оставлялась в покое, а на мольберт ставилась другая...

Иногда Лёня просто сидел за ее спиной, на топчане, и безмолвно смотрел, как она пишет. Вера мгновенно забывала о нем, когда рука брала кисть или мастихин. Возвращаясь ко второму этапу работы, она долго морщилась, страдала чуть ли не физически, — ненавидела результаты «полдела». Но постепенно, через вздохи, постанывание, невнятное мычание, почесывание носа и поскребывание в ежике волос... дело завязывалось: прорабатывались промежуточные контрасты, насыщалась цветовая гамма, — возникало цветовое пространство холста. И к концу сеанса гораздо более веселая художница отправляла — на побывку к товаркам — гораздо более веселую картину.

Самым активным, самым азартным, самым удивительным был для Лёни третий этап. Он даже вскакивал и кругами ходил вокруг нее, мешал работать, злил. Как аттракцион какой-то наблюдал процесс «доводки» картины: Вера разнообразила фактуру холста, орудуя мастихином, черенком кисти, пальцами... И вот вылепливалось лицо!

— Кто это? — спрашивал Лёня над ее плечом.

— Стиляга один... — меланхолично отвечала она, добавляя большим пальцем правой руки немного красного в верхний левый угол холста. — Стиляга, Хасик Коган... Кок носил огромный...

— А что это у него, шляпа?

— М-м... — угу... А на шляпе — ворох сирени... Я и сама его сейчас только узнала...

Как ни смешно, это было правдой. Сначала на холстах ее возникала городская среда, которая порождала мельтешение воздуха, фигур, вибрировала оттенками солнечных пятен в глубокой тени... Лица же проявлялись сами, всплывая из колодца ее памяти... Иногда, только завершив работу, она с интересом опознавала — кому принадлежит лицо персонажа.

— А, вот это что-то новое!..

Она допила кофе, проставила окурком несколько черных точек на блюдце, устало поднялась и вошла в комнату.

Он водрузил на мольберт еще не взятый в раму холст, и стоял напротив, то приближая лицо к картине и тогда снимая очки, то отходя шага на три...

— Я этого еще не видел... Очень здорово — такое напряжение цвета, нестерпимость, разлитая в воздухе... Просто какой-то алый сон! И этот странный черно-зеленый всадник, сросшийся с конем...

— Да это же кентавр... Я и назову так: «Кентавр на конопляном поле»... Здесь еще поработать надо... Запаха, запаха пока не слышно!..

— Это аллегория?

* * *

...Сейчас она вспомнила, как, незадолго до дяди Мишиной смерти, — она писала эту картину, и с утра до вечера была погружена в цветовое, световое состояние давнего своего сна, — у них случился очередной разговор о матери, который Вера на сей раз не прервала, а, наоборот, разожгла и расшевелила.

— Вот ты говоришь, что она тебя убивала с расчетом, а не из ревности... — начала она...

Дядя Миша вскинулся, взмахнул из гамака исхудалой рукой:

— Конечно! Ей нужно было скорее сесть за бытовуху, понимаешь? Иначе ей мог и вышак светить...

— За что? — с жадным интересом подалась она к нему.

— Ты меня сейчас опять будешь обрывать...

— Нет, не буду. Говори!

— Веруня! — просипел он торжественно и сразу закашлялся, зашелся в хрипах, а когда, минуты через три, успокоился, тускло проговорил, безжизненно глядя в парчовое, от густой листвы, небо над двориком:

— Твоя мать возглавляла сеть торговцев наркотиками...

На террасе Клара Нухимовна гремела кастрюлями, готовила обед на переносной газовой плитке... Одновременно в комнате ученица тарабанила в сотый раз заунывное упражнение на беглость пальцев. С соседней сливы на ветку яблони перескочила черная птичка майна, чиркнула головкой туда-сюда, осмотрелась...

— Непло-о-хо, — спокойно и насмешливо протянула Вера. — Я подозревала что-то в этом роде, но... такой размах? Все-таки мать — персонаж античных жанров... А ты уверен, что это не «фантазия в стиле блюз»? Ну, спокойно, спокойно, не кипятись! А то опять зайдешься в кашле...

— Послушай... — прошелестел он... — ты помнишь эти истории с выкидышами? Когда она возвращалась из своих таинственных поездок с приличным животом, а потом, в театральных корчах и муках, он куда-то девался?

— Но... погоди...

— Нет, это ты погоди! — он передохнул, достал платок, выхаркал в него с мучительным всхлипом что-то из глубины души... — Я, Веруня, бездетный... такие вот дела... А женщине перевезти на животе пару кило «пластилина» — это один из способов транспортировки гашиша, анаши... Она, конечно, не всегда ездила сама, так, в особо важных случаях... Когда речь шла о контроле над очень большими партиями... Судя по всему, в таких поездках «канала под "верблюда"» — простого перевозчика. В остальном на нее работали несколько ублюдков, которые, думаю, даже не догадывались — кто она. Знал только один — помнишь, иногда в доме появлялась странная личность, такой маленький сутулый старик с воспаленными глазками?.. Она его называла почему-то «Сливой»... У меня было смутное чувство, что где-то я его раньше видел... Мы не могли понять — что ее связывает... думали, обычная ее деятельность: лифчики-колготки...

— Она тебе что, сама призналась? — недоверчиво спросила Вера...

Дядя Миша усмехнулся...

— Зачем же, я догадался... по некоторым признакам... Ну, и запах... Хотя они, производители, оборачивают пакет много раз... говорят, еще сухофрукты запах отбивают — курага, чернослив... И потом, я же, Веруня, химик все-таки... и столько лет с растениями связан. Так что, вот — Cannabis sativa, конопля обыкновенная... неприхотливое однолетнее растение... содержит каннабиновое масло, алкалоиды, мускарин... Произрастает в горах, и нужны ей большие перепады температур... И собирать смолу и пыльцу нужно в жаркий...

— Погоди! — воскликнула она вдруг с силой, хватая его за руку. — Постой!.. В горах?! — Она вскочила, быстро прошлась по кирпичной дорожке от гамака до двери во времянку, вернулась, нервно пританцовывая, щелкая пальцами.

— Значит, Стасик был прав, когда говорил об охоте за гашишем! Да я же видела это, видела своими глазами! В детстве... И все время считала, что это был сон. Она однажды взяла меня с собой в горы... Сначала мы ехали на машине, потом оставили ее во дворе одного дома, где-то в глухом кишлаке... Потом явился красивый, рослый — он мне тогда казался гигантом! — парень, дядя Садык... И — поле на склоне... с высоченными кустами...

— Да-да... конопля достигает больше двух метров в высоту...

— ...мне было года три-четыре, и я, видимо, устала, мать уложила меня спать на траве. Просто расстелила свою кофту... А когда я проснулась, то увидела голого всадника на коне... Он скакал и хохотал...

— ...Я только слышал, что есть такой экзотический способ сбора конопли... Обычно комбайнеры счищают с ковша своего экскаватора... Очевидно, в то время она только начинала... подручными средствами... Но смолу, как правило, собирают на кожаный пиджак или пальто — просто человек бегает по полю... потом скребками счищают...

— Да, да! — воскликнула Вера, опять, как маленькая, хватая его за руку, словно боялась потерять нить воспоминания, вернее, боялась, что дядя Миша исчезнет куда-то, увернется от разговора, который ей прежде никогда не был нужен, но от которого сейчас зависела новая картина...

— Он забыл пиджак, понимаешь?! Господи, вот сейчас все проявляется, как на фотографии... Ну да, он вроде забыл пиджак, или не отыскал его, что-то такое... — они ругались... Потом, когда уже оказались на месте... этот, молодой, дядя Садык... мылся над ручьем... и мать подошла, шлепнула его по голой спине и сказала: «А это чем не кожа!»...

И, знаешь, когда я проснулась... это было такое потрясение — багровое солнце, заливающее вершины снежных гор, блеск потного человеческого тела, единого, слитного с телом животного: полуконь-получеловек!.. Потом ужасно стонал, скрежетал зубами, когда с его спины и груди ножами счищали что-то вроде... пластилиновой корки... И между ладонями так, скатывали шарики... как курт...

Вера ошарашенно смотрела на дядю Мишу:

— Почему я это помню? Ведь я спала? Как я могу это помнить?

— Ты не спала... Просто запах конопли, дурман, — это ведь наркотическое вещество... А ты была очень мала... Да-а-а... — он покрутил головой, глухо пробормотал: «Из глубины взываю к тебе, Господи!»

— Что? — напряженно спросила она.

— Ничего... Это из Псалмов... — видно было, что дядя Миша устал от разговора. В последнее время он вообще очень быстро от всего уставал. — Она не учла твоей памяти и твоей впечатлительности... Впрочем, ты же тогда ничего не поняла...

— Но мне часто это снилось... — медленно проговорила Вера... — Моя память позаботилась о том, чтобы законсервировать картинку... до времени употребления...

Только я не понимаю — почему ты связываешь то убийство... (и она и дядя Миша — оба! — упорно продолжали называть тот кошмар *убийством*)... Ведь она все-таки любила тебя...

— Какая там любовь! — он поморщился, вяло махнул рукой, свисающей с борта гамака, как на давней пожелтелой открытке свисала с плетеного кресла рука художника Левитана... — Катя не способна любить... Просто она никогда не могла допустить, чтобы хоть что-то, ей принадлежащее, вдруг не оказалось на месте. Теперь уже я могу сказать тебе, — однажды она призналась, что не стала делать аборт, а родила тебя, только поэтому: ты принадлежала ей, была ее животной собственностью, а никому отнять ее собственность она бы не позволила... Выгрызть глотку посягателю — наиглавнейший ее рефлекс. А здесь все совпало: бизнес становился особенно опасным, она знала, что в любую минуту *угры* могут на нее выйти... Ну, и я стал отбиваться от рук... Ей надо было сесть на чуток, отсидеться, заодно проучить меня... вот и все! Она и не собиралась так уж меня калечить... Это у нее случайно, *в процессе* получилось... Я ведь не сопротивлялся — удивился очень... Известный феномен: покорность жертвы... Артистизм ее подвел, азарт... актерское вдохновение накатило...

Он опять закашлялся, изнемог от натуги, так что высокий лоб покрылся капельками пота... Наконец утих...

— Дядя Миша... — тихо позвала Вера... — ответь, ради бога... почему ты с нею жил?

Он долго молчал, прикрыв глаза... Ей даже показалось, что он заснул... и она с жадной исследовательской любовью смотрела на его, все еще густые, но с сильной проседью, волнистые волосы, и совсем уже седую бороду... словно снимала прижизненную маску, поскольку посмертная ей была не нужна... Интересно, дожил ли до седой бороды великий русский пейзажист Исаак Левитан...

Вдруг он открыл глаза и сказал:

— Но ведь это был единственный способ остаться с тобой...

Она положила ладонь ему на рубашку, туда, где вздымалось и опадало захлебывающееся сердце.

— Так ты... оставался с ней... ради меня?

— Помоги зайти в дом, что-то стало прохладно... — просипел он, приподнимаясь в гамаке... — И перестань плакать! Это просто жизнь, Веруня... Просто жизнь...

Лет этак через двадцать пять, уже в Америке, она со своим вторым мужем будет принимать в гостях супружескую пару: их приятельницу-пианистку с новеньким супругом, человеком молчаливым и за столом несколько... чопорным, чужеватым... Однако все разом изменилось, когда выяснилось, что Роман Григорьич, так звали гостя, в прошлом — подполковник уголовного розыска МВД Узбекистана. И разговор забурлил, закрутился вокруг сразу нескольких тем. Сначала усмешливо и раскрепощенно, — с обеих сторон — обсудили промахи КГБ в некоторых со-

бытиях, связанных с личностью Вериного мужа, потом разговор перешел на другие темы. Вспомнили, что Ташкент всегда был криминально неблагополучным: климат такой, гостеприимный для всякой швали, население — доверчивое, открытое... Ворье и мошенники были немаловажной закваской в этом конгломерате...

— Ну, и не забудьте о наших садоводах-любителях, — сказал бывший подполковник... — Добрая половина нашей деятельности была посвящена наркотикам — гашиш, опиум...

— И что, многих ловили? — спросил хозяин дома.

— Многих, — уверенно ответил гость. — Тут ведь, в этом деле, особенно справедлива поговорка насчет веревочки, которой, сколько ни виться... Безумие порока, знаете, ослабляет осторожность... Хотя, были и провалы — наши провалы, я имею в виду. Например, в семидесятых так и не удалось поймать одного, как говорят теперь, наркобарона, личность таинственную, очень опытную, и даже талантливую... Схема организации была составлена так хитроумно, что, похоже, только один старик знал хозяина лично. Но когда на него вышли и уже должны были брать, его нашли задушенным в пустой квартире, где-то на Тезиковке. И ниточка оборвалась... А потом она как сквозь землю провалилась.

— «Она»? — спросила Вера. — Так это была женщина?

— Вот именно! — подтвердил гость. — Но мы знали только кличку: Артистка...

27

Знакомый Лёне бывший часовщик жил в новом кооперативном доме на улице Гоголя — роскошный проект, лифт, просторные квартиры с огромными застекленными лоджиями...

Пока шли от трамвая и поднимались в лифте, Лёня рассказывал про хозяина — когда-то, лет двадцать назад, тот контролировал чуть ли не весь здешний часовой рынок. Но потом, многозначительно добавил Лёня, переключился на другие дела. Вере было все равно — кто и на что там переключился, она как раз обдумывала, как сочетать в смесях контрастные тона, — но иногда она спохватывалась, что Лёня обидится, и тогда задавала какой-нибудь вопрос, как правило, невпопад, и он снисходительно смеялся. Вообще казалось, что при всей своей предупредительности и абсолютной преданности, Лёня никогда не принимал ее всерьез. Она и сейчас спросила — на что же тот переключился?

— На камушки, — ответил Лёня.

— На... камушки? — удивленно переспросила она. Они ехали в лифте — зеркальном, но уже обоссанном. Лёня расхохотался и подмигнул: — Да-да... Верочка, ну-ка, как вы себе представляете эти камушки? Ну-ка?

Явно ждал, когда она сморозит какую-нибудь глупость.

— Идите на фиг, — сказала она добродушно.

* * *

...Сквозь окно столовой видно было, как на лоджии наклонялась над гладильной доской совсем еще молодая жена часовщика. Сам он был уже в преклонных годах, хотя отлично держался — худой, подтянутый, одетый в спортивный импортный костюм. Судя по всему, и в молодости увлекался спортом: в проеме двери, ведущей в столовую, заставленную громоздким румынским гарнитуром, видна была на стене увеличенная коричневатая фотография, из довоенных, добросовестных, — длиннорукий длинноногий молодой человек в теннисках, с ракеткой на плече, стоит в белых трусах и майке, неулыбчиво смотрит в объектив...

Он сам открыл им дверь и был довольно любезен, — приветливым его никак нельзя было назвать... По ходу дела Вера поняла, что Лёня когда-то оказал ему услугу, очередную в ряду бесчисленных услуг, которые он оказывал походя, словно не замечая, самым неожиданным людям.

— Проходите в столовую, — пригласил хозяин, указывая направление левой рукой в перчатке телесного цвета, — некомплектной рукой, всего с двумя пальцами. Этими пальцами он и взял, как пинцетом, протянутый Лёней кулон, положил его на правую ладонь, молча осмотрел...

— Ну что ж... — сразу сказал он... — Это «Лонжин», швейцарская фирма... Часики на анкерном ходу, между прочим...

— Значит, они серебряные? — спросила Вера.

Часовщик улыбнулся одними губами... впервые поднял на нее глаза. Несколько секунд они так смотрели друг на друга. Он — удивляясь. Обычно мало кто выдерживал его прямой немигающий взгляд. Девушка смотрела на него спокойно, внимательно, не отводя глаз. Черным гвоздиком в серую радужку вбит зрачок.

На пороге лоджии показалась жена часовщика со стопкой наглаженного белья, поздоровалась, прошла в соседнюю комнату.

— Они платиновые, — наконец проговорил хозяин негромко.

Лёня присвистнул, рассмеялся:

— Ну надо же! Юрий Кондратьич... а вот эти стеклышки вокруг...

— ...это небольшие, но хорошей огранки бриллианты... А вот почему часы не идут... сейчас увидим... — Он поднялся, отошел к столику у окна, впритык стоящему к подоконнику, заставленному разными жестяными и картонными коробочками, придвинул старый табурет и натянул на голову какой-то стаканчик на резинке, прилаживая его к глазу...

Несколько минут прошли в тишине, нарушаемой только тихим позвякиванием часовых инструментов о плоскую тарелочку...

Вера с Лёней молча оглядывали этот небедный дом, лишенный, впрочем, малейшего отпечатка хозяйских привычек, любовей, интересов, душевного тепла... если б не стол с инструментом у окна...

Жена Юрия Кондратьевича вышла из кухни, поставила на полированный журнальный столик угощение — лаган с тремя изобильными, только что ополоснутыми водой, кистями черного винограда; вышла опять на лоджию и, перегнувшись, стала кричать во двор: «Ко-остя! Ко-остя! Обедать, уроки делать!» — снизу что-то неразборчиво, но своевольно канючил невидимый Костя...

...Наконец часовщик поднялся, подошел к гостям, двумя пальцами держа и чуть раскачивая на цепочке кулон.

— Вот и все, — сказал он, — всего-то навсего почистил механизм, продул его... Идут как новенькие...

— Юрий Кондратьич, вы — волшебник! — воскликнул Лёня. — Мне бы хотелось как-то отблагодарить вас!

— Да что вы, — снисходительно усмехнулся хозяин, — это такая чепуха... — И протянул кулон Вере:

— Носите на здоровье! Они вечные... Наверное, память?

— Да... — сказала она... — да, мне их оставил... отец!

Впервые в жизни она назвала дядю Мишу отцом, и не знала — что заставило ее произнести эту фразу в чужом, отчего-то тягостном ей, доме, который она сейчас покинет навсегда.

Спросила — где туалет, поднялась и вышла...

Лёня все восхищался мастерством хозяина, повторял, что для него в жизни важнее всего — уровень мастерства, которым человек владеет...

— Берегитесь, — проговорил Юрий Кондратьевич, предостерегающе поднимая инвалидную руку в перчатке. — Это не лучшая шкала для определения человеческих качеств. А что, — спросил он, — чем, кстати, занимается эта серьезная девушка, и каков уровень ее мастерства?

Лёня широко улыбнулся, снял очки и, протирая их своим, как говорила Вера, «вечно-безупречным» платком, сказал:

— Она — художница! И очень талантливая... Но это как раз тот случай, когда бы мне хотелось, чтоб она была просто...

Вернулась Вера, и Лёня не закончил фразы. Он тоже поднялся — попрощаться...

Когда за гостями захлопнулась дверь, из кухни вышла жена часовщика...

— Не могу загнать его обедать, — сказала она...

— Пусть бегает! — отозвался муж хмуро...

— И виноград совсем не ели... А чего ты такой вздрюченный? — спросила она...

— Я?! Ты что, сдурела?

— Да я же вижу... Это — знакомые были?

— Парень знакомый, а девица... Вроде я когда-то ее встречал...

— Ну-ну... — сказала жена...

Он стоял у окна и смотрел, как по двору идут эти двое, оживленно переговариваясь, — оба высокие, легкие... хорошая пара! — и чего это Лёня так церемонен с этой неулыбой?..

— Где-то определенно встречал!.. — пробормотал он. — Вот черт! У меня ж память, как оса — ни за что не отстанет... Во всяком случае, кого-то она мне страшно напомнила... Буду мучиться теперь — кого?

* * *

«...и в сущности, странно, что ни маму, ни папу я отчетливо не помню — (правда, у тети Жени, покойницы, вытащил из альбома фотографию: все мы встречаем Новый, 34-й год у нас дома. Там все скопом за столом, мама — вполоборота, но виден все же кулон на шее! А папу почти заслонила соседка наша, Елена Серафимовна...) — но почему-то прекрасно помню приехавшего из Ленинграда в гости хирурга, который принес с Алайского арбуз и сказал: «Сейчас мы его пропальпируем... Скальпель мне!»... И так смешно топорщил усы и жмурился, как большой кот... Помню и дядю Сашу, художника, дядю Сашу Волкова. Может, потому, что он так чудно всегда одевался, как испанский гранд — берет, короткие панталоны, короткий плащ... Кажется, мама втайне считала его немножко шутом. М-да... картины шута сейчас не укупишь. Интересно, куда канули наши, которые он дарил родителям? И на чьей стене, в каком доме висит сейчас папин портрет?.. Да, вспомнил — на праздник в тот год еще приехал инженер Грабовский! Гениальный Грабовский, память о котором испарилась, словно его и не было! И никому сейчас неведомо, что здесь, в Ташкенте, — можно сказать, за углом, — проходило испытание «телефота» — первой в мире телевизионной установки, им изобретенной... Кажется, он и крылья изобретал... — могучий Икар, сломленный болезнью позвоночника...

Таинственный лес человеческой памяти... Впрочем, моя память изрядно порушена зеленым змием... Что еще не заросло, не повалено? (Вспоминай, вспоминай, вот встретишься с ними совсем уже скоро, и надо будет узнавать-обнимать-привыкать заново... да наверное, как-то по-другому уже привыкать?)

Так вот, помню то, последнее, с папой, лето в кишлаке Гайрат... Я гуляю один по крутым пыльным улочкам... а навстречу — незнакомый узбек, улыбается, берет меня за руку, открывает калитку. Это его сад... И бесконечно ласково, сладко журчит арык в знойной тишине... Один этот звук способен унять жажду... Хозяин сада кладет мне за пазуху теплую кисть винограда, три яблока, горсть алычи, дает в руки только что выловленную из тандыра обжигающую лепешку, и я перекидываю ее из ладони в ладонь и дую, дую на нее, дую...

Сколько раз потом военными зимами я вспоминал эту горячую лепешку и кислую, но божественно ароматную алычу!.. А главное...»

* * *

«...война сразу почувствовалась. По Пушкинской проходили колонны красноармейцев, с песнями, под оркестр... Появились беженцы... ну, и наш брат, беспризорник... Помню, в парке Тельмана я познакомился с мальчишкой, казахом... Забыл как звали... что-то смешное, нежное... кажется, Олжасик? Ему, как и мне, было лет десять. Говорил, что приехал из Чимкента после смерти родителей... Единственной его одеждой была длинная, почти до пят, серая (туальденоровая, кажется?) рубашка. Купался он голым. Но недели через три, встретившись у «Лягушатника», торжественно скинул рубашку и с гордостью продемонстрировал белые девчачьи трусики с оборками: украл с веревки...

Но летом было хорошо, летом можно на рынках тащить с прилавков еду, можно сбивать ивовыми прутьями летучих мышей и жарить их на костре — ей-богу, вкусно! Зимой же человеку — хана... Тем более такие страшные пришли холода... Генка ходил в материных танкетках, — все, что ему осталось от матери, — а я украл на открытой террасе какого-то дома на Осакинской женские боты на высоких каблуках. Чтобы резиновые каблуки не подгибались, в них были вставлены деревяшки... А еще мне повезло, и дядя Коля, сторож при театре, вынес мне почти целую, с одним рукавом, телогрейку, сказал: «Носи, босота! Эту телогрейку Михоэлс надевал!» — а мне-то что за дело было — кто надевал? Я носил ее то так, то сяк, наизнанку. Чтобы руки грелись по очереди. Главное, правильно было жить, в куче. В куче и спать тепло. А одиночкам совсем худо... Мне запомнился один мальчишка с необыкновенно голубыми глазами. Он был совсем один и всех чурался. Ходил голым, завернутым в замызганное красное одеяло. Ночевал в подъезде трехэтажного дома на углу Пушкинской и Гоголя. Обычно сидел на тротуаре у консерватории, завернувшись в одеяло, просил милостыню. Раз прибегает Кокнар, айсор, говорит — пацаны, там этот, в одеяле, третий день сидит, голову уткнул в колени... А я как раз...»

«...ну, и Генка мне говорит — а пойдем к тебе в хату, позырим — может, там что осталось?

Я-то понимал, что дома у нас уже кто-то живет, так не бывает, чтобы комната пустой оставалась. Тем более беженцев понаехало... Но, с другой стороны... неужели, так вот, все наши вещи... Может, удастся... может, что-то продам?.. Ну, и мы с ним пошли... Я помнил, что к нашему окошку папа соорудил такую приступочку из трех ящиков, чтобы удобней было: гоняешь весь день по двору, потом вскочишь на ящики: — мам, скоро обедать?.. не обегать же кругом целый двор... И это наше окно выходило в такие густые кусты сирени... Словом, удобно было...

Я только потом понял, как сильно вырос за этот год. Я и без приступочки теперь спокойно мог заглянуть в нашу комнату... Знал, что там чужое жилье, знал, но... как-то удивился, увидев нашу соседку Елену Серафимовну, ту, что в НКВД служила... Значит, она переехала к нам? Она стояла над тазом и мылила подмышки, а скользкие большие груди ее, похожие на плоские булыжники, колыхались и шлепались...

Я окаменел, потому что увидел между ее грудями знакомую вещь — это был мамин кулон! Я так любил играть с ним, когда был совсем маленьким! Это был кулон моей мамы, тот, что подарила ей бабушка, а бабушке — подарил на свадьбу ее отец, мой киевский прадед Исаак Диамант. На самом деле это были платиновые часики с россыпью мелких бриллиантов вокруг циферблата. Я ничего в этом тогда не понимал, ни про металл, ни про драгоценные камни, просто видел, что это — мамина вещь! Мамина вещь! И сразу вспомнил, как Елена Серафимовна всегда восхищалась этим кулоном, говорила — какая изящная работа!

Я просто застыл. А Генка снизу шипит — ну, что, ну, что там, Миха? Я сказал — тихо, стой, не двигайся! Не знаю, почему я не спрыгнул и не убежал. Просто чувствовал, что должен тихо стоять и ждать. И точно, она выпрямилась и стала вытираться полотенцем, и цепочка кулона цеплялась за полотенце и мешала. Тогда она сняла с шеи кулон, положила на полку под зеркалом и прямо так, по пояс голая, пошла из комнаты — может, за другим, сухим полотенцем...

Тогда я мгновенно подтянулся на руках, сиганул в комнату, метнувшись к полке, схватил кулон и... сунул его за щеку! И сразу выскочил, но по пути — как все-таки мозг работает в такие минуты! — прихватил мокрое полотенце, чтобы Генка не заподозрил... Я выскочил из окна и понесся прочь, с полотенцем в руках...

И всю дорогу он ругал меня придурком за это полотенце, мол, надо же было хватать что получше. А я был счастлив, счастлив, и только мычал в ответ...

Дня через три Генку застрелил на вокзале какой-то майор, когда он стащил чемодан и волок его к выходу. Майор кричал — стой, стой, стрелять буду! — но Генку, должно быть, заклинило: мы с ним тогда дня два совсем не ели. Тот и выстрелил. Но я не об этом.

Мне хочется представить себе лицо этой женщины, когда, вернувшись в комнату, она привычно протягивает к полке руку и не находит там кулона... Я продлеваю миг этого блаженства, этого вневременного торжества. Я до сих пор торжествую, а она до сих пор все стоит с голыми своими, скользкими грудями, — мразь, воровка... подстилка чекистская!..»

«...В тюрьме я не пил три дня, пока не перевели из общей камеры к политическим. То, что параша была одна на всех — это понятно, но и алюминиевая посудина для питья была одна на всех тоже, а то, что у народа в камере всякое водилось — и сифилис, и чего похлеще... я как-никак понимал, был уже студентом химфака...

Вечером в камеру заносили большое блюдо с дезинфицирующим раствором против мандавошек, и все принимались загребать его ковшом ладони и, спустив штаны, деятельно натираться...

Страшную жажду буду помнить, вероятно, всю жизнь... хотя не самая это чудовищная пытка. Если не ошибаюсь, — академик Оксман вспоминал, что из всех пыток, которые он вынес в застенках КГБ, самая страшная была — сверление открытого дупла. Он отбывал срок на Колыме с 36-го, ему, председателю Пушкинской комиссии, инкриминировались «попытки срыва юбилея Пушкина». Кстати, Пушкин его и спас: когда, еще живого, Оксмана свезли в морг, служитель обнаружил на ноге у него бирку, где было написано, что он — из Пушкинского дома. На эту бирку, на слово «Пушкин» служитель морга и отреагировал, и спас доходягу, откормив сливочным маслом, — вроде крутился при кухне.

Что это доказывает? Благородство простого русского человека? Не обязательно. Но то, что Пушкин — поистине национальное достояние...»

«...и когда уже все потеряно, пропито, главное — пропита до дна душа... вдруг... — эта девочка: худенькая, упрямая, молчит почти целый день... Погружена в какую-то свою жизнь, трудно выразимую, но — бесконечно полную. Рисует все время — *вырисовывает* мысли, людей, которых встретила, книги, которые прочла... Если б ее оставили в покое, то рисовала бы — как дышит, — не отрывая карандаша от бумаги... В свои двенадцать одиноких лет — абсолютно сложившаяся, цельная личность. Навязать ей ничего невозможно; внутренне независима и всегда настороже — не покушается ли кто на эту ее независимость? И одновременно — какая благодарность внимательного выслушивания! Какое отзывчивое удивление, и восторг, и мгновенная преданность тому новому, которому — поверила!

При тотальном невежестве и нелюбви, в которых она выросла, это самое благородное — природно, изнутри — существо, какое мне встречалось в жизни. Наверное, сильно бы удивилась, узнав, что — опора моя. Несколько раз удерживала меня на самом краю запойного обвала: запирала дома, сидела целыми днями рядом, как кандалами пристегнутая, за руку держала — спасала. От ее полудетской руки идет какая-то властная сила, иногда мне кажется — физическая; кажется, захоти она, и могла бы легко взвалить меня на плечи и унести. Принесла же, вот, когда-то, беспамятного, со Сквера. Говорит — на каком-то мотоцикле везла... Не верю! Принесла на плечах... От *той, другой*, — тоже идет сила, но *та* — отравленный колодец, погибший источник... Эта же — ангел.

Откуда она взялась — такая? Смотрит на все вокруг взглядом отстраненным, пристальным, — словно послана в этот мир для определенной, причем единственной цели — стать свидетелем, да не просто — свидетелем, а оценщиком каких-то изначальных нравственных ценностей, оценщиком непредвзятым, взыскательным, беспощадным... О чем это говорит, — что среда все-таки ничего не значит? Так что ж, все же — душа, все-таки душа?.. Так есть Бог или нет? Или все-таки есть? Тогда как и за что, за какие прошлые заслуги в некое тело посылается душа цельная, как алмаз, в ожидании лишь руки, которая с бережной любовью нанесет на нее бесчисленные грани, в которых отразится мир?

Хмурый мой ангел, ты мне награда за...»

28

Еще в институте, за год до ее диплома, Лёня, со своими разветвленными и поистине неисчислимыми знакомствами, устроил Веру в изостудию при Дворце текстильщиков, преподавать детям рисунок и живопись, — необременительные три дня в неделю, после обеда. Помимо маленькой, но необходимой зарплаты, это еще давало неоценимое: мастерскую... Тем более вовремя, что Вера перешла на картины больших размеров.

Комната для занятий с детьми тоже оказалась большой, метров сорок, с четырьмя высокими окнами на север да с кладовкой для хранения картин — о чем еще можно мечтать?

И она ежедневно приходила туда с раннего утра, отпирала своим ключом дверь, неторопливо наливала в надбитую пиалу чай из термоса, расставляла этюдник, с вдумчивым наслаждением выдавливая из тюбиков на палитру тугие маслянистые змейки краски...

Оставалось еще минут сорок, в течение которых, со вскипающими в крови пузырьками особого, мастерового нетерпения, она *ждала света*... Расставляла на полу у стены две-три работы... ходила туда-сюда по комнате, отворачивалась... резко оглядывалась вновь... сооружала, как научил когда-то Стасик, трубочку из ладони... что-то напевала, насвистывала... Выкуривала сигарету, — потом, когда шла работа, часами могла не курить.

Наконец, ставила на этюдник холст... — и вокруг нее вырастали высокие светлые стены, смыкавшиеся над головой зеленым сводом...

Здесь появилась ее, известная впоследствии, серия «Сквер Революции» — целая галерея странных людей, погруженных в солнечные тени от могучих столетних чинар. Она давала картинам названия, всегда нуждавшиеся в пояснениях — к которым, впрочем, никогда не прибегала. Поэтому, позже, когда писали о ее работах, авторы неизменно подчеркивали «фантастичность и карнавальность живописной манеры Щегловой». Многие критики писали об этом уже после первых всесоюзных выставок, в которых она принимала участие так ярко и отдельно от кого бы то ни было, что сразу обратила на себя внимание...

Одно время, впрочем, кое-кто пытался втиснуть ее в тесную расщелину соцарта, в качестве примера опираясь на центральную картину серии «Сквер Революции», где человек в черном драповом пальто с яростной улыбкой дирижирует рабочими, снимающими с постамента статую Сталина, а маленькие, как бы еще не выросшие, памятники Карлу Марксу и конному Тамерлану, в густой траве выстроенные — как дети на прогулке — в затылок друг другу, только лишь дожидаются своего череда вырасти до постамента.

Картина почему-то называлась «Обнимитесь, миллионы!».

Она была влюблена в сам материал, в интенсивность цвета, в массу самого красочного слоя, который, через световое излучение, — тайной древних, генетически дарованных нам, но позабытых, веками запертых, инстинктов, — заряжает и зрителей, и самого художника. Часто, работая, она переставала даже думать, ее вели ощущения; чудилось, что через вязкое месиво растертых и претворенных в краску природных веществ, через кружение кисти ей вот-вот станут доступны и понятны излучения далеких звезд, цивилизаций, забытых человеческих знаний.

Когда, на бесконечных обсуждениях очередных выставок или в каком-нибудь очередном интервью, кто-то задавал вопрос о ее приверженности фигуративному искусству, Вера просто отмахивалась или отвечала давней заготовкой: она понимает и признает некое эмоциональное потрясение, которого можно добиться наиболее коротким путем, через абстрактную живопись, но лично ее всегда волновала и волнует жизнь конкретного существа, и даже не его конкретная жизнь, а образ его жизни, и то, как этот образ соотносится с той бесконечной игрой сил, движением материй и энергий, которые существуют в мироздании.

По-настоящему ее волновало лишь одиночество персонажа: его переживание мира, его личное тепло, бесконечно борющееся с недружелюбным излучением холодной Вселенной; его страх перед безличным, великим, грозным, неопределимым и неопределённым пространством... — этим океаном времени, который каждый должен переплывать в одиночку...

После обеда приходили ребята, стучали мольбертами, шумно рассаживаясь; выбегали в коридор — набрать в банку воды для работы с акварелью. И это тоже было счастьем... потому что с тех пор, как начала учить детей, она поняла, как и почему они были счастливы оба — она с дядей Мишей...

Позже, вечером, приходила еще одна группа детей, постарше. Вера заранее готовила им постановку, тщательно подбирая предметы, расставляя их на столе, поправляя складки драпировки...

С этими можно было говорить на равных:

— Старайтесь набрать массу цвета, — говорила она, переходя от одного к другому. — Сначала прописываем более жидкими слоями, в более повышенных тонах, как бы определяя основные аккордные созвучия. Дальше — находим промежуточные контрасты, само движение цвета, то, как частицы цветовой материи, то отталкиваясь, то притягиваясь друг к другу, строят пространство, которое надо записать...

В самом начале ее работы на занятия повадилась приходить с проверкой инспектор учебных программ, дородная тетка с тетрадочкой для замечаний. В первый раз сидела, что-то записывала с обескураженным лицом, вернее, пыталась записать; потом, видимо, махнула рукой, только сказала после занятия:

— Вы, Вера Семеновна, каким-то заумным языком с детьми общаетесь. Вас дети не поймут!

Однако после первой же республиканской выставки детского рисунка «На хлопковых полях нашей Родины», с которой

четверо Вериных учеников принесли дипломы, тетка угомони-
лась, дипломы вставила в рамочки и вывесила в фойе. Оставила студию в покое.

— Вам должно нравиться, как на кисть берется краска... —
говорила Вера, расхаживая между мольбертами, останавливаясь возле кого-то из учеников, отбирая кисть и показывая... —
Смотрите: двумя-тремя цветовыми отношениями вдруг преоб-
разовывается белое пространство... Возникают созвучия... дис-
сонансы... и постепенно вся эта масса краски, правильно орга-
низованная, превращает небольшую плоскость в целый мир:
предметы приобретают свою материальность, вещественность,
звучание...

— Звучание?! — обязательно раздавался чей-то недоумен-
ный голос.

— Да-да. Звучание... Каждый оттенок цвета имеет свой
тон... Потом я расскажу вам о цветомузыке...

Чуть ли не каждый вечер, возвращаясь с работы, из Института ядерной физики, в мастерскую заглядывал Лёня; приезжал на своем, недавно приобретенном «Москвиче»; обязательно приносил что-то поесть — какие-нибудь, купленные по
пути, пирожки с капустой или рисом, еще теплые, завернутые
в промасленный пакет и, для удержания температуры, оберну-
тые его элегантным шарфом. И это было так здорово и так вовремя...

С удивлением она вспоминала, что с утра не ела, да и не хотелось, собственно... Он ужасался и говорил, что она худа уже
до антиэстетической степени. «До безобразия!» — восклицал
он, и она верила, что именно так и выглядит в его глазах.

Вера отвинчивала крышку термоса, брала с подоконника
еще одну пиалу, наливала чай... с улыбкой рассказывала о детях: как, например, сегодня пятилетний Игорек, единственный

сын пары молодых врачей и внук замминистра энергетики Узбекистана, минут десять благоговейно следил за тем, как Вера закрашивает на его листе вазочку с маками, потом застенчиво спросил:

— Вы не могли бы стать моей мамой?

Однажды она задумчиво улыбнулась и сказала:

— Жаль, что у меня не может быть детей...

— Как?! — Лёня встрепенулся слишком горячо, слишком испуганно:

— Но... Вера... Господи, мама организует вам любого специалиста, у нее пол-Москвы друзей, вы только ска...

Она усмехнулась:

— Нет-нет... я здорова... Я имею в виду совсем иное. Ребенок должен расти в любви, понимаете? Его надо любить ежеминутно... вот как меня любил дядя Миша...

— Но я не понимаю, почему вы...

— Да все потому же... — Помолчала, нахмурилась и сказала. — А я, к сожалению, не способна любить — как писали в старых романах — «всем существом»...

— Вы клевещете на себя! — выкрикнул он с таким выражением на лице, точно она его оскорбила.

Она взяла мастихин, протянула руку к холсту... медленно соскребла бугорок засохшей краски...

— Нет, — проговорила она, вздохнув... — Наверное, где-то там, по ремесленному ведомству, всю мою душу целиком безжалостно посвятили смешению красок на палитре и замазыванию холстов...

...До позднего вечера, до тех пор, пока сторож Хамид не являлся, деликатно постукивая костяшками пальцев в дверь, — будто они бог знает чем там могли заниматься, — Лёня рассматривал написанное ею за день, помогал натягивать новый холст на подрамник, мыл кисти и каждую минуту учил ее жизни.

Кстати, немного и выучил. Она — очень медленно — стала меняться к лучшему: в одежде, в манере себя держать... Научилась слегка улыбаться, просто так, навстречу незнакомому человеку — (презумпция дружелюбия! — настаивал он, ибо знал толк в этих делах), — чего в детстве и юности не умела совсем.

Однажды она расхохоталась на какую-то Лёнину шутку, и он оторопел от красоты безупречного ряда ее зубов, вдруг понимая, что впервые видит это лицо освещенным *таким* белоснежным эмалевым сиянием.

— Черт побери, Вера, — пробормотал он... — Этот оскал, как сильный аргумент, мы должны включить в стилевую композицию личности...

Но чаще она восставала против его педантичности, — того, что сам он называл «вниманием к каждой детали», а она — «занудливой въедливостью».

— Лёня, отстаньте от меня! Я — художник, а не светская львица! — вспыхивая, говорила Вера. — Чем, собственно, вам не нравятся эти туфли? Как вы смеете, вообще?! Я их купила в лавке на Алайском, очень недорого и...

Он хватался ладонями за щеки и мучительно стонал, как будто внезапная зубная боль пронзала всю нижнюю челюсть.

— Вы не можете носить такие туфли! — с выражением зубной муки на лице говорил он. Затем вскакивал и, отмеряя широкие шаги по мастерской, читал ей лекцию о стиле одежды.

Сам он не только хорошо, со вкусом был одет, не только умел доставать у неведомых Вере спекулянтов самые добротные и модные вещи, но и обладал врожденным вкусом ко всему, что касалось стиля — одежды ли, помещений, да и просто умения себя держать. Возможно, тут сказывалось домашнее воспитание: Лёня рано, лет в пятнадцать, остался без отца, известного в Узбекистане архитектора, но мать, Маргарита Исаевна, хирург-отоларинголог, посвятила сыну всю душу, намерения, любовь... Мать и сын были нежно друг к другу привязаны, жили вдвоем в большом пятикомнатном доме на улице Кафанова, и если Лёня вечером не приезжал, Вера знала, что сегодня он ведет маму в театр или на концерт заезжего музыканта.

Саму ее он уже не пытался пристрастить к опере, после одного незадачливого посещения «Дона Карлоса», где партию главного героя исполнял отличный тенор из Кировского театра, — грузный пожилой певец, тяжело опускавшийся на одно колено и с трудом принимавший исходное положение. Потряхивая толстым задом, особенно комичным в тесных бархатных панталонах с оборками, он короткими перебежками между ариями и дуэтами пересекал пространство сцены, прижимал обе руки к своей дамской груди и выводил рулады, страдальчески поднимая брови.

Вера повернулась к Лёне: судя по благостному выражению лица, тот наслаждался. «Как вы можете на это смотреть?!» — шепотом спросила она. — «Тихо! Оперу не смотрят, а слушают»... — «Но это безобразное пренебрежение к визуальному ряду, к образу!»... — «Я вас убью, — прошептал он. — Закройте глаза и слушайте этот великолепный голос!»... — «Закрыть глаза?!» — воскликнула она, так что зашикали вокруг. — «Вы с ума сошли?! Я художник!» — и, немедленно поднявшись, стала пробираться к выходу через возмущенных любителей оперы...

* * *

Круг знакомств Леонида Волошина не поддавался исчислению: иногда Вере казалось, что он знает всех — просто всех жителей города. Хотя, конечно, этого быть не могло. Но когда они вдвоем оказывались в какой-нибудь компании — это происходило очень редко, вытащить Веру на люди было трудно, — каждый раз выяснялось, что он знаком со всеми присутствующими, и уже через минуту диктовал кому-нибудь телефон именно того человека, который «справится с этой вашей проблемой одним мизинцем!»... Вера такие вечера не любила, с неудовольствием обнаруживая в себе некоторое раздражение от того, что он ускользает, раздваивается, размножается, и как бы перестает ей принадлежать целиком. Почему-то в их странных, неопределимых, никак ими обоими не называемых отношениях все сложилось так, что его свободное время, его забота, его мысли должны быть заняты ею... Одно слово — ангел-хранитель, денно и нощно приставленный...

Хотя иногда она спохватывалась и восставала против его опеки. И кричала, чертыхалась, грубила ему... Ему — единственному человеку, которому могла сказать все, что приходило ей в голову.

В день расставания, в аэропорту, он с горечью скажет, что она всегда относилась к нему, как знатная госпожа — к рабу, при котором не стыдно обнажиться до полной и исчерпывающей наготы... Однако это не было правдой. Не было полной правдой...

С течением времени обнаружилось — однажды утром Вера спохватилась, перебирая одежду в шкафу, — что почти целиком им одета, и внутренне взъерепенилась, решила положить этому конец!

Когда вечером, как обычно, «зарулив по пути с работы», он небрежно вынул из портфеля — «тут пустячок по случаю» — элегантную длинную, натурального шелка накидку, — явно ручная роспись! — Вера заорала:

— По какому случаю?! Вы сейчас пойдете к чертовой матери с вашими пустячками и вашими случаями, модельер несчастный!!!

Он так и застыл с накидкой, развернутой в его руках, точно собрался торговать ею на воскресной толкучке, на ипподроме...

— Я что, ваша содержанка?! — кричала она.

— Нет, к сожалению... — ответил он кротко, с застывшей улыбкой глядя опять на ее, полуоскаленные в крике, белейшие зубы. И этот его беспомощный тон вдруг сбил ее со скандальной ноты, она сразу увидела себя со стороны — бешеную, неуправляемую. Это была мать, мать — во всем ее великолепии... И она сникла, сдалась...

— Еще не хватает, — бормотала, — чтобы...

— ...не хватает... — тихо сказал он. Аккуратно сложил накидку и упрямо сунул в ее холщовый мешок на стуле. Она повсюду ходила с этой неряшливой, свисающей до бедра сумой.

— Да, кстати, — добавил при этом... — Вот, мешок... вполне неплохая идея. Это стильно. Но он должен быть другим...

29

Между тем начиналось время, предсказанное когда-то пьяненьким дядей Мишей. Империя не то чтобы качнулась или стала осыпаться, но несколько утратила чувствительность своих щупалец... Они стали разжиматься, пока еще не выпуская колонии, но заметно ослабив хватку...

В Ташкенте стали появляться иностранцы. Не те уроженцы гордой Африки и дружественных ближневосточных, пока еще покорных западу, окраин, которыми были полны некоторые высшие учебные заведения, вроде Ирригационного института, а залетевшие в Ташкент за какой-то своей надобностью представители торговых фирм, дипломаты, журналисты либеральных западных изданий, странствующие слависты, в своем безалаберном любопытстве рискнувшие из Москвы или Питера заглянуть в глухие азиатские края.

...Художники стали продавать картины. За сущие копейки, конечно, но мысль о том, что твоя работа уплывет за кордон и там, когда-нибудь, возможно... Картины помогали переправить на запад дипломатической почтой люди осведомленные в подобных делах... Собственно, Лёня и был одним из таких людей; то обстоятельство, что его дядя, майор советской армии, когда-то, в конце сороковых, уехал в Израиль, а в конце шестидесятых, женившись на американке, перебрался в Чикаго, связывало Леню с Западом множеством не всегда им афишируемых разнообразных нитей.

Однажды он позвонил на проходную Дворца текстильщиков, вызвал Веру из мастерской прямо во время занятий и объявил, что сегодня приведет одного знакомого, немецкого искусствоведа, журналиста и знатока живописи, сотрудника известной Кельнской галереи, с которым год назад познакомился в Питере и «напел о кое-каком местном художественном сброде»... И сейчас тот приехал — возникла идея соорудить выставку концептуально азиатскую... Это сейчас модно. Ну, неважно, словом, они появятся часиков в семь.

— Нет, это поздно! — сказала Вера. — Кто смотрит картины при электрическом освещении, что это за знаток такой? В семь не приводите. В пять — крайнее время. И потом, что — этот немец, как с ним общаться? Он английский понимает?

— Он понимает русский, — вздохнув, проговорил Лёня. — И в данный момент стоит рядом со мной. Не беспокойтесь, я предупредил его, что вы картин не продаете, дурно воспитаны и от вас можно ожидать чего угодно...

Немец, Дитер, оказался в высшей степени обаятельным существом — огромного роста, выше и Веры, и даже Лёни... Так они и стояли, трое высоких людей, — улыбались друг другу... Вера в этот период стриглась коротко, почти «под нуль», и выглядела между ними внезапно вытянувшимся мальчиком-переростком...

Дитер схватил коржик из стеклянной вазочки на подоконнике и грыз его, пока Лёня вытаскивал из кладовки картины и выстраивал их вдоль стен...

При виде картин он сначала умолк, потом быстро спросил:

— Я могу делать фото?

И, сунув коржик в нагрудный карман куртки, достал из другого кармана — их у него оказалось множество, — какой-то чудной, совсем маленький фотоаппарат, похожий на чехол от очков, стал бегать вокруг картин, приседать, примериваясь, и нацеливать на них глазок камеры.

— Да вы сначала так посмотрите! — сказала Вера. — Что за манеры у знатоков!

— О, не беспокойтесь! — отозвался он живо...

Иногда выпрямлялся, возвращался к какой-нибудь одной, отодвигал от нее те, что стояли рядом, обособлял и, присев на корточки, трогал пальцами поверхность холста, вынюхивал живописный слой, водя тонким породистым носом сверху вниз...

— Вы работаете мастихином? — спросил отрывисто.

Вера улыбнулась, сказала:

— ...и мастихином, и пальцами, и носом, и кулаком, и пяткой...

И Дитер кивнул с совершенно серьезным видом.

Особенно застрял на небольшой картине, где обнаженная черноволосая женщина полулежала в окружении целой стаи невиданных, экзотической окраски, поющих птиц, завороженно уставившись в низ своего живота, откуда вылуплялась очередная птица, — еще один голос, еще одна трель в этом райском хоре... По всему холсту в оперениях птиц, в неподвижных, искаженных вожделением, лицах-масках мужчин на заднем плане — разгорались пожары синего, оранжевого, зеленого и лазурного... И угасая, пеплом отзывались в фоне картины. Этот контраст создавал необычайное энергетическое напряжение...

— Она... поёт? — вдруг спросил Дитер, сидя на корточках, снизу вверх глядя на Веру. — Я чувствую музыку... Не знаю, как сказать...

— Да, — Вера кивнула. — Это «Поющая библиотекарша».

— Библио-текар-ша?! О, как странно!.. Я чувствую музыку... но... не понимаю: она родит... птицу? Очень сильный образ. И сильно написано... Да... — сказал он, наконец поднимаясь... — Спасибо, Леонид... Вот за это — ужасное спасибо!..

Лёня выглядел чрезвычайно довольным, как будто сам писал все эти картины...

— Три самые лучшие ты увидишь завтра на выставке, Дитер, — сказал он.

Выяснилось, что немец приехал буквально на пять дней, остановился в гостинице «Ташкент», и за такое короткое время должен обойти все интересные мастерские, составить список, написать свои рекомендации и комментарии... Предложить проект... А там уже дирекция галереи будет решать — что делать с этим материалом, как выстраивать экспозицию...

— А на вас я бы хотел написать статью, Вера, — добавил он. — Вы совсем выдвигаетесь из этого э-э-э... общества... Советские художники нас не интересуют... Антисоветские сейчас будут в моде несколько лет... но и это пройдет. Вы — не имеете отношения ни к этим и ни к тем. Я вижу в вас хорошую конъюнктуру... Все зависит от того, что из художника... э-э-э... приготовить. Простите, я понятно сказал?

— Да что уж тут непонятного, — заметил Лёня, совершенно счастливый. — Я же тебе говорил, Дитер!

— Я мог бы завтра после выставки иметь от вас интервью? — спросил тот, разглядывая Веру голубыми улыбчивыми глазами.

— Не знаю... А как это делается? — спросила она. — И кому это нужно?

И Лёня с Дитером рассмеялись...

— Я тебя предупреждал, — сказал Лёня...

*   *   *

Дитер действительно написал про нее большую статью — она была опубликована в одном из немецких журналов по искусству, как уверял Лёня, — очень авторитетном. Там же, размером в целую страницу, была дана репродукция ее картины, — вполне приличного качества, — отметила она, удивившись. Значит, тот, похожий на очешник, фотоаппарат был весьма недурен... Статью им перевела Зинаида Антоновна, к тому времени совсем обезножевшая. Она сидела целыми днями в кресле на террасе, читала, вышивала... Когда Вера с Лёней пришли, ее внучка накрыла стол и выставила бутылку вина, над которой, сложив ладони перед щуплой грудкой, горевал на пробке все тот же серебряный ангел... И пока они пили чай с домашним вареньем из айвы, Зинаида Антоновна вслух читала статью высокомерным скрипучим голосом и тут же переводила ее, а Лёня быстро записывал...

Старая шелковица перед террасой разрослась еще пуще... Лёня наклонился, подобрал с травы несколько ягод и сказал, что это редчайший сорт тутовника, царский, так и называется — «шах-тут»... На прощание Вера зарисовала в блокнот, уже порядком потрепанный, набросок: Зинаида Антоновна за столом. Антураж вполне ташкентский: рядом с рюмочкой — пиала.

— Бог вас храни, дети... — вздохнула она на прощанье.... — Вот, хотела бы на Мишенькину могилу съездить, да ноги проклятые, оставили меня совсем... Приходите, приходите еще, посидим под ангелом...

* * *

Насчет самой статьи Вера полагала, что Дитер перемудрил, хотя какие-то вещи были угаданы довольно точно. Были и общие места... Он писал, что художница заворожена карнавалом жизни, что ее тянет к острым и гротесковым темам и ситуациям, что увлекает ее скорее не глубокий психологизм, а именно застывший психологический отпечаток на лице; маска. Что нелепые люди на ее картинах, в своем мистериальном движении, на первый взгляд хаотичном, в конце концов, говорят об очень точных для нее, переживаемых тайнах бытия. Что ее картины — это хор греческих масок, переведенный на язык уличных балаганных певцов, акробатов, гимнастов.

И что все это у нее замешано на мощных массах и сгустках пластического преображения красочного теста, на сложных цветовых взаимоотношениях, дающих терпкую среду, в которой ее персонажи живут, а точнее, как бы разыгрывают жизнь...

Дальше шло собственно интервью, вернее, несколько коротких ее ответов на его ветвистые, рассудительные и рассуждающие вопросы, и от этого так называемого интервью возникало странное ощущение карусельной лошадки, крутящейся вокруг крепкой оси — какого-нибудь столба, — потому что столб никуда не девается, с какой бы скоростью лошадка ни крутилась под музыку.

«— Мешает ли вам в творчестве идеологическая заданность государственного искусства?

— Не понимаю, о чем вы...

— Но ведь вы не хотите сказать, что советская идеология никоим образом не затрагивает вас как художника, не пытается навязать свой диктат, не мешает творить?

— Мне мешает только нехватка денег.

— А как же советская власть, все эти годы держащая под контролем искусство в стране?

— Но ведь всегда какая-нибудь власть висит над головой... Художник эпохи Возрождения, расписывающий какому-нибудь герцогу потолок в зале капеллы, тоже зависел от его капризов... А дожи свободной Венецианской республики со своей кошмарной тюрьмой Поцци? Вы видели рожи этих дожей?

— Вы сравниваете несравнимые вещи... разве можно сопоставить количество жертв...»

...и так далее, еще несколько вариаций на эту тему. Столб стоял, лошадка крутилась...

Статья была подписана: «Дитер фон Рабенауэр». Вот те на!

— Он действительно «фон»? — спросила Вера с любопытством.

— Почему бы и нет... — пожал плечами Лёня. — Это не так уж редко встречается. Там никто дворян не расстреливал, все они живы-здоровы, — те, кто не разорился по пьянке. Дитер, правда, никогда не представляется «фоном» и вообще, насколько вы могли заметить, — не без ехидства добавил он, — очень хорошо воспитан...

Они с Верой сидели в забегаловке недалеко от Алайского, куда, после визита к Зинаиде Антоновне, она затащила его — есть манты. Лёня, склонный к более приличным местам и менее острой кухне, всегда морщился при виде этих, изрезанных ножами и искорябанных вилками, пластиковых столов, дешевой, схваченной металлическими скрепками в местах трещин, посуды... Однако Вера утверждала, что здесь делают особые высокохудожественные манты, достойную копию с которых еще никому не удалось снять... Манты и вправду оказались очень вкусными, хотя и, как опасался Лёня, слишком острыми.

Он сказал:

— Вот что действительно здорово, что рядом со статьей поместили репродукцию... Вы не представляете себе, какие двери это вам открывает...

— Жаль, что он еще и объясняет — что здесь изображено, — хмуро отозвалась она. — Это совсем нелепо... Терпеть не могу всех этих, объясняющих мне, что я хочу сказать своими картинами...

Лёня придвинул к себе лист бумаги с переведенным текстом статьи, нашел нужное место:

«Название картины — «Аския», что на узбекском означает: «состязание в острословии». На деревянном помосте, «айване», в ряд сидят мужчины в ватных халатах. Закинув головы и широко разинув рты, с пиалами в руках, они хохочут над чьей-то шуткой. Абсолютно застывшее пространство оглушает зрителя тотальным безмолвием первого ряда персонажей; взрыв смеха чреват контузией восприятия; все эти люди словно созерцают какие-то иные пространства, находятся в ином мире, в который мы бессильны проникнуть. За спинами этих, застывших в традиционном чаепитии, фигур, мелькая между платанами, проходит странная кавалькада полувсадников на полулошадях, некая процессия существ со странными головами, похожими на маски птиц, животных или каких-то неизвестных пришельцев. Они двигаются с флагами, с колотушками, вертушками, с воздушными змеями, и по отношению к застывшим в наркотическом обмороке смеха фигурам в чапанах очень подвижны и даже шумны.

Колористическое решение полотна чрезвычайно насыщенно: обозначены несколько звонких ясных цветов, горящих спектральной изначальностью, и по всему полотну основной аккорд чистых цветов отзывается в цветовых смесях и отзвуках, тону которых трудно дать определение. И этот контраст звучных тонов и грязно-серого цветового «гула» сопровождения вносит в картину напряжение и ошеломительный драматизм»...

Пока он читал, она докурила сигарету и, как обычно обмакнув окурок в тарелочку с кетчупом, машинально легко провела несколько линий на квадрате неровно нарезанной бумаги, которую здесь предлагали посетителям в качестве салфеток.

— А мне кажется, все это верно... Да это и не важно! Поймите, что... Дайте, дайте немедленно этот набросок, да, вот этот, не смейте комкать! — он аккуратно вложил очередную «окурочную» почеркушку в какую-то книгу в портфеле... Перехватил ее ускользающий взгляд... — О чем вы думаете, Вера?

— Представила сейчас, как радовался бы Стасик... — сказала она задумчиво. — Наверное, съездил бы мне лапой по затылку на радостях... О господи, как я не догадалась! Надо было повезти Дитера в Янгиюль! Германа Алексеича уже нет, но там живет племянница, Роза, и все картины бережет... — Вера откинулась на стуле, раздраженно сцепила руки замком. — Ну конечно, надо было показать его картины! Ведь Стасик ужасно талантлив!

— Станислав был человеком небольшого, но умного дарования, — осторожно возразил Лёня, ковырнул вилкой в круглой коробочке из теста и, вздохнув, отодвинул тарелку... — Это был такой... Стасов, простите за каламбур... Думаю, со временем он стал бы прекрасным педагогом, что тоже не так уж часто встречается. Но не более того... Вы-то неизмеримо талантливее его!.. И, смею думать, он это прекрасно понимал уже тогда.

— О чем вы, что вы несете! — возмутилась она... — Вы понимаете, в каком возрасте Стасик погиб?! Ему было всего двадцать семь лет!

— Да-да, и он писал симпатичные пейзажи. А вы в двадцать семь лет...

— Молчите!!! Я вас ненавижу.

— Я это знаю... — грустно сказал он.

* * *

Месяца через два Дитер неожиданно появился у нее в студии.

Осторожно постучали в дверь, Вера крикнула: — Войдите! Склонившись над мольбертом шестилетнего Саши Майкова, она показывала, как набирать на кисточку акварельную краску, как стряхивать лишнюю воду... Наконец обернулась. В дверях стоял Дитер, улыбался.

Она ахнула, вдруг страшно обрадовавшись, и удивилась самой себе — ну и что? Подумаешь, наверное, явился доукомплектовывать будущую выставку...

Он поцеловал ее, запачканную краской, руку, и сказал, что приехал дня на два, забежал вот повидаться, а ближе к ночи Лёня приедет к нему в гостиницу... Может быть, Вера составит им?.. Нет, сказала она, все эти поздние застолья отзываются наутро поздним подъемом, а ей рано вставать... Иначе свет уходит...

— Я понимаю. — сказал Дитер. — Не могу настаивать... Разрешите ли, я вас провожу?

Часа полтора он терпеливо дожидался, пока она закончит занятия с детьми... Потом помог убрать в кладовку детские мольберты, вымыть банки от краски...

Наконец они вышли...

Пока ехали в трамвае и потом еще минут пятнадцать шли пешком, Дитер объяснял ей, насколько современная индустрия по изготовлению имен в изобразительном искусстве отличается от того времени, когда славу художнику, — например импрессионисту, — очень медленно и постепенно составляли коллекционеры, критики, сами художники, пробивающиеся целой группой на выставках... — такое медленное завоевание рынка за счет упорства и жизней самих художников... Сейчас все в руках кураторов, объяснял он, — молодых людей с университетским образованием, которые выучили искусство на студенческой скамье. У них свои концепции развития этого искусства, свои идеи. Они и прогнозируют искусство согласно своим идеям; художников они находят, видя в них сырье, и *создают* их, как неких исполнителей собственных замыслов...

В этой индустрии есть определенные рычаги, определенные приемы, говорил Дитер, я верю, что вам предстоит многое пройти на этом пути... верю, что ваше имя... в современной индустрии...

— Увы, — сказала она полушутя. — Боюсь, что я — человек доиндустриальной эпохи...

Перед подъездом она остановилась — попрощаться, но Дитер, мягко взяв ее за локоть, улыбнулся и проговорил:

— Ну хорошо, вечером вы меня бросаете. Но на чашку кофе вашего милосердия достаточно?

Вера улыбнулась его симпатичной манере говорить по-русски и сказала, что кофе она варит знаменитый...

В подъезде горел свет, у батареи стояла какая-то женщина. Достаточно было поворота головы, чтобы Вера поняла — кто это...

— О-осподи! — мать отшатнулась к стене... — ну, ш-шалава, испугала! Лысая-то, а? Эт чего тебя обрили — тиф у тебя, что ли?

Вера молча смотрела на нее...

— Чего выставилась? Не признала?

— Наоборот, — сказала Вера. — Признала сразу.

— Во-о-от... это хорошо... И не делай вид, что не знаешь меня...

— Дитер... — Вера повернулась к своему провожатому... — вы не могли бы переждать этот важный творческий разговор у меня в квартире? Вот ключ... последний этаж, налево...

Он вгляделся в Катю, неуверенно обернулся к Вере и проговорил:

— Нет. Я бы хотел оставаться.

— Вот-вот, оставайся, — сказала Катя, — ты мне не мешаешь... Я недолго. Я только бы хотела знать — мне что, ни хрена не полагается?

Вера с изумлением уставилась на эту фантасмагорическую женщину, которую не видела несколько лет... Мать располнела, огрузла, волосы красила в цвет воронова крыла, и рысьи светлые ее глаза на фоне черных волос были насыщены пронзительной животной яркостью.

Катя потрясла газетой «Комсомолец Узбекистана», где в идиотской статье местного журналиста о весенней выставке была помещена черно-белая репродукция картины «Илья Иванович гадает!» — и два-три крайне беспомощных абзаца уделено успеху «небезызвестной Веры Щегловой».

— Вот это, говорю... Мне ни хрена не полагается? Ты, значит, картинками будешь торговать, жиреть-наживаться, а я вроде ни к чему отношение не имею?! Мне часть не положена? Я, значит, в тебя тыщи не вкладывала...

Вера расхохоталась. Оборвала смех, вгляделась, наклоняясь, в подъездной темноте, в это возбужденное лицо, и вновь звонко расхохоталась.

— Ты?! — спросила она. — О чем ты? Что ты хочешь?

— Половину! — гордо сказала мать. — По справедливости...

На Веру напал приступ жесточайшего смеха. Это была настоящая истерика. Она хохотала, привалясь к стене подъезда, отирала слезы и опять заливалась неостановимым смехом.

Мать ударила неожиданно и точно: кулаком в лицо. Вера отлетела к батарее, но удержалась на ногах и ринулась на мать. Они сцепились... Несколько мгновений ошеломленный Дитер видел только мелькание рук, ног, Верину закинутую голову, слышал тяжелое дыхание и подвизгивающий мат той, пожилой, женщины... Наконец он бросился между ними, оттаскивая страшную тетку от Веры, пытаясь схватить и блокировать ее молотящие кулаки... Наконец ему удалось выпихнуть ее из подъезда и захлопнуть дверь. Вера схватила Дитера за руку, и они бегом вознеслись на четвертый этаж.

— Спокойно, спокойно... — приговаривала она нервно, поворачивая ключ в двери... — Кофе не будет хуже ни на йоту, обещаю вам...

В тесной прихожей она включила свет, сказала:

— Проходите в комнату... Это к вопросу о нашем интервью: тут, кроме Советской власти и КГБ, беззащитного художника в собственном подъезде поджидают опасности.

— Какая ужасная женщина! — сказал он, качая головой и все еще тяжело дыша...

— Да уж, не подарок, — согласилась Вера, подходя к зеркалу и ощупывая кровоподтек на скуле. Отдернула руку, поморщилась...

— Вы... с ней знакомы ранее?

— Довольно близко, — сказала она. — Это моя мать.

— О!!! — Дитер какое-то время обескураженно стоял, обдумывая то, что она сказала, наконец осторожно спросил:

— Но... тогда... как получилась... вы, Вера?!

Она обернулась, рассеянно ища на полке флакончик с йодом, который всегда здесь стоял, так как ей часто случалось занозить руку со всеми этими подрамниками и прочими деревяшками. Наконец, нашла... Теперь надо было найти и ватку...

— Когда-нибудь расскажу, как я получилась... Тут не обошлось без святого духа, частенько поддатого...

— Пустите, я! — сказал он, забирая у нее из рук ватку с йодом и осторожно промакивая ссадину на ее лице... — О-о... боюсь, вот это красное под бровью завтра станет э-э-э... зеленяк?..

Она смотрела на себя в зеркало, с горечью думая, что именно сегодня ей так бы хотелось хоть немного ему понравиться...

— А это оригинально, нет?.. — спросила она. — Явиться на открытие какой-нибудь выставки: все лицо в кровоподтеках, пластырях и пятнах зеленки. — Это концептуально... И во всяком случае, по теме нашего интервью.

И опять прильнула к зеркалу, изучающе себя рассматривая.

Он подошел к ней сзади... Несколько мгновений они смотрели друг на друга в зеркале.

— Вы, конечно, понимаете, Вера, — сказал он, — что я приехал сюда из-за вас...

Она застыла... Смотрела на него, не шевелясь...

Он коснулся губами ее бритого затылка, закрыл глаза и тихо произнес:

— Колюк-чая нем-ножь-ко...

30

То, что Лёня исчез, испарился из ее жизни, она обнаружила недели через две...

Несколько раз звонила ему домой, попала на маму, Маргариту Исаевну. Та суховато ответила, что Лёня в командировке в Ленинграде, приедет через неделю. Но через неделю Вера и сама уехала в Москву, на ежегодную выставку в Манеже, и там с месяц привычно толклась по мастерским нескольких знакомых художников, по выставкам, по театрам... Вернулась уставшая, раздраженная, — как это бывало всегда, когда она отрывалась от холста, — и с неделю приходила в себя: жадно рисовала, набрасывала эскизы, делала этюды. Готовилась к настоящей работе... Все это время звонил Дитер. Он и в Москву звонил, собирался приехать, увезти ее с выставкой в Кельн, говорил нежности подолгу, бурно, не сдерживаясь, — словом, оказался каким-то нетипичным немцем...

Тут она, уже в панике, обнаружила, что не видела Лёню бог знает сколько!.. Как же так, где же он, почему не приходит, не нудит здесь, не пилит ее за то или другое неверное слово, неправильное ударение, разболтанную походку, жуткую худобу... Почему не рвется смотреть картины, без которых, бывало, и недели не мог прожить!..

Она опять позвонила, опять нарвалась на суховатую Маргариту Исаевну, которая ее — вдруг поняла Вера, — никогда не любила; та сказала, что Лёня сейчас страшно занят по одному важному, очень важному делу... но она передаст ему, что Вера звонила... может быть, он и найдет время заскочить к ней... Так и сказала: «может быть»... Вера преодолела в себе желание швырнуть трубку, вежливо поблагодарила, повесила трубку на рычаг и вышла из будки...

Она звонила из автомата на Сквере... Гиганты-чинары уже покрылись густой листвой, молодой, нежной, еще не тронутой пылью... По всему парку трепетали солнечные звонкие тени, в прорехи листвы ослепительный полдень посылал пучки фиолетовых стрел. По обочинам дорожек сирень тихо баюкала в зелени лиловые кульки соцветий...

Странно, подумала Вера... что стряслось? Неужели его так задело, что в тот вечер Дитер не явился в гостиницу? Но ведь он разыскал Лёню на другой день, перед отъездом, и извинился, и Лёня велел «не брать в голову», и все такое?..

Ей и самой показалось странным то упорство, с каким она добивалась увидеть его, словно ей чего-то остро недоставало — в работе, в воздухе... в жизни!

И вдруг он появился.

Приехал к концу занятий в мастерскую, — опять с пирожками, с бутылкой красного сухого вина... Легкий, даже веселый, как всегда, долговязо-элегантный...

— О, вы отрастили волосы... это правильно! Имидж надо иногда менять... Повернитесь в профиль: да, я предполагал, что вам пойдет «каре»... Такой легкий намек на югендштиль... нечто... немецкое, да? — и, не давая ей огрызнуться:

— А я даже как-то соскучился по вас, Верочка!

И она вдруг задохнулась в ярости от этого «даже» и от этого «как-то»! Она-то маялась без него, просто маялась, — поняла она внезапно! Как же ей его не хватало!

— Тащите кружки ваших юных дарований... — сказал он... — Мы сейчас выпьем... угадайте за что?

— За мой приезд... — отозвалась она хмуро.

— Не угадали! — возразил он, улыбаясь. — За мой отъезд...

И далее тем же веселым, отвратительно легким тоном он объявил ей, что через неделю они с мамой уезжают на постоянное место жительства в другую страну... в иную, черт побери, страну, где его разработки одной такой симпатичной программки могут показаться кое-кому интересными...

Она склонилась над мольбертом, стала бессмысленно перебирать тюбики с краской...

— Так вы уезжаете в Израиль?

— Нет, там я вряд ли сейчас пригожусь. Меня пригласили в одну американскую фирму, где знакомы с некоторыми моими идеями... положили кое-какую зарплату, пока небольшую... ну и так далее... Да нет, не в этом дело! — вдруг сказал он, глядя в окно. — ...Понимаете, недавно выяснилось, что надо срочно оперировать маму.

— А разве здесь нет хороших врачей?

— Врачи-то есть... Словом, Вера, это бесполезный разговор... Уровень медицины тут и там просто не обсуждаем... — он поднял бутылку. — Давайте-ка я вам налью еще чуток. Знаю, что вы не любите «многия пития»... но повод-то, повод какой! А, Вера?! Удастся ли свидеться?!

— Какого черта вы так веселитесь? — яростным шепотом спросила она, не притрагиваясь к кружке.

Он поднялся, подошел к окну, постоял там, глядя, как Хамид, который подрабатывал здесь же дворником, сметает в кучу опавший сиреневый цвет... Тот двигался под метлой, словно оброненный кем-то лиловый шарф...

— Потому что отныне я спокоен за вас... — глухо проговорил Лёня, не оборачиваясь. — Вы в надежных руках Дитера... Он без ума от вас, и так далее... звонил тут, советовался и просил быть свидетелем на вашем бракосочетании... Я бы с радостью, но вот не доведется... к сожалению... Между прочим, он барон, — вы знали? Правда, без замков и без наследства, но ведь не это важно. Главное — стиль! Так что будете у нас баронессой. Неплохая карьера для художника...

— Вы... — с трудом проговорила она... — Вы едете один... в смысле... кроме мамы?..

— Конечно... Вы же знаете, я всегда один...

— Лёня, простите... — она решительно тряхнула головой. Ну, пусть она будет грубой, пусть! — Извините меня... но я как-то не могу понять... Уже много лет мы знакомы... и я никогда не видела вас с... какой-нибудь... женщиной... Я прямо спрошу, ладно? Вы что... вы... вас женщины не интересуют?

Он повернулся, и она увидела его изумленное, дикое, обескураженное лицо.

Так несколько мгновений они и смотрели молча друг на друга.

— Хорошенькое дело... — пробормотал он... — вот так сюрприз... — Она вдруг удивленно отметила, что раньше не замечала, какие у него темные волосы... да нет, это он так побледнел, — до пепельных губ!..

Он сказал отрывисто:

— Но вы же не поедете со мной!

На нее разом обрушилась тишина помещения... Весенний солнечный день уходил за угол здания, вытягивая тени до самых трамвайных путей... Она представила себе запредельный прыжок на другой континент, в обнимку с его, горячо им любимой, мамой, своими холстами, своей каторжной работой, неспособностью осилить еще чью-то жизнь... Смятение, страх, оторопь от этого его странного, неожиданного, ни с чем не сообразного вопроса; тут же и Дитер, трезвонящий каждый день, и предстоящая выставка в Кельне... И предстоящие залы — *настоящие залы* для ее картин...

Этот миг — *миг равновесия балансирующего на доске, располовиненного вечерним светом из окна, человека — полу-женщины, полумужчины, — она потом передаст в никому не понятной картине под названием «Решение», которую десять лет спустя на выставке в музее современного искусства в Гронингене приобретет королева Голландии Беатрикс... — милая, со вкусом одетая пожилая дама, в умопомрачительной зеленой шляпке на медальной прическе, хоть сейчас годной для банкноты, монеты, марки.*

Королева Беатрикс прибыла на открытие выставки в сопровождении бургомистра и хоф-дамы, и отлично была подготовлена в отношении и художницы, и картин; во всяком случае, сразу указала на ту работу, которую хотела бы приобрести...

Этой продаже, как и всем остальным продажам ее картин, предшествовала тяжелая ссора с Дитером,

*упорно склоняющим ее «к нормальному существованию
нормального современного художника».*

*В конце концов она согласилась продать картину. Не из
тщеславия. Просто в тот момент ее строптивая память воспроизвела мягкий дяди Мишин бас: «Это — королева, Веруня... Молчи! А это — король»...*

— Ведь не поедете?

Доска качнулась, и тяжесть души покатилась вниз...

— С какой это стати?

— Вот видите, — он улыбнулся, вздохнул глубоко, бесша-
башно, как показалось ей, — чуть ли не с облегчением. — А
между тем вы прекрасно осведомлены, что я люблю вас.

Она задохнулась:

— Вы?! Меня?!

Он страдальчески поморщился: — Послушайте, Вера...
прекратим этот идиотский разговор! Мне было бы огорчитель-
но думать, что много лет я люблю безмозглую ненаблюдатель-
ную дуру...

*   *   *

Скольких людей я провожала в дальние и не очень дальние
пути из ташкентского двухэтажного аэропорта — неуютного,
пропахшего запахами дынь и засорившихся туалетов, забуб-
ненного неотличимыми из динамиков голосами на узбекском и
русском языках!.. На сколько рейсов я опоздала сама, и сколько кошельков и билетов тут повытаскивала шпана из карманов
моих знакомых и друзей, да и из моего собственного кармана,
когда с сыном и мужем мы летели в Москву — окончательно и
бесповоротно. Ташкент вцепился в мое пальто, чуть ли не отрывая карман, и мы вынуждены были еще раз оплатить укра-
денные билеты, хотя и сидели в самолете на собственных местах, заплатив удвоенную цену за побег из города детства и
юности.

Однако перед тем как в восемьдесят четвертом покинуть Ташкент навсегда, я успела побывать в аэропорту на чужих проводах — улетал в Америку Лёня Волошин, близкий приятель моего друга детства Семена Плоткина.

В те месяцы Семен ставил в Ташкентском театре музыкальной комедии сварганенную мною пьеску по мотивам узбекских народных сказок, и однажды после репетиции уговорил меня смотаться в аэропорт: «Проводим Лёньку, ты не представляешь, что это за парень — какого мужества человек, без трепотни и позы!..»

И пока мы тряслись в троллейбусе по проспекту Шота Руставели, Семен рассказывал, что много лет Волошин хранил у себя в подвале библиотеку запрещенной литературы сидевшего в то время правозащитника Жени Горелика. И зная, что за домом того следят, за день до обыска успел с безумным бесстрашием ночью вывезти на своей машине весь самиздат-тамиздат. И мама его замечательная знала, знала — оба они под дамокловым мечом жили!.. А как он боролся за свободу выезда, — хотя сам много лет был невыездным, — ездил в Москву, участвовал там в демонстрациях, голодовках... — но как-то уцелел, вывернулся, фантастически везло ему, хотя несколько раз ходил по самому краю... А может, сыграло роль то обстоятельство, что Маргарита Исаевна оперировала половину Узбекистана, в том числе и деток всей этой гэбэшной сволочи... И вот Лёнька уезжает... И правильно — что ему здесь сидеть! Там ждет его ослепительное будущее. Он же гений, настоящий математический гений!

Настоящий гений, окруженный огромной толпой провожающих (такого я еще не видала, только на парадах и праздниках) с растерянным видом приобнимая за плечи мать, высматривал кого-то в стеклянных дверях главного входа... Я узнала Маргариту Исаевну, которая вырезала гланды и аденоиды доброй половине моих знакомых и друзей... Она вздрагивала каждый раз, когда динамик начинал бубнить что-то по-узбекски, и нервно говорила:

— Лёня, объявили посадку! Мы опоздаем, Лёня!

А он, возвышаясь над головами, все смотрел и смотрел на двери аэровокзала.

И вдруг в эти двери вошла высокая молодая женщина, в которой я не сразу признала художницу, Щеглову, с которой у нас были самые разные общие знакомые и друзья, вот, оказывается, и Волошин... Она остановилась поодаль, у колонны, и Лёня рванулся к ней; буквально с минуту, не больше, они близко стояли друг перед другом и говорили, почти не разжимая губ: он — разом побледневший, вымученно улыбаясь, поминутно поправляя большую роговую оправу очков; она — с совершенно опрокинутым лицом, пружинисто приподнимаясь и опускаясь на носках, словно пытаясь так заглянуть в его лицо, чтобы увидеть его с иного, одной ей известного, ракурса...

Вдруг резко повернулась и направилась к выходу.

Он, видимо, окликнул ее, а может, саму потянуло взглянуть на него еще раз. Но только перед тем, как шагнуть наружу, она обернулась, и оба они, как по команде, подняли руки, и так, неподвижно, держали их, словно на расстоянии передавали что-то из ладони в ладонь...

— Лёня, скорей, объявили посадку!!! — истерически крикнула Маргарита Исаевна.

И все мы пошли в толпе пассажиров и провожающих — с чемоданами, баулами, узлами и рюкзаками.

Одного из пассажиров, довольно пьяного спотыкливого дядьку, вели друзья, подталкивая в спину, как бы выпирая в полет, делегируя в небеса от своей компании алкашей. И позже, стоя за барьером, все наблюдали, как он взбирается по ступенькам трапа, то и дело оборачиваясь, сцепив обе руки, помахивая ими в сторону толпы провожающих — мол, я с вами, друзья!

Наконец стюардессе удалось впихнуть его в самолет, и трап медленно отчалил. Но люк все еще оставался открытым. Спустя две-три секунды откуда ни возьмись на краю люка возник все тот же пьяный. Толпа провожающих замерла; все, как один, стали громко кричать ему, чтобы немедленно вошел внутрь. Но он все стоял на краю открытого люка, сердечно махал на прощанье и раскачивался, — одно движение вперед, и он бы вывалился и разбился о бетонное покрытие аэродрома.

Минуту спустя этого романтика обнаружили зазевавшиеся стюардессы, и чуть ли не за шиворот стали затаскивать внутрь салона, а он все вырывался и продолжал душераздирающе махать на прощанье...

Наконец к слабым рукам стюардесс добавились чьи-то крепкие мужские руки, пьяного втащили в салон, по пути наподдав за упорство, и дверь наконец закрыли.

Все облегчённо вздохнули, рассмеялись и стали расходиться...

Удачи, удачи на новом месте, дорогие!

31

В середине восьмидесятых я потеряла ее из виду. Вернее, я никогда и не держала ее в поле зрения, а если мы случайно сталкивались где-то, я удивлялась очередному преображению ее внешности, ее одежде, манере двигаться. Но замечала издалека, чего нельзя было сказать о ней: она никогда меня не узнавала, и в этом было что-то мистическое. Поэтому несколько раз довольно сердечно и абсолютно естественно она знакомилась со мной, протягивая узкую сильную ладонь и энергично встряхивая мою руку, при этом то взмахивая какими-то облаками рукавов и позвякивая целым поездом браслетов, то, наоборот, предъявляя длинную, голую до плеча, руку пловчихи. Еще была у нее манера ладонью поглаживать свою стильно обритую голову с чубчиком пятиклассника. И меня все подмывало спросить — почему она не повязала на чубчик замечательный капроновый бант с синими мушками, который двадцать лет назад нагло выманила у маленькой девочки в жактовском дворе нашего детства?.. Но я улыбалась, пожимала ей руку и опять промалчивала, — какая чепуха, в самом деле!

Картины ее мне нравились, была в них какая-то сильная странная жизнь никому не подотчетной души, — а ведь в этом и заключается основная ценность искусства...

Так вот, в середине восьмидесятых я отвязалась наконец от этой незначительной, хотя и своевольной фигуры моего детства и юности. Просто вышла замуж и переехала жить в Москву...

Кстати, замуж я вышла за художника.

В этом не было ничего нарочитого; по-видимому, *волею судеб,* — (я люблю эту причину и это следствие) — так вот, волею судеб я обречена на существование в мастеровом, ремесленном и поддатом мире художников, не худшем из творческих миров.

Словом, я переехала в Москву, про что уже неоднократно писала, и время от времени, по должности жены художника, появлялась на разных выставках, встречая там иногда ташкентских знакомых и друзей.

Дом наш и тогда, несмотря на тесноту, был довольно открытым. У нас часто останавливались приехавшие в Москву ташкентцы. Приезжали они теперь из Владимира, из Вологды, из Ломоносова — Ташкент постепенно пустел...

И ничего, как-то размещались. К ночи на кухне сдвигался к стене складной столик и по диагонали — как раз от окна до двери хватало места впритык — воздвигалась раскладушка.

Так однажды дня три прожил у нас Витя Мануйлов, знакомый художник, ученик моего отца и сокурсник Щегловой. Вечерами засиживались допоздна, вспоминали всех, разъехавшихся и оставшихся в Ташкенте, друзей и знакомых...

Набрели и на нее.

— Верка-то? — воскликнул он и рукой махнул. — Ну, Верка в полной упаковке: живет на два дома, то в Кельне, то в Ташкенте; в Германии, говорит, ей не хватает энергетики света... На Западе чрезвычайно успешна: выставки, каталоги, альбомы... Вот повезло бабе с иностранным мужем, что ты скажешь... За кого бы мне замуж выйти?.. — Он усмехнулся, поддел шпроту вилкой. И сразу спохватился: — Нет, я ничего не хочу сказать — по справедливости, она заслуживает. Она — ничего не попишешь — талантливая, Верка-то, уже в институте была на десять голов выше всех. Да дело не в этом, понимаешь... Я однажды на практике, на пятом курсе, видел, как она работает. Я просто обалдел! Слышь, старик, — Витя уже обращался не ко мне, а к моему мужу, который только и мог оценить — как там по-особенному работала художница. — Она последние мазки наносила пальцами, всеми десятью, как на органе играла, — сглаживала переходы, втирала один тон в другой... Впечатление было, что она создает их, свои картины, из какой-то особой живой глины, прямо лепит живое в полотне... С ума можно было сойти!

Витя задумался, вспоминая... Перестал закусывать. Но, когда Борис долил ему водки, встрепенулся, сказал: «За ваш дом, ребята!» и, опрокинув стопку, потянулся к салатнице с квашеной капустой. Я думала, что тема странной Щегловой исчерпана, но ошиблась. Видать, Мануйлова беспокоили и ее известность, и ее независимость, и ее неожиданное замужество... А может быть, он считал, что и меня должна интриговать эта фигура?

— Но, понимаешь, она ведь чокнутая, — Верка... — продолжал он. — Почти не продает своих картин, бзик такой... Редко-редко на какой-нибудь аукцион выставит, или с выставки одну продаст... И они за приличные башли идут, она ценится, понимаешь, потому что уже очень известна, и все знают, что картины держит при себе... Знаешь, кому недавно смилостивилась продать работу с выставки? Голландской королеве, да... Я ее видел недавно — Верку, не королеву... Все такая же, не меняется: ничего ее, кроме работы, не интересует, вечно погружена в себя и никого вокруг не видит... Я как раз после этой встречи вспоминал, как на первом курсе кто-то из ребят запер ее в анатомичке, так, ради хохмы... Думали, она там с ума сойдет — девчонка, одна среди... разных неприглядных, часто неукомплектованных незнакомцев... Когда открыли, она сидела со своим вечным черным блокнотом и зарисовывала половинку какого-то застарелого алкаша, жмурика, которого долгое время под мышки приволакивал и бросал на стол такой бородатый чокнутый парень, что там работал... Вот это вам Вера Щеглова во всей красе!

И все такая же верста коломенская, — непонятно, что в ней этот немецкий барон нашел... Ну, барон, тот — ладно, Верка для него — экзотика Азии... А я помню, как ее Лёнька Волошин любил! Много лет, и так преданно, упорно... словом, как дай вам бог! Он же, когда она за барона вышла, чуть с собой не покончил! Я-то знаю, мы с ними по соседству на Кафанова жили... Маргарита Исаевна просто сама не своя была, боялась его одного на минуту оставить: как она Верку ненавидела! — цыганкой называла, ведьмой, — всю жизнь, говорила, та Лёне испортила!.. Ну, ничего, не помер, — вон он, Лёнька, как в Америке лихо пошел, притом, учти — исключительно благодаря своим золотым мозгам и его особенности — каждому встречному чем-нибудь помочь... — Витя удовлетворенно пристукнул ладонью по столу, как бы в подтверждение своим словам. И, вспомнив что-то... помедлил и добавил:

— Между прочим, — знаешь, что он, Лёнька, сделал первым делом, когда не то что разбогател там, а просто немного денег свободных появилось? Издал такую тетрадку рисунков Щегловой, которые она окурком по рассеянности черкала, а он много лет за ней подбирал... Да... Так и назвал: «Окурочная тетрадь»...

* * *

...Году в восемьдесят девятом, проезжая мимо выставочного зала на Крымском мосту, я успела прочитать на огромной афише знакомое имя. На открытие персональной выставки Веры Щегловой я попасть тогда не смогла, но дня через три мы все-таки выбрались с мужем.

У нее немного поменялась палитра — стала ярче, неукротимей, контрастней, словно климат Германии, где в то время она жила месяцами, требовал дополнительного тепла и огня, — но в темах, в образах, в композициях картин — по-прежнему поражали цельность, сила и совершенно отстраненный взгляд на мир, словно эти картины были писаны пришельцем с другой планеты, пораженным и даже уязвленным всем, на что падал его инаковидящий взгляд.

А перед триптихом «Житие святого дяди Миши — бедоносца» мы простояли минут двадцать: я — по-простому, рассматривая *содержание*, где триединый дядя Миша — беспризорник — лагерник — алкаш, скорчившись и укрывая голову руками, в солнечной лавине воспаряет над чинарами Сквера Революции; Борис — оценивая, как здорово и ритмично распределены какие-то там живописные акценты по всем трем полотнам...

* * *

Но это были уже годы, когда мой Ташкент накренился, как корабль, с огромной пробоиной в боку... и стал медленно и неуклонно погружаться в воды океана времен...

Постепенно разъезжались его пассажиры — на утлых лодчонках, на шлюпках, на досках они пустились в страшный путь по суровым волнам — и многие достигли крутых берегов, по которым еще предстояло вскарабкаться на ровную, пригодную для жизни площадку... Хотя были и такие, кто не выдерживал и шел ко дну, или падал со скал...

А вскоре мы и сами пустились в плавание, по иной причине, и к тем берегам, которые были предназначены судьбой...

* * *

«...Нет уж, позвольте, я буду называть вещи своими именами!.. Вам ведь — я правильно понял? — нужны для романа свидетельства искренние, правдивые... Помните советскую «лакировку действительности»?

Да, за последние годы мои земляки — особенно те, кто рассматривают родной город на фотографиях своего детства и юности, — умудрились создать очередной миф о такой вот райской земле, текущей... — чем там текла святая земля в Библии? Патокой сладостных воспоминаний?.. Я по роду профессии все-таки журналист-международник, бываю в разных странах, где повсюду натыкаюсь на бывших ташкентцев... И интересный наблюдаю эффект: трех минут с начала встречи достаточно, чтобы человек, мечтательно смежив веки, начинал вспоминать какого-нибудь милиционера-узбека на своей улице... Послушаешь — тот ему был отца родного родней. Я тогда сразу спрашиваю: — А ты не помнишь, сколько этот тип на лапу брал?

Обижается! Ей-богу, обижается!

Не знаю, может, я в каком-то другом Ташкенте рос, только я с детства помню, как наши греки с Огородной улицы ходили драться с ребятами с Ново-Московской, и с узбекской махалли. Те еще были бандюки! Готовились загодя: в ход шли цепи от сливных бачков, сорванные в пятьдесят четвертой школе, где мы все учились. На конец цепи наплавлялся кусок свинца. Да еще с протезного завода по соседству, где основным сырьем был бук, умудрялись тащить через забор отходы — круглые палки длиной по полметра; из них дубинки делали: 10-миллиметровым сверлом рассверливали с торца отверстие на глубину 15—20 сантиметров, и туда либо свинец заливали, либо закатывали стальные шарики от подшипников. Представляете — что случалось с костями от удара такой штуковиной?

Что же касается взаимоотношений с узбеками... Послушайте, любой журналист или любой литератор может поведать вам десятки историй своего негритянского прошлого на плантациях великой узбекской литературы. Я знаком с дюжиной парней и дам, кто строчил ее, не покладая рук...

Я и сам, бывало, писал так называемые «переводы» за этих гениев. А сколько раз мне недоплачивали, обманывали, использовали самым оскорбительным образом! И удивляться нечего — раб должен быть доволен любой подачкой. А сколько диссертаций написал за них мой приятель Вадик — талантливый, между прочим, человек, заработавший на научных узбеках приличные деньги, но напрочь сгубивший свой талант... Сколько диссертаций за свою жизнь может написать человек? Одну. Ну, две! Вадик их накатал тридцать восемь! Живет сейчас в Бруклине... старый хрен, зубов своих — ни одного, лысый, как задница... Встречались недавно. И что вы думаете? Правильно: с пятой минуты разговора запел ностальгическую песнь о благословенном Ташкенте, о Потерянном рае! Я ему говорю — старик, неплохо же тебя в том раю отделали...

Я вам могу миллион историй рассказать об узбекской коррупции такой мощи и размаха, что Сицилия бледнеет и скукоживается от зависти... А сколько анекдотов о невежественных узбекских начальниках у нас ходило, не пересказать! Мы, мы сами во все лопатки мастерили из них «национальную интеллигенцию»! Помню, прибыл к нам один такой, куратор из ЦК, — принимать подготовленный для агитаторов очередной цикл слайдов. «Все хорошо, — говорит, — но почему они у вас такие маленькие? Надо было сделать размером хотя бы с почтовую открытку». Вставляем слайд в диапроектор — и инструктор в дикарском восторге кричит: «Ийе-е!»

Ну а потом, когда мои корреспонденции стали появляться не только в республиканской, но и в союзной прессе, стал я бывать на этих их обкомовских дачах... Навидался, спасибо, сыт... Гуляющие по парку фазаны да павлины, гурии, услаждающие народных советских сатрапов... Эх, да что там говорить!

Словом, особо-то слезы лить по нашей рухнувшей вавилонской башне смысла я не вижу. Ну, жили и жили... Город как город...

Вот разве что отличало и отличает всех этих бывшеташкентских скитальцев... — это правильная русская речь... потому что из года в год прибивало туда волнами разных штормов множество непростой штучной публики. Кого только не приносило: офицеров русской армии Кауфмана, а с ними — целый отряд новоиспеченных «иностранцев», всех этих, закончивших Оксфорды—Кембриджи, деток киевских, одесских и прочих коммерсантов, у которых хватило денег обучить талантливое чадо за границей, но не хватило пороху пробить Московско-Питерскую стену. Ну, и те ринулись в молодой Туркестанский край, и основали тут целые династии врачей и ученых... А отсидевшие срок зека, которым заказано было вернуться в столицы, и они оседали здесь, в глинобитных кибитках, преподавали языки и прочие другие науки, просто целительно присутствуя в пространстве!.. А эвакуированные писатели, кинематографисты, актеры, ученые! Да и просто нормальные грамотные люди, занесенные сюда ветрами исторических потрясений! Что ж удивляться, что уровень интеллигентности на душу населения в Ташкенте был гораздо выше, чем в среднем по стране! Учительница наша по языку и литературе, Зара Марковна, как живая перед глазами:

— Именительный падеж: нога! Родительный падеж: нет, не дай бог, ноги!..

Я и в Москве сейчас, бывает, покупаю на рынке соленья у девушки-кореянки, и если она таким правильным ученическим говорком говорит мне: «попробуйте капустку, эта чуть-чуть острее, зато вот эта нежнее...» — я понимаю, что она из *наших* корейцев и спрашиваю:

— Вы из Ташкента?

— Откуда вы узнали?! — и я улыбаюсь в ответ и говорю:
— Язык...

Нет, я не за то, чтобы вот так взять и похерить все хорошее, что было... Я и не спорю — было! Точно так же, как в любом детстве, в любом городе... Взять этих ребят, греков, среди которых я вырос... Родители этих мальчишек и девчонок были бывшие партизаны, коммунисты, воевавшие с немцами. У нас появились, когда там к власти пришла реакционная клика, ну, и Сталин их принял, как политических беженцев...

Мы вместе росли, на праздники веселились вместе — громкая музыка, национальные танцы, костюмы... Запахи жареного мяса — на пустыре за домом крутили на вертеле целого барана... В будни тоже из окон неслась какая-нибудь мелодия с заезженной пластинки Теодоракиса или Хадзидакиса.

Старики их сидели во дворах и играли в нарды. Причем нарды были диковинными, расписанными разноцветными конусами — я тогда ничегошеньки в этом не понимал, но за игрой наблюдал завороженно...

Ну, и конечно, то, что мы вместе пережили то *всенародное* землетрясение... Кстати, историю в школе нам преподавала суровая такая тетка по фамилии Колено. Говорила: «Учите предмет по учебнику истории ВКП(б) 46-го года. Замените, — говорила, — Сталина на партию и народ, и учите, — хороший учебник»... Так вот, когда грохнуло землетрясение и директор запретил ученикам выезжать в центр города, историчка вошла в класс и сказала: «Немедленно идите в центр города, и смотрите, смотрите! Вы потом всю жизнь не простите себе, если не пойдете!».

Да, так наши греки... Когда в середине семидесятых в Греции восторжествовала демократия, они все постепенно стали возвращаться домой... Взрослые, конечно, радовались, а вот дети... дети, которые родились в Ташкенте и выросли там... вот их-то души и резали по живому...

Нет, спорить не буду: когда кто-то при мне произносит имя «Ташкент»... я виду-то не подаю, но в памяти моей возникает гул проснувшихся горлинок за окном. Помните этих, нежно-фиолетовых, словно с византийских мозаик сошедших, птичек? У бабушки окно выходило в сад, и на каникулах я просыпался под их воркотливый говорок... А поездил я немало, в каких только странах, в каких домах, на курортах, отелях-мотелях не просыпался... — нигде не слышал рассветный такой гурлёж, каким полоскали горлышки ташкентские горлинки... Я, когда устаю и долго заснуть не могу, пытаюсь вызвать в слуховой памяти этот баюкающий безмятежный звук... и если удается, — если, говорю, удается! — то засыпаю тогда как младенец...»

32

В середине девяностых я встретила ее в Иерусалиме.

К тому времени не только ташкентская, но и московская жизнь осталась за такими крутыми облаками, что я обомлела, и даже не поверила себе, когда прочитала ее имя на иврите, в афише Музея Израиля; она привозила небольшую выставку своих офортов.

Но, прежде чем увидела ее в доме наших общих знакомых и в который раз она вежливо и прохладно мне улыбнулась, наверняка не узнавая или делая вид, что не узнала... — на улице царя Агриппы, куда выходят овощные и прочие ряды рынка Маханэ-Иегуда, я столкнулась с нашим ташкентским приятелем, а ныне программистом из Нью-йорка. Не глядя друг на друга, мы набирали в кульки помидоры у одного зычного торговца, то и дело сталкиваясь руками, отбрасывая недостаточно красные плоды в пунцовую, атласно шевелящуюся гору на прилавке, выбирая бокастые и упругие. Тут продавец грянул зазывную песнь прямо над нашими головами, совсем как узбек на Алайском. Мы отпрянули от прилавка и взглянули друг на друга. И узнали друг друга, хотя лет десять не виделись. Помидоры немедленно были забыты, а мы обнялись и стояли, объятые ташкентским детством, и нас крутила и ворочала рыночная толпа.

Так, почти не расцепляясь, ввалились в забегаловку за углом, чтобы сесть хоть где-нибудь, а не стоять у всех на дороге. Он ахал и все твердил об известном иерусалимском эффекте, когда за один день всех друзей, которых ты разыскивал из-за рубежа годами, встречаешь на одной улице в течение нескольких минут. Ты не представляешь, повторял он, я час назад столкнулся с Бяльским, вчера чуть не попал под машину Игоря Маркова, а минут сорок назад встретил мамину подругу, о которой думал, что она уже умерла. Сейчас вот ты, как огурчик...

— С помидорчиком! — смеялась я.

В этой забегаловке, похожей немного на общепитовские места нашего детства, только чуть более чистой, мы часа два сидели, не в силах расстаться, перебирая Ташкент, как четки, нащупывая друзей, знакомых, соседей... Я говорила — как все-таки они, наши ташкентцы, не теряются нигде! А он исправлял меня — да не ташкентцы, не просто, не Сызрань какая-нибудь, не Кинешма... — «колониальные белые»! — это же особый тип людей, всегда готовых к неизведанному, гибких, покладистых к обстоятельствам, и — рисковых... Так говорил дядя Миша, умнейший алкаш, — ты не знала его? — яркий такой персонаж, завсегдатай шалманов, одно время он жил с безумной матерью безумной Веры Щегловой. Мать его и угробила, ты знала эту историю? Просто зарезала, и все, вроде от ревности...

Не-ет, «колониальные белые», это, я тебе скажу! Да я за версту в любой стране их вижу! — это же вечные караванщики на привалах Великого Шелкового пути... И, в отличие от таких же бакинцев-тбилисцев-ереванцев... каким русским языком они говорят, а?.. А все потому, что город буквально кишел странными пришельцами: какими-то нищими полуживыми дворянами, белогвардейскими китайцами, сиделыми по лагерям профессорами... Ё-моё! Как вспомнишь сейчас — кого

у нас там только не было! Не-е-ет, эти «колониальные белые» с детства жизнью обкатаны, — как вот море камешек
катает...

И знаешь, откуда их удачливость на новом месте берется?
Я много думал над этим... Понимаешь, с детства варясь в нашем Вавилоне этносов, наций и народностей, мы знали, что
человек может быть *другим,* более того: что он всегда *другой*, но надо, надо *сосуществовать*, раз некуда друг от друга деться, что важнее всего — *сосуществовать*, что жизнь
на этом стоит! И вот это самое умение *понимать другого*,
как выяснилось в экстремальных условиях самых разных
эмиграций, и есть — одно из лучших качеств блядской человеческой натуры... То, что на Западе называют безликим словом
«толерантность»... Да не толерантность это, а — вынужден-
ное милосердие, просто-напросто смирение своего «я», — когда понимаешь, что ты не лучше другого, а он — не выше тебя...

Мой старый и вновь — только что — обретенный приятель
увлекся; чувствовалось, что сейчас, в этой, почти ташкентской,
забегаловке, за этим, почти ташкентским, пластиковым столом, на этой солнечной, столь похожей на ташкентскую, улочке ему очень важно додумать в моем благодарном и сочувст-
венном обществе какие-то свои давние мысли.

— Вот, возьми моего босса: может, ты и знала его — Леонид Волошин? Тоже, смотри, поучительная судьба, чистый Гол-
ливуд: он поначалу принимал участие в разработке новой вер-
сии операционной системы UNIX, и особенно в разработке
языка Java, ошеломляюще стремительно преуспел, несколько
лет возглавлял одну из компаний, специализирующуюся на
разработках поисковых систем и онлайн-программ, потом при-
обрел значительную часть ее акций... Сейчас у него две преус-
певающие компании — в Чикаго и Нью-Йорке... Между прочим, обе процентов на десять состоят из ташкентцев, — босс у
нас классный мужик, дай ему бог здоровья, землякам помога-
ет где только может, тянет-потянет...

Вдруг он встрепенулся, щелкнул пальцами, — вспомнил о чем-то...

— Кстати, не забыть! Хорош я... Здесь на днях должна открыться в... — достал из нагрудного кармана пиджака записку, из другого кармана очки, нацепил их, прочитал: — «Музе-он Ис-ра-эль»... открыться выставка Щегловой... Есть у меня ответственное задание — достать каталог и потусоваться... хотя, скажу тебе со смущением, не большой я любитель всех этих музеев... Но... Лёня — друг, босс... С другой стороны... — он задумался, сложил очки, сунул их обратно в карман:

— С другой стороны, он все равно пришлет своего Готли-ба...

Тут я с немалым удивлением услышала, что босс выслеживает все выставки Щегловой, сам едет или посылает своего порученца куда бы ни пришлось. Зачем? Да бог его знает... Такой вот у человека задвиг на картинах этой художницы... — и, складывая записку, мой старый приятель подмигнул:

— Слушай, нам бы с тобой его проблемы!

А дней через пять за столом у общих приятелей я слушала рассказ самой художницы о недавних морских впечатлениях, — друзья вывезли ее отдохнуть и глотнуть воздуха в тихую и совершенно пустынную бухту в Синае...

Она рассказывала, как, гуляя по берегу во время отлива, довольно далеко углубилась в море, туда, где обнажилось мокрое песчаное дно с коралловыми рифами... Чистое высокое небо, палящее солнце... Вдруг начался внезапный прилив! Издали на нее пошла высоченная стена воды (иногда действительно бывают на Красном море такие мощные приливы)...

Я впервые сидела с ней за одним столом и с удивлением наблюдала, как рассыпается на глазах образ косноязычной буки, не поднимающей глаз на собеседника. Язык ее был точен, гибок, ни одного лишнего слова... За столом все умолкли, слушая ее...

А она, легко улыбаясь, продолжала рассказывать, как в миг пронеслась в ее голове библейская сцена гибели фараоновой конницы, на которую обрушились воды этого моря и, возможно, именно в этом месте. Она повернулась и побежала к берегу... Гигантская стена воды из прозрачного, насквозь просвеченного солнцем, зеленого оникса неукротимо и яростно гналась за ней, грозя поглотить. Она задыхалась, сердце колотилось, ноги по щиколотку были изрезаны кораллами... В последний миг, увязая уже в сухом песке, она прыгнула вперед и упала грудью на берег... И сразу позади со злобным грохотом обрушилась ониксовая стена и, отползая, шипела с досады: беглянка была упущена...

А на другое утро она увидела на берегу араба в галабие, у самой кромки воды. Он испражнялся, сидя на корточках... И потом все сидел, задумчиво глядя на солнце, приподнимая подол галабии в ожидании, чтобы его подмыла волна...

Вера сидела напротив, иногда обращаясь прямо ко мне, изображая томный вид ожидающего волны голозадого араба, показывая в улыбке ряд великолепных зубов, была в отличном настроении и все повторяла, что теперь будет часто приезжать в Иерусалим, потому что ее поразила «страшная иерусалимская луна»... Я смотрела на нее и думала, что она действительно хороша — свободна в движениях, модно подстрижена, — «стильна»... и что небезызвестный Лёня Волошин, наверное, остался бы ею доволен.

Потом хозяин дома стал заваривать зеленый чай, и все примолкли, наблюдая, как он отливает немного в пиалу, заливает обратно в чайник и ждет, положив салфетку на крышку чайника... Никто не поинтересовался — к чему эти сложные манипуляции: за столом сидели одни ташкентцы...

По обратному пути домой, на горном вираже к Маале-Адумим, я ревниво оглядела небо.

Страшная иерусалимская луна вступила в небеса. Она принадлежала этому городу, — вкатанный в небо тяжелый масличный жернов, набитая зелеными маслинами бочка, краеугольный камень храма...

Припарковав машину около дома, я вновь оглянулась.

Город держал свою луну на пиках своих колоколен... Чудовищно эротическое лунное поле колыхалось вокруг минаретов, восставших в ожидании предутреннего стона муэдзина. Луна подминала холмы под собой, прокатывала по ним бока... Все преобразилось, все полнилось в ее свете тяжелым смыслом сна, — длилось, прогибалось, ввинчивалось в бесконечность время, вязко ворочая язык в гортани ночи. Остро запахли травы, и звон цикад надорвал мятную фольгу библейских мифов...

Впрочем, это уже тема другого города-романа.

* * *

Лет через пять я оказалась в Германии, где молодое небогатое, но отважное издательство выпустило один из моих романов в переводе на немецкий. Меня пригласили провести презентации в Берлине, Лейпциге и Дрездене, и я согласилась, тем более что уже немало друзей и знакомых, в том числе и ташкентских, осваивали просторы хлебного фатерланда. Три вечера я отвечала на вопросы публики и журналистов о наших непростых краях, стараясь не раздражаться и быть объективной, что всегда неважнецки у меня получается, потом на неделю оторвалась и пустилась в загул по знакомым домам.

В одном из них я и узнала, что Щеглова рассталась со здешним мужем, очень, кстати, приличным человеком, который много лет не давал ей развода, но все-таки сдался... На все личные средства бросилась выкупать свои картины там, где владельцы согласны были их продать. Представляешь, несколько картин продали ей втридорога, гораздо дороже, чем купили. Автору, а?! Осталась она без гроша, зато с картинами, так что некоторое время зарабатывала на дорогу в Ташкент тем, что клеила кошельки на какой-то маленькой частной фабрике кожаных изделий, — смеялась и говорила, что она привычная, в юности чем-то таким зарабатывала на жизнь...

О фабрике Моссбаха она и в самом деле вспоминала потом с неизменной нежностью именно в каких-нибудь роскошных отелях на островах, куда со вторым мужем они любили махнуть на неделю зимой... Тогда, глядя на сумочку или портмоне какой-нибудь очень богатой женщины, она вспоминала, как однажды, клея кошельки в цеху за длинным рабочим столом, подняла глаза на турчанку, сидящую напротив.

Ее всегда поражало то, как эти женщины одевались: как будто, не встав еще с постели, тут же натягивали на себя все, что подворачивалось под руку, по рассеянности надевая две кофты, две юбки, одну на другую... Та тоже клеила кошельки, выстраивая их перед собой, считая, сбиваясь: «бир, икки, уч, тор, беш»... Вера улыбнулась и решила ей помочь: «олти, етти, саккиз, туккиз, ун...»

И потом вспоминала, как потрясенно уставилась на нее эта женщина, похожая на торговку лепешками с Алайского базара...

33

В Ташкент она вернулась в конце девяностых.

Открыла обшарпанную дверь своей однокомнатной квартиры на последнем этаже, внесла единственный чемодан (ящики с картинами шли медленной скоростью), и часа три мыла-чистила это запыленное нежилое логово... Наконец шлепнула мокрую тряпку у порога, рухнула на тахту и уснула... И от души проспала — как когда-то дядя Миша, привезенный со Сквера на Серегином мотоцикле, — весь вечер, ночь и утро...

Денег оставалось еще недели на две... Собственно, самой ей на прожитьё нужно было так мало — немного фруктов, овощей, какой-нибудь картошки... Но художественный материал тут, как и везде, стоил приличных денег... Пока еще она успешно воплощала упругие зеленые доллары в россыпь местных невесомых *сумов*. Однако не достать бы вскоре последний *сум* из нищенской *сумы*... Значит, необходимо выползти из норы, наведаться во Дворец текстильщиков, или еще какой-нибудь дворец, где подадут художнику несколько преподавательских часов в неделю, заодно, угол для мастерской... М-да... зависимость художников от дворцов, похоже, остается все той же, вне связи от смены империй и валют...

За две недели она осуществила «перепись имущества» и обнаружила страшную недостачу: умерла Клара Нухимовна, которая все эти годы тихо, но здраво теплилась в своем домике и всегда все помнила — где и когда были у Веры выставки, кто о ней писал, когда та приезжала в прошлый раз... К тому же в каждый приезд они совершали торжественный выход на кладбище: Кларе до зарезу необходимы были эти плачи на реках Вавилонских, на деревянной скамеечке, которую соорудил когда-то на дяди Мишиной могиле покойный Владимир Кириллович. И вот, Клары нет... вернее, ее *еще* нет... ни на одной картине. Но — будет, будет... вот только приедут медленной скоростью мольберт, кисти, краски... Вот только засядет она за работу... И тогда уже — здравствуй, Клара!

До скорой встречи, Клара!

* * *

Длинный — международный — звонок раздался утром, часов в семь. Она потянулась к телефону на ощупь, с сонным недоумением думая, что вот же, все выяснили, и все уже устаканилось, и нечего делить... Зачем же он...

— Вера!.. — близкий, четкий и невероятно родной голос, с опознаванием которого, боясь поверить, несколько секунд она металась в клетке слуховой памяти, как в застрявшей кабине лифта, чуть-чуть иначе интонировал, чем прежде... — Сейчас я назову себя, и надеюсь, вы припомните такого вот несуразного, занудливого, хотя и искренне преданного вам...

Она завыла в трубку... *Зашлась*... Сидела на тахте, качаясь из стороны в сторону...

Он растерялся... Молча слушал ее стенания... Наконец бодро проговорил:

— Ну, хорошо! Значит, меня помнят... Я доволен твоим жертвоприношением, Авель. Я доволен... Ну, хватит, Верочка... — сказал он, немного погодя... — подите высморкайтесь и глотните чаю. Я подожду... Не волнуйтесь, я подписан на дешевый тариф... Или, давайте перезвоню через часок?

— Нет!!! — крикнула она, испугавшись, что порвется эта зыбкая звуковая нить ... — Не надо... — и, как ребенок, высморкалась в подол пижамной куртки, успев подумать, что он, со своими, небесной белизны, платками сейчас бы взвился, если б мог увидеть это безобразие... — Я как-то... Я... не была готова, Лёня...

— Вы не были готовы к тому, что я жив?

— Идите к черту, зануда!

— Вот это другое дело! Слушайте, Верочка, звонок мой деловой, поэтому в двух словах о себе скажу только следующее. У меня все в порядке, кроме того, что пять лет назад умерла мама. Я себе тут тихо-мирно работаю, и вполне приспособлен к постепенному старению, — крыша над головой, тачка, колбаса и сыр, и даже огурец соленый по субботам... А звоню вот почему...

Далее он гладким, и почти опереточным речитативом поведал о том, что одна из самых престижных и старых здешних галерей заинтересована в выставке именно «узбекского» периода «Вьеры Счеглов», а местная община богатых бывших ташкентцев, тоскующих по жактовским дворикам середины прошлого века, готова поддержать двумя долларами издание каталога и широкую рекламу повсюду, чтобы всяк сущий в ней язык...

Вера слушала этот голос, этот неподражаемый голос с правильным четким выговором, точными ударениями и — как говорил дядя Миша — «завершенной пластикой фразы»... Просто слушала голос, не вникая... У нее было чувство, что когда-то давно она заблудилась и очень долго блуждала в таких дебрях, на таких пустырях, что даже ангел-хранитель потерял ее следы, а теперь вот нашел, и все будет в порядке, теперь она будет навсегда уже присмотрена... И будет слушаться, и ни за что не отойдет ни на шаг...

— Чикаго? — спросила она... — Значит, вы живете в Чикаго... Это, кажется, недалеко от Милуоки?.. Три года назад у меня была там выставка, в Милуоки...

— Я... знаю... — поколебавшись, сказал он. — Я приезжал... Видел эту выставку... Вы очень выросли, Вера...

— Вы... были в Милуоки?! — выдохнула она.

— Ну да, я же говорю, что специально приезжал туда, когда узнал о выставке.

— Почему же... почему вы не разыскали меня? Какого черта вы не разыскали меня?!

— Во-первых, перестаньте на меня орать, — спокойно проговорил он. — Во-вторых, я вас видел, и довольно близко, из-за колонны. Вы абсолютно не изменились, чего нельзя сказать обо мне. Все такая же худая и мрачная, не понимаю, кому это может нравиться... Ну? Что вы умолкли? Жалеете, что в меня невозможно запустить тапочком?

— Лёня. Почему. Вы. Не подошли. Ко мне... — задыхаясь, медленно проговорила она, чувствуя, что все кончено, и это уже не он, не ее долговязый ангел-хранитель, а какой-то совсем чужой человек, безразличный и респектабельный... И ощущение, что ее нашли навсегда, улетучилось...

— Потому. Что... — сказал он так же невозмутимо, — потому что мне не о чем было говорить с баронессой Дитер фон Рабенауэр...

— Но сейчас же вы звоните ей!

Он рассмеялся и сказал:

— О нет! Не ей... По моим сведениям, фрау Дитер фон Рабенауэр благополучно почила в бозе. Осталась придурошная Вера Щеглова. С этой я знаком.

Она швырнула трубку... Стянула с себя пижаму, бросила ее на пол и, голая, вышла на кухню. Склонилась к крану и долго жадно, с колотящимся сердцем пила холодную воду, лакая из бьющей струи, как загнанная волчица. Вошла в ванную, пустила воду в душе... Телефон звонил опять... переставал и снова принимался звонить. Ничего, пусть проветрится, пусть поразмыслит, и вообще, пусть выбирает выражения!

Сейчас, стоя под вялыми струями воды, она вспоминала тот вечер в Милуоки, накануне открытия выставки.

* * *

Дирекция галереи поселила ее в небоскребе «Хилтона», в самом центре серо-коричневого даунтауна...

С самого начала она чувствовала себя не в своей тарелке: после долгих и нервных переговоров с куратором галереи — они не сходились в концепции выставки, а значит, и в отборе картин, а Дитер в то время уже устранялся от ее дел, — был наспех заключен компромисс. Потом выяснилось, что издание каталога задерживается. Затем задержался самолет из Нью-Йорка... Словом, усталая и невыспавшаяся, Вера вошла в номер, дождалась, пока внесут ее чемодан, выдала доллар пуэрториканцу-носильщику и, даже не приняв душ, завалилась спать...

Проснулась она вечером...

В номере было темно, в черном небоскребе напротив горели четыре разбросанных желтых квадратика окон, словно гигантские небесные игроки в домино уронили игральную кость, и она, прилетев из запредельного космоса, вонзилась вертикально в землю...

Вера потянулась к лампе на тумбочке, включила свет... Номер как номер... Почему он показался ей таким клаустрофобически неприютным?

Она приняла душ, переоделась и решила выйти, поужинать где-нибудь...

Несмотря на субботу, улицы вокруг отеля были совершенно пусты... Она прошла два квартала направо, потом еще минут десять шла в другом направлении... Странно... Высокие административные здания, отели... нечто вроде парка... а людей нет как нет... И все питейные с виду заведения задраены гофрированными металлическими полотнищами...

Она повернула и быстрыми шагами направилась в сторону своего отеля, по пути вдруг вспомнив, что знаменитый в Америке убийца Джеффри Даммер жил и убивал именно в этом городе... И немудрено, подумала она, я бы тоже здесь свихнулась и принялась убивать...

В последнее время ее одолевала грозная тоска, от которой не спасали ни работа, ни редкие наезды в Ташкент... Она даже обратилась к психиатру, но когда тот, быстро строча по бумаге и мягко приговаривая, что все это поправимо и ничего страшного нет, выписал антидепрессант, — внутри нее что-то взъярилось, как это всегда бывало в подобных случаях, и несмотря на то, что Дитер все же заставил ее купить в аптеке упаковку лекарства, она не выпила ни единой таблетки, что послужило причиной еще одной очередной прохладной ссоры...

Вернувшись в отель, она прогулялась по лобби, заглянула в магазинчики на первом этаже, посидела в баре, заказав мягкий, почти детский коктейль — «Амаретто» со сливками, — который всегда заказывала себе в поездках. В номер возвращаться не хотелось — она предвидела бессонную ночь в этой коробочке внутри небоскреба...

Отсюда, из бара, видны были вертящиеся двери отеля, в которые непрерывно группами входили чернокожие женщины, множество чернокожих женщин разных возрастов... — вероятно, подумала Вера, у них здесь какая-то конференция, съезд общественных организаций... Но почему одни женщины?

Одновременно в отдалении нарастали ритмичные звуки громкой стерео-музыки...

— Где это играют? — спросила Вера бармена, и он ответил, что сегодня здесь, в одном из залов, выступает группа «Chocolate Express»...

— А что они играют?

— Как, вы не знаете? — удивился он. — Это мужской стриптиз... — поднял на нее глаза и добавил: — Стриптиз черных мужчин.

— Отлично, — заметила Вера, — следовательно, это зрелище для дам?

— Ну... конечно, мэм... для тех, кто этим интересуется.

— Отлично! — повторила она, выкладывая на стойку мелочь.

Она вспомнила картинку в нью-йоркском метро, свидетельницей которой стала буквально вчера. На одной из остановок в вагон вошла молодая черная женщина, остановилась возле входной двери и, держась за металлические ручки, вдруг стала вытанцовывать... С каменным выражением лица и полузакрытыми глазами, она в каком-то своем молчаливом трансе извивалась, то отбрасывая бедра в разные стороны, то, вдруг приседая, то лихо покручивая задом. Сначала Вера решила, что эта женщина слушает музыку через наушники. Однако, вглядевшись, поняла, что никаких наушников на ней нет... Минуты три та извивалась под какую-то, одной ей слышную, музыку, перегибалась, раскручивала пружину внутри себя, будто пыталась выплеснуть наружу задавленные вопли... и — так же внезапно оборвав танец, села на скамью и сосредоточенно принялась рыться в сумке...

Помнится, Вера тогда стала думать о гигантской роли ритма в негритянском искусстве, в котором любую деталь или часть можно изменить до неузнаваемости, но общая ритмическая волна делает целое неизбежным, реальным и неотвратимым в своей истине... Вот европейцы, — думала она прямо там, в вагоне метро, — европейцы увидели, что существует не только античное понимание красоты, с его отношением к натуре как к основному источнику... и что можно — как в негритянском искусстве, — изменить пропорции, а при этом целое станет более художественно выразительным и эмоциональным...

И она пошла на звуки музыки и на крики восторга, сотрясавшие воздух.

В фойе стояли несколько полицейских, два-три невозмутимых секьюрити и несколько служащих отеля. Билет, как выяснилось, стоил 15 долларов. Вера уплатила, подошла ко входу и потянула на себя тяжелую дверь.

Огромный зал был битком набит черными женщинами — многие из них были красивы, хорошо одеты, с изысканным макияжем... И все ритмично двигались на месте, приплясывая, устремив лица на сцену, где шестеро черных обнаженных молодых мужчин вытанцовывали под музыку, несущуюся из стереоколонок.

Вернее, они были не вовсе обнажены. Материей ярких расцветок — желтой, алой, голубой, зеленой, бирюзовой и оранжевой были перебинтованы доказательства их самцовой мощи, — судя по готовности к бою, поддержанные какими-нибудь наконечниками внутри свертков. Яркая ткань плавно переходила в ниточку вовнутрь ягодиц, когда парни, подпрыгнув и провернувшись винтом, дружно являли залу накачанные желваки ягодичных мышц. Все это больше походило на шоу культуристов и, если не считать задорно взмывших из чресл цветных вымпелов, выглядело пока вполне пристойно.

Шоу, похоже, только начиналось. В микрофон кто-то звонко и торжественно выкрикивал имена стиптизеров:

— Флекс!!!

— Валентино!!!

— Др. Фиилгуд!!!

— Тайгер!!!

— Шака-Зуло!!!

— Д. Машин!!!

И каждый названный выходил под музыку, демонстрировал мускулы, надувая и обособляя ту или иную мышцу, прохаживался по сцене, потряхивая и подбрасывая движением таза обернутый в ткань сильно увеличенный, и потому как бы чужеродный, предмет в паху...

Вера не столько смотрела на сцену, сколько на женщин в зале. Пестрота костюмов и платьев, яркие заколки в волосах, блестящие украшения, лаковые туфли, невероятных расцветок ногти на руках — как россыпь радужных четок по всему залу... С каждой минутой они все больше впадали в эйфорию, двигались в такт музыке все раскованней, все быстрее, там и тут вспыхивали крики, хохот, визг... Многие расхаживали по залу с бутылками шампанского...

И все быстрее, все яростнее двигались на сцене шестеро чернокожих мужчин, все откровеннее вращали бедрами, все круче оттопыривали ягодицы... Воздух зала, перенасыщенный запахами духов, дезодорантов, спреев, лака и гелей для волос сотрясала колоссальная энергия...

Веру вдруг потянуло немедленно выйти отсюда. Она повернулась и стала пробираться к выходу в толпе разгоряченных, хохочущих, визжащих от восторга женщин. Ее кто-то остановил, предложил выпить прямо из горлышка бутылки... она вежливо отказалась... Обернулась к сцене.

В этот момент все шестеро стриптизеров, как по команде, бросились в зал, в гущу обезумевших женщин... Казалось, их кто-то выкинул на растерзание... Однако возле каждого из парней был свой телохранитель с рацией... Недалеко от Веры оказался стриптизер по имени Флекс. Он был меньше ростом, чем остальные, но безупречно сложен... Великолепная развитая грудь... пластично развернутые плечи... Женщины бросились к нему, каждая тянула руки — потрогать. Он имитировал смешные непристойные движения, позволял гладить себя и вкладывать за тонкую ниточку бикини чаевые — долларовые бумажки, которые магическим образом куда-то мгновенно исчезали... Женщины выкрикивали имена парней, тяжело дышали, каждая пыталась дотянуться до кумира...

Вера с огромным трудом пробиралась в воющей, поющей, стонущей и рычащей от вожделения толпе женщин... Последнее, что видела она, обернувшись: один из стриптизеров, огромный бритый наголо Д. Машин, вытянув на сцену из зала кудахтающую толстуху и повалив ее на пол, с комическим восторгом стал демонстрировать — что бы он вытворял с ней, если б не ее колыхающаяся туша, — он крутил ее и так и сяк во все стороны, обезумевшая публика корчилась и выла, а толстуха, валясь на полу сцены, визжала от смеха, не в силах подняться хотя бы на карачки...

Вера выскочила из зала и — распаренная духотой, хватающая ртом воздух, — направилась к лифту.

Шел второй час ночи... О сне и речи быть не могло...

В номере она вошла в ванную и холодной водой ополоснула лицо... Потом минут сорок ходила по тесной коробке к окну и обратно, к двери, и обратно к окну, самой себе напоминая майского жука, которых ловила в детстве и сажала в спичечный коробок... Да... жука привязывали ниточкой за ножку, и тогда он летал, тяжело жужжа, не в силах перекусить нитку и улететь на волю... А что должна перекусить она, чтобы вырваться на волю из этого запертого, замкнутого мира? Может быть, собственное горло?

Все окна в небоскребе напротив погасли, темная душная громада его, на фоне серого, подсвеченного фонарями, чужого неба давила невероятной, непередаваемой тоской... Вера открыла рывком окно... Черт знает — сколько этажей уходило вниз, к ленточке тротуара... Вот уж никто не поймет — что хотела сказать этим прыжком преуспевающая, непьющая, не употребляющая наркотики, благополучная в браке русская художница, чья выставка открывалась на следующий день в одной из лучших галерей штата...

И в этот миг раздался телефонный звонок...

Никто не мог звонить ей в этот час. Дитер уже звонил накануне вечером, сухо осведомился — как она долетела, была ли в галерее и не успела ли за двадцать минут встречи испортить отношения с куратором...

Но телефон все звонил... И она сняла трубку.

— Hello?.. Yes?..

В ответ молчали... Но это молчание почему-то не позволяло прервать связь, словно по подвесному мосту к ней шел кто-то близкий, кто вот-вот достигнет этого края, проявится голосом, улыбкой...

— Yes? Hello? Who is it?

Молчание... Но к ней шли, она знала это, чувствовала... Ее искали где-то там, пытались дотянуться...

Тогда она тихо проговорила по-русски:

— Это я... Я здесь... слушаю тебя...

И захлебнувшись, на том конце оборвалась связь, раздались короткие гудки...

Но все это было уже неважно!.. Ей вдруг полегчало, ушло наваждение...

Она закрыла окно, поеживаясь от холода, натянула теплый джемпер, нашарила в чемодане вечный черный блокнот, с давно уже вытертой анаграммой своего имени, и, присев боком к столу, привычно стала набрасывать в маленьких квадратах эскизы будущей картины: «Сеанс черного стриптиза в Милуоки»...

34

Она опасалась огромного Чикагского аэропорта... Однажды, лет пять назад, уже металась здесь на пересадке по пути в Нью-Йорк... Странно, тогда она не знала, что где-то неподалеку есть дом, в котором...

Ну вот, а сейчас ее должны встретить, и надо сосредоточиться, взять себя в руки и выглядеть совершенно спокойной, деловой, светской... Светской, наконец, черт возьми! Да-да, вот именно: прохладно-светской. Давно миновало то время, когда он постоянно учил ее жизни!..

Вот только здесь несколько терминалов, в этом огромном аэропорту, не заблудиться бы... Когда перед отлетом он по телефону пытался объяснить ей что-то и она, совсем как прежде, нетерпеливо огрызнулась, он сказал:

— Ладно, разберусь, главное, не выпрыгивайте из самолета...

Почему он никогда не принимал ее всерьез?

Через гофрированную кишку она вышла в здание терминала и за толпой устремилась, как обычно, на светящиеся указатели багажного отделения. Колесики чемодана мягко катились по ковровому покрытию, серому, с лиловыми квадратами, которые тасовались и плясали перед глазами...

Вера остановилась: нет, так не пойдет! Постой, отдышись... Надо успокоиться... Хорошо бы приткнуться где-то, попудрить нос, привести себя в порядок... Да, сейчас тебя встретит совсем другой человек, не тот, кого все эти годы ты представляла прежним, — долговязым, очкастым, молодым...

Вдруг она обнаружила, что идет за толпой совсем в другом направлении. Указатели показывали что угодно, но только не багажное отделение. Ей стало жарко в плаще, она остановилась и, чертыхаясь, ринулась назад... Как назло, ни стойки информации, ни единого сотрудника аэропорта навстречу не попадалось... Она бросилась почему-то в боковое ответвление, но попала в какой-то зал с барами и магазинами. Дьявольщина!!! Повернула и пошла в противоположную сторону, все убыстряя и убыстряя шаги... Хороша светская дама, изъездившая бог знает сколько стран! Ну и видок у нее, должно быть... — вспотевшее лицо, шарфик набок... Ах, да не до жиру уже, хоть бы выйти куда-нибудь... хоть бы, в конце концов, найти его!

Минут через пять она уже бегала взад-вперед, как загнанная крыса, в поисках информационной стойки, задирая голову на указатели, натыкаясь на пассажиров... Ее обегали, от нее уворачивались... И только какой-то, столбом стоявший, амбал, в которого она врезалась плечом...

— Интересно, — спросил он, не двигаясь, — куда это вы так радостно несетесь, опрокидывая публику?..

Она подняла голову и — повисла на нем, уже не заботясь о том, чтобы выглядеть светской дамой...

* * *

По дороге из аэропорта они оживленно переругались по всем вопросам, — жизнь очень быстро набирала прежний темп, вкус и тонус: укладывая в багажник машины ее чемодан, он расхохотался: — «Боже, не верю своим глазам! Мой знакомый синий бантик догнал меня в землях индейских!» — и Вера смутилась и немедленно огрызнулась, что никто здесь не сумасшедший, просто чемодан — типовой, а так его издали видно на багажной ленте...

Надо было только привыкнуть к его седине — Вера всегда острее всего реагировала на изменения в цвете. Когда-то он был брюнетом, а стал, как говорили здесь, — «грей»...

Полдня провели в галерее, где должна была через полгода проходить выставка и куда Вера потребовала немедленно из аэропорта везти ее для осмотра стен, света и квадратуры помещения; где Лёня истоптал ей ноги, контролируя процесс переговоров с дирекцией галереи. Она, как всегда, хотела сама, и только сама составлять экспозицию, заранее объявив ему, что «видала в гробу» всех кураторов, вместе взятых... Лёня заботился лишь о том, чтобы эта фраза не была первой, которую она произнесет, войдя в кабинет менеджера...

Но куратором оказался славный рыжий толстяк по имени Роджер, известный художественный критик и очень успешный арт-дилер, который сразу предложил перенести обсуждение в ближайшую пивную, и в процессе «переговоров» радостно накачался, поддевая Веру, обещая «сделать из нее хоть что-то приличное», и одну за другой рассказывая всем известные байки, вроде той, о Пикассо, заплатившем большие деньги известному французскому критику только за то, чтобы тот не писал ни о ком другом...

— Вы можете писать о ком хотите, — заметила на это Вера, и Роджер состроил плачевную физиономию, выворачивая пустой карман...

Наконец, после бескровно завершившихся переговоров, они с Лёней вышли на улицу и сели в машину... Начинало смеркаться, и дымное облако какого-то цветущего деревца напротив через дорогу висело над землей, словно привязанное к ней тонким стволом...

— Красиво... — проговорила она... — Куда сейчас?

— Вы же устали, Верочка... И голодны... Давайте я вас где-нибудь покормлю.

Она повернулась к нему, внимательно глядя... Да что же это?.. Похоже, он трусит везти ее к себе домой?.. А такой представительный дяденька... седые виски... На вид — просто сенатор какой-то...

— Не понимаю! — сказала она. — Через какие еще светские рауты вы меня проволочете по пути к обычной яичнице на вашей кухне?

Он засмеялся и тронул машину...

— Это далеко? — спросила она.

— Нет, пять миль от Даунтауна... В районе Лэйк-Шор-Драйв, впрочем, вам это ни о чем не скажет...

Он стал объяснять, излишне подробно — почему ему было необходимо жилье именно в этом районе: во-первых, работа, во-вторых, много лет подряд в Даунтауне жила мама в таком доме для стариков, — тех, что получают «восьмую программу»...

Отвернувшись, она смотрела в окно, где вдоль шоссе тянулась темно-серая, в ряби барашков, с белыми и цветными мазками яхт и катеров, гладь озера Мичиган... Да... к вечеру он как-то сник. Не сделал ни одного замечания, не сказал — как она безобразно худа, ни разу не фыркнул по поводу неправильного ударения в слове... Волнуется?.. Разочарован?

Отвык от нее...

Наконец они повернули, проехали еще две улицы и остановились.

— Ну-с... — сказал он, все еще сидя в тусклом свете гаража, как бы и не собираясь выходить из машины... — Приехали...

Она сразу все поняла, когда длинной зеленой аллеей, среди лужаек и высаженных по линейке, словно отлакированных, цветов, вдоль карликовых, как пудели от парикмахера, кустов, они поднялись на холм, к воротам, где на панели он нажимал кнопки-пароли, чтобы их впустили; но и этим, оказывается, заградительные меры не были исчерпаны, и к пещере Али-Бабы они минуты две добирались через какие-то калитки в оградах, пока, наконец, не попали во внутренний двор — нечто вроде патио, выложенного псевдовизантийской мозаикой, — в который выходили две двери. Одну из них он и стал открывать.

Она достаточно пожила на Западе, чтобы — даже при своей обычной бытовой непричастности — оценить месторасположение и статус этого жилого комплекса. Но все еще делала вид, что ничуть не удивляется.

— Вы снимаете здесь?

— Нет, — сказал он... — купил пару лет назад...

— Но ведь это очень дорого?

Он улыбнулся и промолчал. Она вспомнила, как он уверял ее, что звонит по дешевому тарифу, и разозлилась: он по-прежнему подсмеивался над ней и, в общем, был прав.

Казалось, чем ближе они подбирались к его жилью, тем суше и осторожнее он становился, тем дольше длились паузы... и расстояние между ней и им, даже физическое расстояние, как бы увеличивалось... — например, в лифте из гаража они стояли друг напротив друга у противоположных стен. Как будто его уже тяготил ее приезд, как будто не он трезвонил последний месяц по три раза на дню, и трижды менял ей билет, поскольку «выудил гораздо лучший рейс!»...

Сейчас ей уже трудно было поверить, что каких-нибудь четыре часа назад она повисла на нем в аэропорту и готова была ногами сучить от счастья...

Они вошли в темную прихожую, он хлопнул в ладони, как фокусник, и от этого зажегся свет: россыпь мелких звезд в высоком потолке, отраженных во множестве зеркал. Таких штук она еще не видела и засмеялась. Просто какой-то узбекский праздник-«байрам» летней ночью на площади!

— Ну вот... — глухо проговорил он. — Вот и все... Теперь — входите.

Она сделала несколько шагов к дверям в какое-то очень просторное помещение, на пороге остановилась, отшатнулась... и осталась стоять, опираясь — как распятая, — обеими руками о косяки двери, не силах сделать ни шагу, лишь глотая воздух...

— Воды? — спросил он... — Я этого и боялся...

Она увидела свои картины. То небольшое их количество, которое когда-то продавалось в галереях, на аукционах... в тех редких случаях, когда Дитеру удавалось уговорить ее выставить картину на продажу, и она, сломленная его монотонными аргументами, сдавалась... Те картины, которые пропадали, приобретенные какими-то загадочными анонимами, не желающими оставить своей визитки. И она их всех оплакивала, как потерянных детей, потому что в тот момент, когда картина исчезала из ее жизни, ей казалось, что и сама ее жизнь сокращается, тает... Так вот, значит, — кто их покупал... Вот кто собирал годы ее жизни...

Все остальное — роскошный трехэтажный «кондо» — с просторной кухней и баром, столовой и гостиной, шестиметровая стеклянная стена которой выходила на знаменитый рогатый Даунтаун с серой полосой озера Мичиган... камин... белый рояль... — не имело для нее никакого значения... Да пропади оно пропадом, при чем тут белый рояль!

— Вы... играете на рояле? — спросила она деревянными губами.

— Господи, ну сядьте же!.. Дайте я вам коньяку налью... — ринулся куда-то за угол, пропал из виду, снова возник:

— Вот... хватаните его разом, ну-ка!

Она опрокинула рюмку коньяку, спросила, не глядя на него:

— Вы что, ездили за мной по всему свету? — и он просто ответил:

— Да.

Она молчала, все еще стоя в дверях, обводя стены подробным пересчитывающим протоколирующим взглядом — так после разлуки ощупываешь взглядом своего ребенка: ага, вот эта царапина на щеке...

Вдруг сорвалась с места и, как безумная, бросилась бегать по дому, смотреть картины, считать их, трогать холсты... Взбежала по лестнице на второй этаж, где в огромной спальне над кроватью (зачем одному человеку эта королевская опочивальня?!) — увидела свой ранний автопортрет: обнаженная по пояс, лет двадцати с небольшим, с бритой головой, похожа на мальчика из Спарты... Продан с выставки в одной из Франкфуртских галерей...

И лагманщик с Алайского был здесь... и диссидент Роберто Фрунсо... и маленькая, как дюймовочка, в гигантской чаше Города — великанша-баскетболистка Рая Салимова... И стиляга Хасик Коган с кустом сирени на голове...

Вдруг она поняла, что за много лет их дружбы не подарила ему ни одной картины — скупой рыцарь так не трясся над своими сундуками!.. И только когда выбрасывала ненужные эскизы или, машинально закрашенные окурком, окунутым в какой-нибудь соус, квадратики салфеток, он, — умоляя не мять, не мять!!! — бросался, как коршун, подбирал их и потом вставлял в рамки. И здесь повсюду висели эти почеркушки, которым, как всегда она считала, грош была цена...

Этот дом стал ее музеем!

Медленно она спустилась вниз, где он, уже более спокойный, стоял у раскрытого холодильника, выкладывая из него на стойку какие-то свертки и пластиковые коробочки...

— Зато сохранена значительная часть коллекции! — сказал он удовлетворенно из-за дверцы холодильника.

— Кроме тех, что остались у Дитера... Это было одним из условий... Иначе он не давал развода...

— Я предполагал это...

Она чувствовала себя измученной, измочаленной... Подошла на ватных ногах к широкому, в виде какой-то диковинной ладьи, дивану (с какой стороны к нему подступиться, дизайнер чертов!) и опустилась на краешек, съежилась... Это надо было пережить — *такое* возвращение... с ним надо было смириться, как и с тем, что этот дом, в котором она еще совсем не ориентировалась, был, оказывается, ее домом.

— А рояль... — сказал он, надевая дурацкий веселенький фартук... — Понимаете, у меня бывают разные люди, довольно известные... музыканты тоже... Вот увидите, как в субботу... — и оглянулся на ее молчание...

— Лёня... — испуганно спросила она, по-детски съеженная на краешке ладьи, — беглянка, упустившая весло... — А вы что... вы... — настолько богаты?

Он усмехнулся... Не ответил... Ей показалось, что смотрит он на нее изучающим, ироничным, даже оценивающим, взглядом... Может, ждет, как раньше, — какую еще нелепицу она сморозит, чтобы высмеять?

— Садитесь к столу... Вот салат, маслины... всякие мазилки забавные, яичница будет готова через минуту... Руки можете вымыть вон там, направо по коридору...

— Я бы хотела сначала... кое-что, в чемодане... Где... в какую комнату вы меня определили?

— Ни в какую, — ответил он спокойно, разбивая над сковородкой яйцо.

— Но... где я буду спать?

— В моей постели. Причем со мной, — и развернулся к ней, взглянул поверх очков. — Надеюсь, вы понимаете, что никуда уже не уедете?.. Мне надоело шляться за вами! Я занятой человек, у меня, черт побери, бизнес... давление скачет...

— Но... ведь для этого... вся эта возня с получением гринкарты... там ведь какая-то лотерея, кажется?..

— Какая, к дьяволу, лотерея?! — чуть ли не с отвращением воскликнул он. — Вы по-прежнему ужасная бестолочь! Минуту назад я предложил вам руку и сердце!

И с силой разбил ребром ножа второе яйцо над сковородой. Стало совсем тихо... И в этой тишине слышно было, как шкворчит яичница и в клетке над окном щелкает семечки попугай по имени Изя Каценеленбоген, впоследствии очень любимый ею, предпочитающий ее правое плечо — левому.

— Ну, нет уж! — воскликнула она запальчиво. — Вот этот поворот сюжета просто омерзителен: значит, выяснив, что Он сделал в Штатах успешную карьеру, Она соглашается наконец, спустя сто лет, выйти за него замуж! Очень грамотно с ее стороны, тем более что сама она осталась на бобах... Да за кого вы меня принимаете, господин миллионер?!

Он бросил нож на стойку...

— А, да-а-а... — протянул он, приближаясь к ней в этом дурацком фартуке, с изображенным на нем мужским мраморным торсом. И это было дико смешно, потому что гипсовые римские гениталии безголовой статуи находились сейчас в страшной дисгармонии с живым и отчаянным Лёниным лицом, и с ее абсолютным, беспредельным отчаянием... — Конечно! Идиот! Мне надо было звать вас замуж по телефону, рыдать, что звоню из кутузки и меня трахает обкуренный марихуаной негр, умолять внести за меня залог в пять тысяч долларов... Вот тогда бы вы помчались продавать свои картины... прямо на Алайском!

— Да! — бессильно, зло выкрикнула она. — Да, именно так!

И заревела, как пятилетняя.

Он рухнул рядом на диван, сграбастал ее, стиснул.

— Дура! Ду-у-у-ра!.. — промычал он, словно у него вдруг заболел зуб. Она чувствовала, как своей, уже колючей к вечеру, щекой он елозит по ее щеке, стирая с нее слезы... — Дура стовосьмая!

Вот это ташкентское словечко неизвестного происхождения... Хотя как-то в юности мне объясняли, что статья сто восьмая уголовного кодекса Узбекской ССР и была, кажется, предусмотрена за бродяжничество и проституцию... — неважно! В детстве оно означало у нас беспутную глупость, шалавую безалаберность и особенную дикую волю в поступках... Несколько раз в жизни я опознавала по нему земляков. Вырвавшись, это словечко требовало объяснений, поэтому человек становился рассеянным, задумчивым... Возможно, в этот момент мягкая пепельная пыль полуденной улочки, потревоженная лихо гремящим самокатом или шмякающими звуками брошенного на асфальт туляя, вставала клубами в его воображении.

Или огромные, растущие на Сквере, чинары принимались шуршать, тревожа воспоминания...

...Ей снилось, что она пытается углем набросать его портрет на чистом загрунтованном холсте, и вдруг понимает, что никогда, ни в одной картине не писала его лица... И он с горечью об этом говорит ей во сне — без слов, как это бывает только во сне. И она без слов — то есть они звучат, конечно, но где-то высоко, вне их, дополняя мучительство этого разговора лицом к лицу — оправдывается, говоря: потому что ты не был персонажем, понимаешь? Ты был самым насущным, самым необходимым и поэтому самым незамечаемым — как незамечаем воздух, здоровье, солнце в южной стране... До тех пор, пока не выкачивают воздух, пока не скручивает тебя боль, пока не заходит солнце...

И так мучительно они говорили и говорили в ее сне, а где-то взлетали и садились самолеты, и голос на узбекском языке объявлял рейсы, и расставание было близко, потому что двое так долго, так сильно и робко любящих людей слишком поздно признались в этом друг другу...

Потом, где-то на окраине слуха, совсем по-ташкентски стала гулить за окном горлинка...

...Вера проснулась и несколько секунд лежала, понимая, что произошло что-то громадное, позднее, решительное... что вчера произошла самая большая перемена в ее жизни...

Она села на постели, пытаясь нашарить босыми ногами его большие, выданные ей «навырост», тапки...

— Ты куда? — услышала она. И тотчас засветилась лампа на его тумбочке.

— Пить хочу... — сказала она, самой себе напоминая очнувшегося от алкогольного забытья дядю Мишу... — что для этого? Где это? Сойти вниз?

— Вода у тебя на тумбочке, — сказал он. И точно, она увидела рядом открытую бутылку минеральной, и даже до половины налитый водой стакан.

Она обернулась. Он с подушки смотрел на нее бессонными

глазами, непривычными, незнакомыми ей — без очков. Она вдруг поняла, что выпуклыми делали его глаза именно линзы очков. У него было сильное рассветное лицо мужчины, который не спал всю ночь.

— Откуда ты знал... что я захочу пить? — спросила она, все еще находясь в своем сне, виноватая перед ним с головы до ног.

— Ну... с чего ты в шесть утра взялась за расследование? — спросил он, потянувшись к ней.

— Но — откуда?! Откуда ты знал, что я захочу пить! — воскликнула она, чуть ли не рыдая.

Он откинулся на подушку, массируя большим и указательным пальцами глаза...

— Господи... — пробормотал он устало... — да я все про тебя знаю!.. Я же с тобой всю жизнь прожил...

35

На следующий после открытия день Вера пришла на выставку одна...

Она всегда приходила на выставку на другой день, пораньше... Обычных посетителей еще нет, или уже нет: она привыкла, что на Западе выставки современных художников собирают публику в основном в день открытия... Вот и сегодня Ингрид специально по ее просьбе пришла к двенадцати, а не к двум, чтобы открыть для Веры зал галереи. Милая, такая покладистая женщина, привыкшая иметь дело с художниками, этими психованными типами: «О, не беспокойтесь, мадам, я знаю, у каждого — своя мания...»

Именно в такие утренние одинокие часы в залах, «наедине со своей семьей», — как мысленно называла она свои картины, — ей наилучшим образом удавалось «варить бульон», из которого «выбулькивались», сопоставлялись, связывались, воплощались пока только в воображении, новые картины.

Просматривался следующий отрезок пути. Выстраивалась дальнейшая линия...

На этот раз центром и началом «ташкентской» экспозиции она сделала триптих «Дядя Миша — бедоносец»... Он висел на самой большой стене зала, так, чтобы, уже поднимаясь по лестнице на второй этаж, где развесили экспозицию, публика видела все три работы... Слева триптих поддерживала интенсивная по цвету большая картина «Умелец Саркисян», на которой маленький, голый по пояс, человек, с грудью, поделенной на две — черную и седую — половины, с гроздьями висящих на нем, как связки марионеток, людишками, восседал между двумя гигантскими мешками, из надорванной бумаги которых сыпался тонкой струйкой алебастр...

Справа, на фоне пылающей оранжевыми дынями бахчи, сидела Маруся в шальварах из хан-атласа, в своей косынке, повязанной на пиратский манер, — с четырьмя грудями, к каждой из которых был привязан колокольчик для школьных звонков...

Не много работ, двадцать шесть, — но каждый поворот темы, пути, был продуман, тщательно выверено соседство полотен, так, чтобы в какой-то момент, в определенной точке зала зритель чувствовал, как вокруг него вырастают высокие светлые стены, смыкающиеся в зеленый шатер над головой...

Странно, что Лёня волновался перед открытием гораздо больше, чем она. Отменил важную деловую поездку в Нью-Йорк и все три дня развески болтался вместе с ней и кудлатым рыжим Роджером в галерее, дергая двух опытных рабочих указаниями, так что они уже стали к нему обращаться иронически — босс (не подозревая, насколько правы), — да и Веру раздражая какими-то запоздалыми идеями: не лучше ли «Саркисяна» повесить не там, а рядом с «Купальщицами на Комсомольском озере»... — на каждое ее «нет» обижаясь как ребенок и спрашивая — ну согласись, что дома я повесил картины наилучшим образом?

* * *

По вечерам в эти дни — возбужденные, веселые — они ездили ужинать в небольшой китайский ресторанчик — дань его неизбывной страсти к соусам китайской кухни. Вера же, как и в молодости, предпочитала хорошо прожаренный кусок мяса.

— Ты должна понимать, что эта выставка — некий рубеж не только твоей жизни. Это свидетельство конца такой вот странной цивилизации, которая короткое время по ряду сошедшихся причин существовала в некоем месте, в Средней Азии... И исчезла! Была — и нет ее...

— Зануда, дай же кусок проглотить!

— ...и то, что эта цивилизация все же существовала, подтверждает, в частности, энное количество твоих картин...

* * *

...На двенадцать у нее здесь была назначена встреча с дизайнером ее персонального сайта. Всё Лёнины затеи: «Пойми, если человека в наше время не существует в Сети, его и в жизни не существует!», — для нее же по-прежнему существовала только плоскость холста, которую она вольна была отворить в расщелину четвертого измерения, в клубящийся туман, извергающий любимые, нелюбимые, случайные и прочие лица всех людей ее жизни...

К пяти должна была появиться съемочная группа телеканала, что освещал культурные события в городе...

На обед Вера перехватила в забегаловке за углом сэндвич с кофе, а вернувшись в галерею, застала установивших аппаратуру телевизионщиков и рыжего кудлатого Роджера, который что-то им уже объяснял.... Она махнула ему, чтобы продолжал, не стеснялся... Выслушала комплименты знакомой пары, не сумевшей явиться вчера на открытие и заехавшей сегодня, после работы... Затем сдалась на милость телегруппы, покорно пережидая все необходимые манипуляции с лампами и бесконечным выбором места, — куда, к какой картине приставить автора, терпеливо отвечая на дурацкие вопросы: а что означает вот эта картина: «Диссидент... э-э-э... Роберто Фрунсо вручает красного петуха Барри Голдуотеру» — когда происходили э-э-э... события? Где произошла встреча? Ведь оба человека реальны?

И только после того, как погасили лампы и стали сворачивать провода, она почувствовала, что полна этим днем по самую завязку...

По залу уже разгуливали компании подвыпивших любителей живописи с пластиковыми стаканчиками в руках. Эти за вечер обходят обычно все экспозиции в многочисленных галереях на улице Супириер. Вера никак не могла привыкнуть к этому прогулочному стилю, к небольшим залам (почти комнатам!) западных галерей, и втайне тосковала по огромным площадям выставочного зала Союза художников на проспекте Ленина. В городе Ташкенте.

— Ты убегаешь? — спросил Роджер, с которым за эти полгода они успели подружиться, нешуточно поссориться и снова подружиться навек.

— Да, надо ехать домой, — прилетают друзья из Нью-Йорка...

Сегодня Наташа Керлер, старая Лёнина приятельница, довольно известная пианистка, привозила на смотрины новенького, где-то на гастролях подобранного, мужа, — как выразился Лёня — «мента». Словом, какая-то романтическая история...

Уже попрощавшись с Роджером и спустившись на первый этаж, набирая на мобильном номер Лёни, Вера заметила идущую на нее старую женщину. Та медленно шла, опираясь на специальную палку, разветвленную внизу на четыре копыта с резиновыми наконечниками. Вера издали опознала «нашу» старушку, которых в последние годы жизнь разбросала по самым разным странам и городам.

— Простите, пожалуйста!

Так и есть... Вера опустила мобильный в карман плаща. Эти старушки время от времени настигали ее в разных залах и очень любили поговорить «о роли искусства в жизни тут, на Западе». Часто просили объяснить смысл какой-нибудь картины. Но обычно происходило это в вечер открытия выставки...

— Простите, что отвлекаю вас... Вижу, вы собрались уже уходить... А я во второй раз сюда пришла... Была вчера на открытии, но не решилась подойти... — Старая женщина тяжело дышала, перенимая палку то левой, то правой рукой... — Было столько публики, прессы, цветов... Знаете, я всегда горжусь, когда наша культура привлекает такое внимание... Я думаю — вот еще одна победа...

Со старушками Вера всегда была чрезвычайно любезна. Никогда — как бы ни торопилась, — не позволяла себе оборвать, побыстрее уйти... Однако именно сейчас бабушкины изъявления гордости за бывшее отечество были так не ко времени!

— Знаете... мне нравятся ваши картины... В них много горечи... но и сила есть, какая-то, знаете, мощь негасимой жизни... а это много значит... К тому же, над ними можно много думать... Но сегодня я пришла не за этим... Извините, я волнуюсь и задерживаю вас...

— Не волнуйтесь, — сказала Вера терпеливо. — У меня есть еще немного времени...

— Собственно, только один вопрос: я понимаю, фамилия распространенная, но... не имеете ли вы случайно отношения к ленинградским Щегловым... Они жили на Васильевском, Четвертая линия?..

Вере показалось, что ее толкнули в грудь...

Она испытала мгновенный, как ожог, прилив крови к сердцу; странную, необъяснимую панику и тоску.

Проговорила медленно, будто припоминая:

— Да... Васильевский... Четвертая линия... — хотя мать с детства твердила этот адрес. Ну и что? Почему же, чего она так испугалась?

И тут старушка заплакала. Достала из рукава платочек, встряхнула им позабытым детсадовским жестом, прижала к глазам...

— Не обращайте внимания, — приговаривала она, переставляя палку поудобнее, наваливаясь на нее то с правой, то с левой руки... — Не обращайте внимания... Я соседка, соседка ваших родных...

— Давайте выйдем отсюда... — сказала Вера, взяв ее под руку... — Как ваше имя-отчество?

— Лидия Вениаминовна... Но я не хочу вас задерживать! Я только на три минуты...

— Нет уж! — твердо проговорила Вера, — я прошу вас уделить мне внимание, Лидия Вениаминовна... Тут, за углом, есть какой-то бар... Вы дойдете?

— Конечно, я же тут рядом живу. Я вот даже сама дошла, чтоб детей не беспокоить...

Минут через десять они сидели за столиком еще пустого, по раннему вечернему времени, блюз-бара — симпатичного, обшитого по стенам и стойке светлым деревом.

Несмотря на протесты старушки, Вера заказала чай с целой россыпью мелких печений и вафель... Лидия Вениаминовна поминутно принималась плакать, вздыхать и извиняться «за такую слабость».

— Господи, как я счастлива, что хоть кто-то из Щегловых!.. Мы с мамой эвакуировались в Уфу... и я была уверена, что и Катя и Саша... Значит, они выжили!

— Саша погиб где-то на пересылке, в сорок девятом, — сказала Вера...

— Какое несчастье! Какая усмешка судьбы: выжить в блокаде... и погибнуть в сталинской мясорубке... — она высморкалась, проговорила уже спокойней: — Если б вы знали, Вера, из какой замечательной семьи вы произошли! Мы жили в одной квартире много лет и так дружили, так дружили! Все эти анекдоты про коммунальные склоки... это было не про нас! Мы были буквально как родственники!.. Саша, страдалец... когда началась война, он работал электриком в эвакогоспитале, который тогда располагался в здании текстильного института... И вот, когда наступила чудовищная зима сорок второго и в городе каждый день умирало до десяти тысяч человек... к Сашиной работе прибавился еще и этот крест: надо было сжигать трупы, чтобы не было эпидемии... И в этом же здании, в подвале, где у них бомбоубежище, там и стены были из такого хорошего бетона, он выдерживал температурные нагрузки... Ну, так Саша и еще двое медбратьев уничтожали трупы. К ним люди свозили своих мертвецов... кто на санках, кто волоком, кто как... И Саша с ребятами перетаскивали десятки, сотни трупов, клали «колодцем» и забрасывали противотанковыми бутылками с горючей смесью... Не знаю — кто потом занимался этими обгоревшими останками... В общем, это был такой кошмар!.. Бедный мальчик... Он, Саша, так замечательно рисовал, и был очень, очень нежным, чувствительным... и больным мальчиком, — вы же знаете, он страдал эпилепсией... Так странно: Володя, старший, Наташин сынок, — тот был покрепче и поздоровее, а умер чуть ли не первым. А вот Саша... Да... Но вот Саше-то и досталось сжигать и Володю, и Наташеньку, и маму с папой...

Вера слушала, опустив глаза... Зазвонил мобильник, она выхватила его из кармана и взглянула на экран: Лёня!.. Проговорила отрывисто: — Позже позвоню! — и отключила телефон. Достала сигарету из пачки, судорожно закурила.

— Вы не против, Лидия Вениаминовна, я закажу себе что-нибудь выпить?

— Пожалуйста, пожалуйста!

Вера подозвала официантку, сделала заказ...

— Какая чудесная была семья! — качала головой старуха. — Дружная такая, знаете... добропорядочная, с традициями... Наташа была удивительная рукодельница, от бога... А Семен Михайлович, тот вообще, — и языки знал, и пейзажи такие писал, что одно удовольствие на стену повесить... Всю жизнь на заводе проработал, — эх, Вера! — не свою он прожил жизнь... А скажите... Катя... она жива сейчас?

Официантка принесла рюмку коньяку, Вера отпила глоток... Мучительная пауза все длилась...

— Нет... — наконец сказала она... — Мама... умерла...

— О господи, какая жалость, как настигает блокада!.. А ведь Катя была лет на десять моложе меня, — такая светлая чудесная девочка! Ручки у нее были просто золотые! И Наташа, тетка, многому успела ее научить — понимаете, Катя была единственная девочка в семье. И страшно талантливая к искусствам! Я до сих пор помню, какие наряды она шила куклам, какие одеяльца, покрывала, какие вязала салфеточки! Все... кукольное, но как настоящее! И неизменно — милая улыбка навстречу: «Лидуся, тебе помочь?»

Вот она у меня прямо перед глазами! Помню, перед войной, на Первое мая — это Катин день рождения, вы же знаете, — подумайте, и ведь я помню! — они всей семьей поехали на лодках кататься, на острова... Она выбежала на кухню — похвастаться: какой бантик, какая юбочка, а носочки! Всё новенькое, всё — подарки! «Лидуся, я — самая красивая!»... Глазки ясные, лукавые такие, чуть раскосые, мило кошачьи... — «Да-да, Катюша, ты — самая красивая!»... Боже мой, все помню, как будто не прошло и трех дней!.. А скажите... какую жизнь она прожила?

— Мама... — Вера помедлила, подняла на старуху глаза... тряхнула головой, как просыпаясь. — Мама... хорошую жизнь прожила! Хорошую честную жизнь...

— Чем она занималась?

— Она... понимаете... — Вера сцепила на столе руки, разняла их, стала разглаживать скатерть простертыми ладонями... —

Она работала в театре!.. Да, она была... завцехом там, у нас, в театре Горького...

Лидия Вениаминовна внимательно слушала, не отрывая глаз от Вериного лица. И та не отвела взгляда, улыбнулась, вздохнула освобожденно. Дело было не в матери, бог с ней совсем, дело было в этой вот чудесной старушке, которая берегла лица, даты, приметы своей молодости, не растрясла их по эвакуациям-городам, а скопила и пронесла. И только поэтому Вера чувствовала в ней родню, настоящую родню! Как могла она лишить ее хотя бы одного, милого ей, призрака?

— ...Без мамы, знаете... просто ни один режиссер... ни один спектакль... Ведь на производственных цехах, на бутафорах, на пошивочном цехе — всегда колоссальная нагрузка! — Веру уже несло по таким вольным просторам, по таким небесам, что остановиться было невозможно... Какое счастье, что в юности Стасик таскал ее по репетициям, по пыльным примерочным, по пьянкам своих приятелей, актеров-режиссеров... Да и в институте эти два потока, театральный и художественный, часто соприкасались... И Сегеди, Евгений Петрович, покойный граф Сегеди, лаборант на театральной кафедре, много рассказывал о кулисах театра, так как в молодости играл в какой-то полулюбительской труппе.

— Только ее энергия и ее опыт спасали на премьере спектакль! Премьера, это ведь вообще — сумасшедший дом! Роли еще нетвердые, свет поставлен накануне, декорации сбиты на живульку... Маму все актеры — просто обожали!.. А уж художник по костюмам, и даже главный режиссер... очень, очень часто просили ее совета... Да она сама потрясающие костюмы шила!.. Понимаете, мама очень остро чувствовала характер роли... Может быть потому, что и сама была одаренной актрисой по натуре... Она же вообще страшно талантливая: вкус изумительный, фантазия, творческое воображение!

Запрокинув голову, Вера влила в рот оставшийся коньяк... взглянула на Лидию Вениаминовну и — вдруг поняла, что все, что она тут плела — это правда, правда, и все это произошло бы с матерью, непременно случилось бы, если б не блокада, не война... не гибель Саши... не искореженная ее, несчастная, одинокая рысья душа...

Она судорожно перевела дух и тихо проговорила:

— ...Да, ей не повезло сначала в молодости, с моим отцом... Но потом она встретила прекрасного человека, дядю Мишу, и прожила с ним в любви всю жизнь...

Ну, вот... выдохлась... вынула душу... но все еще любовалась судьбой, какой наградила мать — изящной, талантливо скроенной, опрятной судьбой, с лучистой искоркой на отливе... Вдруг поняла, что выстроила композицию этой судьбы, как композиции картин строила.

Взялась рукой за щеку и ощутила влагу...

Лидия Вениаминовна тоже плакала, улыбалась, кивала... Вытирала платочком глаза.

Опять зазвонил мобильник у Веры в кармане, и по одному только «да», Лёня уже забрасывал ее своими: «Почему ты гундосишь? Да что произошло? Где ты?!»

Он звонил уже из аэропорта; с минуты на минуту должен был приземлиться самолет из Нью-Йорка. Надо бы срочно ехать домой, настрогать лук и морковь на плов, замочить рис... Сегодня она собиралась встретить гостей узбекским пловом, — благо, проезжие ташкентцы привезли недавно и барбариса, и зиры.

Лидия Вениаминовна поднялась и оперлась на палку...

— Вера, дорогая вы моя... Спасибо, что подарили эти бесценные полчаса... И еще: я сразу поняла, что вы должны быть из моих Щегловых, хотя совсем на мать не похожи. Наследственность не водица, знаете, я биолог, так что верьте на слово... И то, что о Кате рассказали, — очень дорогой вы мне сделали подарок. Жизнь-то, она на исходе... Сейчас уже целыми днями перебираю ее, перебираю... А вы — настоящий художник, так и знайте. Потому что ваши картины сотрясают душу, взывают к ней: есть ты, душа, или нет тебя? И я, родной вы мой человек, — желаю вам на этом поприще счастья!

Она помедлила... уже повернулась, чтобы идти, но вдруг остановилась и сделала к столику два трудных шага:

— Вы только знайте, Вера... Наверное, сейчас уже можно сказать... наверное, уже не имеет значения... — так все поменялось!.. — но вы знайте, что никакая вы не Щеглова!

— А я фамилии отца никогда у мамы не спрашивала... — пробормотала Вера.

— Ах, да при чем тут отец, не знаю я никаких ваших семейных дел... Я о матери вашей. Никакая вы, Вера, не Щеглова, и она не Щеглова!..

— А... кто?.. — растерянно спросила Вера.

— Вы — Введенская... Дядя Семен признался перед смертью моей маме. Уже не вставал... а мы дружили очень, знаете... Так вот, он признался, что не Щеглов он, это шофера его звали Щеглов, он и взял документы, когда тот умер... — Она глубоко вздохнула, лицо ее пошло красными пятнами: — Ну, слава богу, решилась! Освободилась наконец, слава богу!.. Столько лет в себе носила!.. До последнего не знала, когда шла, — скажу, или не скажу...

— Но... как же это... з-зачем?

— Как это зачем, боже мой, вы еще спрашиваете! Введенские — род известный, дворянский... У них в Москве, в Камергерском, свой дом был, выезд, имение под Орлом!.. Он все маме рассказал, хотел, чтобы его под своей фамилией похоронили... Такая наивность, боже!.. Сожгли как всех, без всяких фамилий, собственный сын и сжег, в подвале эвакогоспиталя...

— Подождите... — Вера поднялась, ощущая дурноту... села опять... Стала, как слепая, шарить по столу, собирая в сумку сигареты, кошелек... — Подождите, я не...

— Понимаете, они после революции в Крым бежали, как многие... — торопливо, стоя полубоком, как бы на прощание договаривая несущественное, продолжала Лидия Вениаминовна, — а оттуда уже не смогли, не получилось: он тифом заболел, заразился от своего шофера... Дядя Семен выжил, а шофер умер... Щеглов... Ну, он его документы взял и уже в Петрограде сумел как-то сестре Наташе поменять фамилию, тоже на Щег- лову... И вот, всю жизнь... на заводе, на заводе... И чтобы никто не знал, что иностранные языки... и чтобы никакие не пейзажи... А ведь он в юности с известными художниками дружил, о нем высоко отзывался...

Лидия Вениаминовна еще что-то говорила... Вера сидела, опершись локтями о столик, кивала, оглушенная...

И потом, когда старуха ушла, все сидела, курила, крутила в пальцах пустую рюмку из-под коньяка...

Вдруг зазвучала музыка...

Вера подняла голову и увидела, что сидит так уже давно, что за стеклянными дверьми бара синеют сумерки... Отсюда видны были растущие через дорогу три, совершенно разных по цвету листвы, дерева — желтое, красноватое и пунцовое.

На маленькой эстраде певица, полная негритянка в блестя- щем наряде, открывающем ее пышные плечи, разминалась: подтанцовывала, поводила руками, как бы подгоняя музыкаль- ное вступление, которое любовно выдувал трубач, смешной то- щий черный паренек, и пробрасывал по клавиатуре пианист — тоже смешной, пожилой крахмальнобородый альбинос в розо- вой рубахе...

Буквально с первых тактов Вера узнала мелодию. Это бы- ла та песня, из ее детства! Та музыка, что неслась из-за огра- ды по звездному мосту теплой азиатской ночи прямо в окно больницы, где девочка-подросток, вскарабкавшись на подо- конник и прижав лицо к решетке, слушала ее со счастливым волнением: веселый, притоптывающий, вихляющий задом бродяга шел себе по улице, останавливаясь и отчебучивая за- дорный степ.

Когда-то в юности она пыталась напеть эту мелодию Лёне, который в Ташкенте мог достать любую пластинку из-под земли и пытался понять — что она хочет, — насвистывая то один, то другой мотив и спрашивая: «Вот этот? нет? может, этот?» Но у нее был плохой музыкальный слух, и все объяснения ни к чему не приводили...

Да, это была та самая музыка, только сейчас Вера понимала — *про что* она...

> Хватай свой плащ, свою кепку,
> Оставь свои печали у порога...
> Жизнь может быть так сладка
> На солнечной стороне улицы!

Эта негритянка хорошо, замечательно хорошо пела: тело ее было в таком ладу с музыкой, жило в ней, двигалось: повороты головы, кивки, движения плеч, бедер и рук создавали свой ритмичный узор, перекликавшийся с музыкой множеством невидимых, но ощутимых связей.

И тощий черный трубач наяривал так искренне, так упоенно! И пианист, старик-альбинос в розовой атласной рубахе, в каких ходили по Ташкенту узбекские юноши из кишлаков, — улыбаясь розовыми атласными глазами, мягко касался клавиатуры и замирал, и снова припадал к ней!

И за веселым беспечным бродягой шли они, — Вера с дядей Мишей-бедоносцем, — просто шли по летнему зною ташкентской улочки, едва поспевая за Стасиком, куда-то устремленным на своих сильных красивых ногах; они шли и щурились от солнца, а за ними, приплясывая и напевая, стекались с тротуаров и из переулков все люди ее детства, юности, ее картин...

Вера отодвинула пустую рюмку и подозвала официанта...

Небольшой зал блюз-бара был почти полон посетителями, за стойкой сидели на всех стульях...

Она поднялась, взяла плащ и пошла к выходу. В дверях обернулась.

Там, на сцене, закончился музыкальный проигрыш, и вновь вступила озорная полная певица, столь непохожая на степенных певиц ее детства в фойе ташкентских кинотеатров:

> И даже если б я не заработал ни цента,
> Я был бы все-таки богат, как Рокфеллер,
> Ведь столько золотого песка у моих ног,
> На солнечной стороне улицы!

...На мостовой крутились на ветру золотые и пунцовые листья здешнего «индейского лета» — прекрасной осени, немного декоративной, но чем-то все же похожей на осень в ее родном городе... Повсюду — в палисадниках, на балконах, на ступенях домов, за окнами и в витринах уже выставляли соломенных дерюжных кукол, гномов и разных других устрашающих персонажей к празднику Хэллоуин... А скоро, ко Дню благодарения, весь город покроется яркими мазками резных оранжевых тыкв.

Все это было так далеко от покинутой ею жизни... И только музыка знаменитого блюза, когда-то в детстве лизнувшая ее сердце, как верный пес, догоняла ее по тротуару:

> Ох, я был бы богат, как Рокфеллер,
> ведь у ног моих
> горы золотого песка! —
> На солнечной...
> на солнечной ... а-а-ах! — на солнечной стороне
> улицы!..

36

Она шла по коридору онкологического отделения бывшей шестнадцатой горбольницы, ныне же вполне современного, следовательно, вполне дорогостоящего Республиканского Центра экстренной медицины, отсчитывая номера палат... Эта!.. Нет, следующая...

Уже поговорив с врачом, Вера приблизительно представляла, в каком виде застанет сейчас мать. Главное, та в сознании. Доктор Арутюнян так и сказал — сознание сохранное...

Всю дорогу в самолете до Москвы и от Москвы до Ташкента она раздумывала о встрече на выставке, о знаке, который подала ей судьба. И о том разговоре ночью, после очаровательного — и мучительного для нее — вечера с друзьями, милой болтовни, музыки (Наташа играла из новой программы несколько «Прелюдов» Шопена и это было прекрасно — можно было закрыть глаза и молчать, перебирая слова недавней встречи), — когда, дождавшись, чтобы гости угомонились в своей комнате, Лёня вошел в спальню, плотно и бесшумно прикрыл дверь и, бросившись рядом на кровать, развернул ее к себе:

— Ну?! Что стряслось?

Знал, что не спит.

Она сказала:

— Мне нужно съездить в Ташкент.

— Ни за что!

— Лёня...

— Я не знаю такого города!

— Послушай... ну... послушай же... — качнула головой, высвобождая лицо из его ладоней... — Мне необходимо повидаться с матерью...

— По-ви-даться?! — Он расхохотался.... — Воображаю это милое свидание!

Тогда она села, подоткнула подушку за спину и все ему рассказала, — тихо, сосредоточенно, монотонно раскачиваясь, — все, от начала до конца... Он молчал... Потом поднялся, принялся расхаживать, растирая ладони, словно разогревая их, — как всегда, когда волновался, — будто только что отстоял вахту на морозе.

— Ну, хорошо!.. — наконец проговорил он. — Но я ведь сейчас не могу ехать с тобой... И потом, ты даже не знаешь, жива ли она! И вообще... — сколько лет ты с ней не виделась?

— Какая разница... — Вера усмехнулась, вспоминая их последнюю с матерью встречу, в подъезде... Сейчас казалось, что это было пятьдесят лет назад... — Пойми, это нужно — мне. Оказывается, у нее день рождения первого мая... А я никогда не знала... Я сегодня ее в разговоре так легко и почтенно похоронила... Ты не находишь, что я вообще как-то легко хороню людей?

Лёня хмыкнул не без ехидства, стягивая через голову свитер со спины, и ушел в ванную, включил там воду... Негромко сказал оттуда:

— А мне-то, мне-то как везет: то баронесса, то русская дворянка... Ты, случаем, не вышлешь меня в черту оседлости?

Было слышно, как тихо льется вода, шуршит зубная щетка, как он полощет рот...

Она вспомнила, как поначалу тосковала по себе в этом огромном городе, в этом большом доме, маялась, искала что-то, словно давно зарыла здесь клад и забыла — где... Никак не могла привыкнуть к роли хозяйки и спрашивала Лёню — можно ли взять в холодильнике сок, а он от этого сатанел и однажды даже выматерился. Вспомнила, как в одну из ураганных ночей проснулась от воющего в патио ветра и увидела, что он тоже не спит, и заплакала, и он тихо обнял ее, не говоря ни слова, терпеливо пережидая, когда успокоится сама. Тогда она спросила его:

— Эта наша история... это — «Золушка»?

Он ответил:

— Нет, это — «Три поросенка», только третьему и дом удалось выстроить, и серого волка в него затащить ...

...Ужасно не хотелось уезжать...

...Вот она, направо...

В большой палате стояло шесть коек, и у окна, на крайней, лежала мать, хотя опознать ее сейчас было трудно: почти незнакомая старуха. Она спала или лежала с закрытыми глазами.

Вера села на стул рядом с кроватью и изучающе уставилась на обтянутое кожей темное лицо, обнажившее прежде незаметные монгольские черты...

Вера ничего не чувствовала... Мать уже несколько недель назад, сказал доктор Арутюнян, исчерпала все мыслимые сроки...

Сначала Вера боялась, что не отыщет мать — ведь она так ни разу и не бывала у той, знала лишь, что живет она где-то на Домбрабаде... Но в первый же день после приезда догадалась зайти к Сергею, которого тоже не видела много лет. Дядя Валя-то умер давно, еще в восемьдесят шестом, после двух инсультов, — Вера тогда уже была в Германии, — а Сергей с Наташей и двумя девочками так и жили в центре, на «Ц-5», в двухкомнатной квартире, которую дядя Валя получил после землетрясения, когда его халупа треснула, как орех, и месяца три он подпирал ее бревнами и подмазывал глиной.

Серега в темноте прихожей сначала не узнал ее, потом ахнул, втащил в дом и прижал к своему брюху, довольно безобразному.

— Мыша-а-асты-и-ий! — проорал он. — Елки зеленые, Верка, — как живая!

И еще минут десять не мог прийти в себя, снова набрасывался, обнимал и разговаривал слишком громко: — «Красивая, елки, такая иностранная, блин, молодая!» — как позже объяснил, «приглох» по наследству — отец тоже под старость стал как пень.

В доме оказалась только старшая дочь — крепенькая, в Наташку, девушка лет двадцати. Она и сварганила им стол буквально за несколько минут, и очень кстати — Вера не завтракала в гостинице, как-то не хотелось, а тут, у Сереги на кухне, с удовольствием попробовала всего. Наташка всегда была отличной хозяйкой.

И вот тут-то все и выяснилось в мгновение ока.

— Ну? — спросил Сергей, посерьезнев. — Ты-то приехала — с матерью прощаться?

Вера так и осталась сидеть с кружком огурца на вилке.

— Откуда ты знаешь?

— Нет, это ты откуда узнала, что она на последних днях?..

И дальше уже говорил только он, рассказывал, как в последние годы, когда заболел дядя Валя, мать как-то прибилась к ним, стала ходить за старичиной, даже когда тот совсем беспамятный лежал после инсульта... Помогала с детьми, и вообще, присмирела, — знаешь, видно, любой человек под старость хочет приютиться к кому-то... В последние годы в ателье Дома быта подрабатывала — тут, рядом... починка-ремонт одежды... то, другое... Хотя и на большее была способна — вот, Наташке и девочкам шила шикарные шмотки... — Серега от избытка чувств говорил — «щикарные!»...

— Ну, вот, так и получилось, что когда она сама слегла... Наташа моя встала на вахту... Приняла, значит, эстафету... А ты, Верка, — в гостинице, что ль? Ну, ты обижа-а-ешь! Давай, к нам перебирайся, — вот, похороним мать по-человечески, я тебя повезу на Чимган, за Брич-Муллу... Ты там сколько лет не была? У меня «Москвич» старенький, но еще фурычит... Там, у вас, в Германии, хрен ты такие красоты увидишь...

— Я не в Германии, Серый. Я уже полгода в Америке...

Тот, видно, не расслышал. Наклонился к ней, дохнул тяжелым запахом — зубы ему не мешало подлечить, и шепотом сказал:

— Мышастый, мать-то мы в лучшую клинику положили, ты не думай. И, знаешь что, — у нее дене-е-ег... до хрена! Прямо уж не знаю — откуда, но, подозреваю — не-ме-ря-но! Это я чтоб ты знала. Учти, все — тебе, даже и не думай! Я сейчас вспоминаю, как ты всю жизнь тут бедовала... как мой отец, добрая душа, тебя подкармливал... Худющая, бродячая... как бездомная собака!.. — Вдруг он скривился, всхлипнул... Вера удивленно и растроганно подалась к нему: неужто всплакнул, Серый? Постарел, бедняга...

— Ну, брось... — мягко проговорила она, обнимая его за плечо. — Ты еще вспомни, как научил меня курить в пятнадцать лет...

— Пап, надел бы ты рубашку, — сказала дочь, — сидишь распустехой...

...Мать вдруг качнула головой и открыла глаза. Минуты три смотрела на дочь безо всякого выражения, так что Вера даже усомнилась в словах доктора. И вдруг слабым, но ясным голосом сказала:

— Ты что?.. Чего ты? Явилась...

Ну, что ей сказать на это?

— Явилась привет передать. Лидусю помнишь, — соседку? На Васильевском...

Мать помолчала, и таким же ясным слабым голосом сказала:

— Нет. Не помню... что за соседка... Ты, Верка, всегда дурноватая была...

Вера собралась уже подняться и уйти отсюда, не понимая — что за блажь пришла ей в голову — мчаться в Ташкент за каким-то разговором, которого просто не может произойти.

— Вот, подыхаю... — вдруг сказала мать... — Давно пора... должна была... вместе со всеми, тогда... С мамой, папой... С Володей... Сашей... Если б тогда померла, я бы в рай попала...

— Ну вот, видишь... Рай! А говоришь, что Лидусю не помнишь...

Мать опять качнула головой на подушке, проговорила:

— Лидуся... добрая была...

Вера наклонилась к ней, взглядом мгновенно охватывая, от-печатывая в себе эти сухие морщины, обтянутый кожей острый подбородок, круглые мослы монгольских скул... Под простыней лежало тело, в котором она, Вера, была кем-то случайно зача-та и чудом не выкинута на помойку...

— Ната-ашка хо-одит... — тяжело протянула, как просто-нала, мать... — Наташка хорошая... Циля тоже хорошая... только давно... и Хадича, узбечка... дала мне молока...

Боже, подумала Вера, всю жизнь барахтаясь в пучине зла и вражды, алчности и преступления, сейчас, на пороге смер-ти, эта нищая перебирает крохи доброты, которые ей пере-пали...

— Мама... — проговорила она. — Я приехала повидаться и... попрощаться с тобой... Давай простим друг другу все.

— Ты богатая? — спросила мать.

Вера выпрямилась... Окинула взглядом высохшее, почти детское — под простыней — тело.

— Я не нуждаюсь...

— Тогда... — мать показала глазами на тумбочку, где в ли-тровой банке стояла вода, а рядом пиала с надбитым краем. Быстро наклонив банку, Вера налила воды, приподняла голову матери, поднесла пиалу ко рту. Та отпила немного...

— Тогда... я деньги и квартиру Наташке с Серегой заве-щаю...

— Конечно! — отозвалась дочь и подумала — артистка, артистка до мозга костей, до последнего вздоха... Играется сцена «кончина справедливой матери».

— У меня денег много... — говорила мать с одышкой... — Я собирала, собирала... Мне было все равно — на чем их де-лать... А сейчас все время думаю — для чего?.. Вспоминаю раз-ных людей... Это ужасные деньги... Они давят... вот сюда, на грудь...

— Ты, наверное, устала... — сказала Вера... — Я сейчас уже пойду...

— Подожди! — с неожиданным напором проговорила мать и, словно исчерпала этим возгласом все силы, опять закрыла глаза...

Лежала так минут пять... Вера терпеливо сидела рядом, ждала, на тот случай, если мать снова заговорит. И та заговорила...

— Я подохну... хорошо, пусть... так и надо... правильно... Вокруг меня было только зло, грязь... обман... и... я была совсем одна... Я всех ненавидела, всех... не было сил жить как человек... Я сама стала злом... Я, Верка, людей убивала... Я отомстила кое-кому, отомстила... Машу помнишь? Я ее в трамвае узнала... Столько лет мечтала... — вот, встречу — задушу своими руками... а тут так повезло... И я за ней до самого дома... я...

— Ну ладно, мама! — в сердцах воскликнула Вера, превозмогая в себе желание броситься отсюда, от этой койки, от этих кошмарных откровений куда-нибудь прочь, на воздух... — Ты эту исповедь прибереги уже для другого судьи...

— Нет, подожди! Я вот что... Я всегда хотела тебя спросить... — мать переждала спазм в горле, икнула, глубоко задышала, словно освобождаясь... и облизнула губы...

— Хотела спросить: еще когда ты маленькая... ты была другая... ты с детства хотела быть другой... К тебе зло не прилипало... Ты просто... в другую сторону смотрела. Почему? Как ты это поняла? Почему ты стала... другой?.. Я тут все думаю — может, имя держало? Федя тогда назвал... сказал — вера держит... над грязью... А? Да? Значит, правда? Почему у тебя... откуда... были силы?

Вера продолжала разглядывать неживое, иссушенное тоскливой смертью лицо на подушке, и думала, что вот только сейчас мать и начнет жить по-хорошему... Она уже видела картины, которые напишет, — где хорошая, добрая мать будет шить театральные костюмы, любить весь мир и до самой старости жить с дядей Мишей в любви и счастье...

Но, зная, что обречена помнить этот разговор всю оставшуюся жизнь и что нельзя сейчас произнести ни одного слова пустопорожней жалости, она сказала просто:

— Я ведь художник, мама...

| Эпилог |

...во внезапной вспышке сходятся не только прошлое и настоящее, но и будущее — ваша книга, то есть воспринимается весь круг времени целиком — иначе говоря, времени больше нет...

В. Набоков.
Искусство литературы и здравый смысл

Когда я уезжаю куда-нибудь в предвкушении приятной поездки или возвращаюсь из удачного путешествия, всем существом стремясь скорее оказаться дома... — как странен миг слияния с местом обитания, — какая жалобная накатывает тоска, как мечется блуждающая во времени и пространстве душа, сопровождая странствующее тело!..

Но если верно, что душа бессмертна, и если наша жизнь — всего лишь прогулка, а тело мое мне выдано пройтись... — откуда этот стон гуляющей души? Не глянутся окрестности? Не нравится прикид? Жмут галоши счастья?.. Так сбрось их, черт возьми, сбрось эту ветошь, эту опостылевшую земную скорлупу, и гуляй себе, раскручивай небесную рулетку дальше, дальше...

Как налево пойдешь, как направо пойдешь...

Нет, — стонет, тоскует, мечется и тяжело дышит душа: ей жаль этих рук, морщинок у этих глаз, и этих глаз самих, которые, ей-богу же, были весьма хороши совсем недавно, вчера — каких-нибудь лет двадцать пять назад!

Почему я следовала за этими судьбами, что мне в них? Что мне в этой девочке с пристальным взглядом глубоких глаз, что мне в искалеченной судьбе ее матери? — ведь сколько их, этих искалеченных судеб, да и, — положа руку на сердце, — вы знаете судьбы иные?

* * *

Не так давно я встретила ее на одной вечеринке в Нью-Йорке.

Шел второй час ночи...

На столе, среди прочего, стояло несколько предметов из венецианского стекла: узкогорлая и широкобедрая ваза с колпачком в форме языка пламени, рюмка на витой высокой ножке с чашей, вывернутой наружу неровными лепестками краев... и бокал непрозрачного стекла, того самого, мурано, — расцветкой напоминающего развернутый веером павлиний хвост...

Играла музыка — «Времена года» Вивальди... — начало первого, ми-мажорного концерта, с солирующей violino principale, когда перед глазами у меня возникает обычно освещенная летним солнцем набережная венецианской лагуны с золотым кружевом собора, величественные аркады Прокураций и лицо моей дочери во время поездки в Венецию, подаренной ей на восемнадцатилетие...

Все это непостижимым образом соединялось и сливалось сквозь воронку мгновения в прозрачную и сладчайшую каплю нектара, что набухает и стремится к вечной поверхности.

...Из этой сладчайшей капли выползла нагретая закатным солнцем улочка в летнем Гурзуфе, и мы с сестрой, идущие по улочке в зал кинотеатра, на концерт студенческого оркестра... И когда покатилось, фанфарно притоптывая, разворачиваясь в шпалеры, начало ми-мажорного концерта «Времен года» Вивальди, в распахнутые двери зала влетела огромная бабочка-капустница... До конца первой части она плескалась в цветных струях музыки — над альтами, виолончелями, скрипками и чембало.

В перерыве музыканты ушли за сцену, а инструменты, три виолончели, были прислонены к стульям: три виолончели, три одалиски — одна бордовая, другая медовая, а третья — цвета чечевицы...

И — в который раз! — я выпала из времени, угодила в расщелину, где медленно клубился бесшумный туман, из которого выплывали то лебединый гриф на мужском плече, то белая грудь артиста с бабочкой-удавкой, то мучительное *вибрато* кисти.

А позади плывущих виолончелей покачивался, поводя плечами, толстяк-контрабас...

* * *

Так вот, я сидела на диване в огромной нью-йоркской квартире на Манхэттене, не слишком оглядываясь по сторонам, тем более что большинство гостей уже разъехалось, а мне предстояло тут ночевать, я была заморская гостья, и медленно думала — что со мной? И не потеряла ведь я никого, и не любила никого под этой скрипичной ивой. Почему именно эта музыка гонится за мною и тончайшей сеткой-сачком прихлопывает меня в момент покоя и расслабления? Отзовется ли она во мне в будущей жизни? Или сопровождала в прошлой? Что мне этим хотят сказать, какой подать знак — там, где на мгновение выдают нам земную одежку для прогулки?..

В эту минуту в двери показалась новая фигура, какая-то женщина — высокая, тонкая, со светлыми волнистыми волосами до плеч.

Я не сразу ее опознала именно из-за этого, нового для меня, цвета ее волос.

Она была очень будично одета: джинсы, рубашка с расстегнутым воротом, — как будто только что явилась из Ташкента семидесятых годов... Вот только обувь была хороша: светло-серые туфли фирмы «Хоган», на низком каблуке, — видать, ее научили все же покупать обувь отменного качества...

Несколько мгновений я следила, как передвигается она по комнате, кого-то приобнимает, с кем-то перебрасывается двумя словами, одновременно наливая себе в бокал «Амаретто» все для того же, не самого изысканного, коктейля, который я придумала для нее в середине романа, — вернее, выудила в Интернете, поскольку ни черта в этом не смыслю.

Минуты две она пропадала на кухне, обшаривая холодильник в поисках сливок для коктейля.

— Почему она так молодо выглядит? — спросила я у кого-то рядом, не ожидая ответа... Ведь ей уже... мы ведь ровесницы? Да нет, она старше. Старше!..

Она плюхнулась на диван рядом со мной, задрав ногу на ногу, — очевидно, вполне свободно чувствуя себя в этом доме. Отпила из бокала и поставила его на пол. Минуты две отстраненно наблюдала за молодой парой, сведенной объятием под такую неподходящую для танцев музыку... и вдруг уснула, откинув голову на спинку дивана... Я продолжала рассматривать ее, не стесненная приличиями...

Ее внешность вошла в прекрасную пору абсолютной, исчерпывающей полноты образа, когда лицо выражает покой и свободу от смятений молодости, от стремления непременно успеть и обязательно настигнуть... То золотое сечение возраста, краткий миг благоденствия, когда ты в ладу со временем, собственным телом и собственным лицом...

Изящный кулон-часики на ее шее — явно антикварная вещь — проблескивали бриллиантовой слезой на вдохе поднимавшейся груди, никак не сочетаясь со свободной «художнической» рубашкой, но она, видимо, этот кулон никогда и не снимала...

Вдруг я обнаружила, что мы с ней сидим в одной позе, задрав ногу на ногу, и даже одинаково свесив с дивана руки. В какой-то момент почудилось, что мы — две фигурки, слепленные из одного куска глины.

Так в детстве отщипываешь недостающий кусок от соседнего гуляя и прилепляешь к своему... Но ведь, подумала я сразу, мы и вправду слеплены из одного воздуха, одно-

го солнца, воды и глины... — мы, дети нашего детства, нашего города. И разве и я, и она — не тасуем всю жизнь одни и те же магические знаки: дерево, глина, солнце, вода... вода, дерево, глина, солнце? — стараясь воспроизвести свои миры из одних и тех же элементов, которыми насытились наши души и тела в самом начале жизни? Не знаю, как она, а я-то в своем деле до конца уже обречена перебирать все те же знаки, надеясь выстроить из них новую последовательность... Вот и сижу, с закрытыми глазами нащупывая, передвигая, тасуя невидимые карты, шепча все то же, все то же:

— Дерево... солнце... глина... вода... Вода... дерево... глина... солнце... Солнце... солнце... солнце...

Минут через пять она проснулась и повернула ко мне голову.

Довольно долго мы смотрели в глаза друг другу... Она сонно и спокойно; я — с любопытством.

— ...Мы ведь встречались прежде? — спросила она наконец... — В... Иерусалиме?

— ...и в Иерусалиме... — сказала я.

Странно, как она никогда не могла меня запомнить! Это она-то, со своей поразительной, профессиональной памятью на лица, детали, цвет... В который раз это меня задело: да что я, в конце концов, была для нее прозрачной — вроде того, как высшие силы, по воле которых вершатся наши судьбы, невидимы нашему глазу?

И, может быть в отместку, я произнесла:

— Я ваш автор.

— Вы издаетесь в «Абрамс»?

В то время издательство «Abrams Harry N. Abrams» готовило к изданию книгу по современному искусству, где некий раздел был посвящен и ее творчеству, с репродукциями картин, — в связи с чем, вероятно, она и оказалась в Нью-Йорке.

— Да нет... Ваш автор — в том смысле, что сочиняю о вас книгу! Роман...

Она хмыкнула, подняла брови, тряхнула головой, окончательно просыпаясь. Нахмурилась:

— Забавно... Да... как вы смеете?!.. Что, собственно, вы... — но вдруг рассмеялась и проговорила:

— Ну и черт с вами!

Опустив руку, нащупала на полу свой бокал, подняла, отпила глоток.

— Так где ж я нахожусь в данный момент? — спросила она. — В данный момент, в вашем романе. В финале?

— Еще не знаю, — сказала я. — Возможно...

И мы почти синхронно подняли свои бокалы.

— «Прощай же, книга...»? — усмехнувшись, спросила она...

— Ну, почему же, — возразила я...

На мгновение меня коснулась мысль, вполне банальная, с давних пор ужасавшая не одного писателя: а вдруг это не я пишу о ней книгу, а она — обо мне? Вдруг не она — мой вымысел, а я — ее? И несколько секунд с тайным страхом я вглядывалась в ее насмешливое лицо...

Но вовремя опомнилась и перевела дух: она была возмутительно молода. Она не старела, — то есть обладала классической привилегией литературного героя, его преимуществом перед автором — вполне смертной особью с камнями в желчном пузыре и астмой, усугубляющейся с годами.

— Ну почему же, — повторила я мягко. — Книга только еще пишется...

* * *

Однажды, не так давно, когда я поняла, что забыла все, совсем, помню лишь названия двух-трех улиц (давно уже переименованных), я попросила отца нарисовать план Ташкента по памяти.

Меня заботит тающая вещественность, скудеющая плотность мира, которая позволяет если не останавливать время, то хоть немного тормозить его скользящий гон.

Мой отец — художник, у него профессиональная визуальная память и прекрасное чувство ориентации в пространстве. Довольно быстро, по ходу роняя названия, он набросал карандашом паутинки улиц, обвел кружочки площадей, в центре поместил большой овал — Сквер Революции.

С тех пор каждого знакомого ташкентца я просила рисовать по памяти план города.

И каждый рисовал нечто совершенно отличное от реально существовавшей карты.

Что это значит? Страшно подумать! Что каждый жил в каком-то своем городе? В каком-то своем, вымышленном, нереальном городе? Так может быть, его вообще никогда не существовало?

* * *

Двадцать лет спустя после отъезда я оказалась в Ташкенте по служебным делам.

Как и предполагала, с первых же минут, уже в аэропорту, пахнула мне в лицо застылая в воздухе отчужденность. Из огромного мира Города, моего города — с разноликими толпами родственников, друзей, приятелей, соседей, соучеников, знакомых и еле знакомых, а то и совсем незнакомых, но все-таки известных *через кого-то* людей, — остались несколько человек, застрявших здесь по разным невеселым причинам — так застревает на скале альпинист, угодивший ногой в расщелину.

Переименованные улицы, однообразная монголоидность лиц вокруг, забытое ощущение собственной детской потерянности... Я смутно узнавала какие-то перекрестки, но, как бывает во сне, не могла вспомнить — что здесь со мной происходило, кто здесь жил за углом, и почему так сжалось сердце при взгляде на гигантский платан у ворот того особ-нячка?

Поворачивала за угол и оказывалась в незнакомом месте.

Как в детской игре, когда, завязав глаза, тебя раскручивают до головокружения, до тошноты, затем оставляют, и ты должен нащупать правильную дорогу... Пошатываясь, протягивая неуверенные руки, с завязанными глазами ты идешь на голоса...

— Ты не была еще на Алайском? — спросил меня голос двоюродного брата. — Обязательно пойди. Ты обалдеешь! Дирекция сдала всю территорию немецким фирмам, и те грандиозно все перестроили.

Нет, я туда не пошла. Это была единственная возможность сохранить Алайский базар таким, каким он был, и должен пребывать вовеки — с мастером Хикматом, ремонтирующим старую посуду, с одноногим пьяницей, научившим ворона Илью Ивановича вытаскивать желающим судьбу из корзинки, с чистильщиком обуви айсором Кокнаром и со старухой, разложившей на газете гребешки, пуговицы и старые открытки, — пока мой экипаж, запряженный четверкой безумных лошадей, не перевернется окончательно.

* * *

На третий день я отвязалась от сопровождающих и пустилась сама нащупывать дорогу в город своего детства и юности.

Кстати, цвела сирень — белая и чернильно-фиолетовая.

Я долго шла, влекомая утробным чувством общего направления, — словно кошка, завезенная на глухой полустанок и вываленная там из мешка.

Вдоль местного Бродвея, — в прошлом улицы Карла Маркса, ныне же с длинным непроизносимым названием, — обосновались продавцы всяческой кустарщины для туристов, и — одна из центральных магистралей в прошлом, — из-за пестроты керамики, желтого и красноватого блеска медной утвари, из-за натянутых по обочинам оранжевых брезентовых шатров общепита она сразу приобрела вид барахолки.

Возле одного такого шатра, привязанный за лапу к колышку, бродил вокруг ствола карагача встрепанный ворон, сердито выклевывая что-то в траве. Я долго смотрела на него, превозмогая желание тихо позвать: «Иль-я Ива-но-ви-и-ич!»...

Повсюду праздными группками стояли и что-то обсуждали комсомольского облика молодые люди в галстуках — местная элита.

Я шла бесцельно, как в детстве, глазея по сторонам, ведомая все тем же утробным чувством общего направления... Ощущение родного города — оно возникает спазмами.

Вдруг обнаружилось, что в центре Ташкента все еще можно встретить небольшие пустоши среди одноэтажных улочек под гривастыми платанами и тополями, — пустоши с высокой густой травой, в которой пасутся овцы.

На меня обрушились запахи ташкентских дворов по весне, сдобренные влажной духотой плодородной почвы, нежной и буйной зеленью апреля — кухонные миазмы из окон, запах вывешенного на просушку белья и прелых курпочей и чапанов, запах пасущихся овец и оброненных конских яблок, запахи травы и расцветающих деревьев... Так терпко и сладко пахнет пот любимого...

Я мгновенно ошалела и благодарно заплакала, потому что стала узнавать — не улицы, а мгновения, эпизоды моей — на этих улицах — жизни.

Оказалась на Педагогической и пошла по ней.

По пути выплывали из небытия Хореографическое училище — тяжелое сталинское здание с двумя балеринами улановского облика на барельефе, Окружной дом офицеров и ТЮЗ, в котором я бывала раз двести, но который выпал из моей памяти, как стена дядькиного дома — выпал вместе с площадью и памятником, если не ошибаюсь, Навои. Или Хорезми. Бронзовый, словно аршин проглотивший, худой старик...

А свернув за угол, я увидела, как железная баба рушит старый особняк, — раскачивается и бьет, и бьет в стену дома... Большой кусок кирпичной стены ввалился внутрь, и в проеме густо засинели обои с золотым узором...

Вдруг я поняла, что бывала в этом доме...

Обрывки иностранных слов, произнесенных высокомернолюбезным тоном, закружились в моей памяти, как клочки разорванного письма в водовороте арыка: Зинаида... (отчество? отчество, черт возьми! — Анатольевна?) Антоновна!

Зинаида Антоновна, старуха, из бывших дворян, отсидевшая, разумеется, на всю катушку... жила вот в этом самом доме... Чаепитие по — не вспомнить уже какому — поводу... Ах да, я заходила за нотами! — у нее был «Темперированный клавир» Баха с замечательной аппликатурой, проставленной самим Глазуновым.

В 60-е годы какой-то гость привез ей из Польши фигурку ангела на пробке для винной бутылки. Серебряный ангел, приподняв сутулые крылатые плечи и благочестиво сложив на цыплячьей грудке острые ладошки, понурил мятое серебряное личико. Она говорила — приходите посидеть под ангелом. Пила немного и только с гостями. Время от времени в прихожей звонил телефон, и она беседовала с какими-то своими знакомыми, то на английском, то на французском, то на немецком... И когда опускала трубку, продолжала по инерции говорить со мною на том языке, на котором только что беседовала по телефону...

А неподалеку отсюда жил композитор Козловский, тот, что подобрал раненого аиста в своем саду и вылечил его. Тот больше не мог летать, но целыми днями много лет разгуливал по двору и саду... А когда композитор умер, аист, как траурный часовой, три дня простоял в изголовье гроба, на одной ноге...

Как странно, что столько лет я не вспоминала историю этого ташкентского аиста... И вот, вспомнила... Вспомнила!

...И я поняла, что дошла наконец до высоких невидимых ворот моего города, что воздушные стены его расступились и приняли меня. Воздушные стены исчезнувшего города, в котором мне по-прежнему было хорошо.

То невысокое деревце... деревце — ... дже?.. жи?.. джида! Я даже вспомнила — каковы они на вкус, плоды этого дерева, вернее ягоды — сухие, словно из папье-маше, ворсистые, как бархат.

Та улица, с непроизносимым ныне названием, — она вела к школе, а на крыльце того особнячка всегда сидели два старика. Здесь жил доктор, дантист. Грек. И это было нетипично. У греков принято было шить костюмы, и стричься в их колонии — в Греческом городке. Греки были мастерами, они привнесли нам *западный стиль*. У меня была марка! — как я могла забыть! — «Солидарность с греческой демократией».

Ее мечтал у меня выманить Демос, одноклассник, — лица не помню, помню только недетскую степенность и торжественный строй речи.

— Иисус был грек! — утверждал он.

— Почему? — удивлялись мы все, ибо уверены были, что Иисус, конечно же, был русским.

— Послушай: *Éзус Хрúстос*! — говорил он, подняв палец. — Грек! Кто же еще?!

...Приземистое старое здание кинотеатра «XXX лет комсомола» — здесь играла Комиссаржевская. А жила где-то недалеко, на улице Самаркандской... Каждое поколение смотрело здесь свои фильмы. На долю нашего выпали «Фантомас», «Лимонадный Джо», «Амаркорд» и «Искатели приключений» — как сладко, сквозь слезы, целовалось на последнем ряду, когда эти классные ребята навеки опускали на морское дно тело убитой Летиции в скафандре...

А позже, а выше, над юностью, над любовью — витает поцелуйное словечко «вермут», с липким причмокиванием на смыкании губ. Да: в подвале, рядом с кинотеатром, был винный магазинчик, в него мы *спускались* по пути из консерватории...

Я шла, и все было по пути, все кстати, все двигалось со мною, вдоль и обочь меня, словно я стала осью, вокруг которой нарастал мой собственный, давно утонувший, город. Он собирался, восстанавливался, восставал из выцветших картинок моей безалаберной памяти, как восстанут в будущем мертвые из маленькой, но нетленной косточки.

Как собралось и выстроилось в затылочек странное имя улицы — *Маломирабадская.*

Как выросло вдруг на углу старое кирпичное здание аптеки.

«Дорихона́»! Как я смела забыть это слово, ведь я с ним выросла, с этим словом, пахнущим йодом и новенькими бинтами, мамиными «каплями Вотчела» и приторными подушечками «гематогена»!..

* * *

...Когда я сильно устаю, я вспоминаю вязкий мед ташкентского солнца... Керамический блеск виноградных листьев, тяжелые брусы янтарных, слёзных на срезе, сушеных дынь, светящуюся изнутри золотую плоть абрикосов, сладкую истому черной виноградной кисти с желтыми крапинами роящихся ос.

Из дому надо выходить с запасом тепла... — мне до сих пор тепло, благодарение Создателю.

Солнечное свечение дня... Солнечная, безлюдная сторона улицы... Карагачи, платаны, тополя — в лавине солнечного света.

Мне до сих пор тепло.

Я уже ничего не выдумываю, ничего уже не пытаюсь понять, просто закрываю глаза и погружаюсь на дно потока. И если забыть, что я — это я, то и раствориться в этом потоке совсем не страшно.

Но страшен миг обнаружения себя в бездонных водах времени, — вселенский ужас и вселенская тоска: где я? кто я? как смогу одолеть этот бурный путь в кошмарной мгле?

И неужели меня не станет, когда я доплыву?

Ташкент—Москва—Иерусалим
1980—2006

| Содержание |

| Дина Рубина |

На солнечной стороне улицы

роман

Заведующая редакцией Н. Холодова

Художник А. Ходаковский

Корректор Е. Варфоломеева

Компьютерная верстка К. Москалев

ООО «Издательство «Эксмо».
127299, Москва, ул. Клары Цеткин, д. 18/5.
Интернет/Home page — www.eksmo.ru
Электронная почта — info@eksmo.ru

Подписано в печать 13.07.2007. Формат 84×108 $^1/_{32}$.
Гарнитура «Литературная». Печать офсетная.
Бумага тип. Усл. печ. л. 22,68.
Доп. тираж VI 10 100 экз. Заказ № 2653.

Отпечатано в полном соответствии
с качеством предоставленных диапозитивов
в ОАО «Можайский полиграфический комбинат».
143200, г. Можайск, ул. Мира, 93.